Not That Kind of Girl

Antiguide à l'usage des filles d'aujourd'hui

belfond

Lena Dunham

Antiguide à l'usage des filles d'aujourd'hui

Traduit de l'américain par Catherine Gibert

Titre original :
NOT THAT KIND OF GIRL
A young woman tells you what she's « learned »
Publié par Random House, New York
Illustrations de Joana Avillez

Not that Kind of Girl est une œuvre de non-fiction.
Certains noms et caractéristiques ont été changés.

Retrouvez-nous sur
www.belfond.fr
ou www.facebook.com/belfond

Éditions Belfond,
12, avenue d'Italie, 75013 Paris.
Pour le Canada,
Interforum Canada, Inc.,
1055, bd René-Lévesque-Est,
Bureau 1100,
Montréal, Québec, H2L 4S5.

ISBN : 978-2-7144-5647-2

Belfond | un département **place des éditeurs**

place
des
éditeurs

À ma famille, bien sûr.
À Nora.
Et à Jack, qui est comme elle m'avait dit qu'il serait.

« Au fond de son âme, cependant, elle attendait un événement. Comme les matelots en détresse, elle promenait sur la solitude de sa vie des yeux désespérés, cherchant au loin quelque voile blanche dans les brumes de l'horizon. Elle ne savait pas quel serait ce hasard, le vent qui le pousserait jusqu'à elle, vers quel rivage il la mènerait, s'il était chaloupe ou vaisseau à trois ponts, chargé d'angoisses ou plein de félicités jusqu'aux sabords. Mais, chaque matin, à son réveil, elle l'espérait pour la journée… »

Gustave Flaubert, *Madame Bovary*

« Avec quelle rapidité tu transformes l'énergie que la vie te donne en sacs de nœuds de toute beauté. »

Mon père me remontant les bretelles

Introduction

J'ai vingt ans et je ne peux pas me voir en peinture. Je déteste mes cheveux, mon visage, mon petit ventre rond, ma voix qui tremblote et mes poèmes dégoulinants. Je déteste le ton qu'emploient mes parents lorsqu'ils s'adressent à moi, une octave plus haut qu'avec ma sœur. Quand ils me parlent, j'ai l'impression d'être une fonctionnaire en burn out prête à faire sauter le caisson des otages retenus dans sa cave, pour peu qu'on la bouscule.

Je dissimule cette détestation sous un vernis de confiance en moi brandie comme un étendard. J'ai les cheveux jaune fluo, et une coupe mulet qui doit plus aux teen-mums des années 80 qu'aux dernières tendances mode. Je porte des tenues en lycra, fluo elles aussi, qui font des poches partout. Entre ma mère et moi, c'est la baston du siècle quand je sors en haut court à motifs bananes et legging rose pour visiter le Vatican sous les yeux offusqués des pèlerins.

J'ai une chambre dans une résidence universitaire qui fut, il n'y a pas si longtemps, une maison de retraite pour personnes à revenus modestes dont je n'ose imaginer le sort actuel. Ma coloc est partie à New York découvrir les joies de la cuisine locavore et de l'homosexualité. Je suis donc seule au rez-de-chaussée, ce qui n'est pas pour me déplaire, jusqu'au jour où une joueuse de rugby dégonde ma porte et déboule dans ma chambre pour mettre un pain à sa copine inconstante. J'ai fait l'acquisition d'un lecteur VHS et d'une paire d'aiguilles à tricoter, et je passe mes soirées sur le canapé à confectionner un bout d'écharpe à un garçon que j'aime bien et qui a arrêté les cours après une grosse déprime. J'ai réalisé deux courts métrages que mon père juge « intéressants mais à côté de la plaque ». Quant à l'écriture, ça me tétanise tellement que je me suis mise à traduire des poèmes écrits dans des langues que je ne parle pas. Un exercice surréaliste censé nourrir mon inspiration mais qui m'évite surtout de remuer des pensées obstinées et importunes. À savoir : je suis laide comme un pou ; je vais finir en HP avant vingt-neuf ans ; je n'arriverai jamais à rien.

On ne le devinerait pas à me voir en soirée. Au milieu des gens, j'ai la joie débridée, habillée comme une princesse, robe vintage et faux ongles, luttant contre le sommeil distillé par les 350 mg de médocs que je prends tous les soirs. Je suis la reine de la piste, je ris plus fort que tout le monde à mes propres blagues, j'évoque ma foufoune comme s'il s'agissait d'une voiture ou d'une commode. L'an dernier, j'ai eu une mononucléose infectieuse qui ne m'a jamais vraiment quittée. Il arrive que mon ganglion grossisse jusqu'à atteindre la taille d'une balle de golf et ressorte comme un clou du monstre de Frankenstein dans mon cou.

J'ai des copines : un groupe de filles sympas dont les centres d'intérêts (la pâtisserie, les fleurs séchées, la vie associative) ne me passionnent pas vraiment, ce qui me fait culpabiliser. Le fait d'être incapable de passer du temps chez elles prouve une bonne fois pour toute que je ne suis pas une fille gentille. Je ris, j'acquiesce et je trouve toujours un bon prétexte pour rentrer tôt chez moi. J'ai le pressentiment tenace que mes vraies amies m'attendent après la fac. Des femmes excentriques aux ambitions démesurées, coupables de transgressions énormes, les cheveux en choucroute, aussi spectaculaires que les topiaires de Versailles et qui, jamais au grand jamais, ne me diraient : « Oh, je t'en prie ! » quand je raconte un rêve cochon avec mon père.

J'avais déjà cette impression au lycée, j'étais certaine que ma bande viendrait d'ailleurs, aurait des envies d'ailleurs et me reconnaîtrait au premier coup d'œil. Mes nouveaux amis m'aimeraient assez pour que je me fiche de ne pas m'aimer. Ils sauraient voir en moi ce qui est bon et du coup, moi aussi.

Le samedi, avec les copines, on file en vieille Volvo faire une descente à la boutique de trucs d'occasion pour acheter des babioles qui empestent la vie d'autres gens et des fringues qu'on espère voir sublimer la nôtre. On veut toutes ressembler aux personnages des sitcoms de notre enfance, à ces ados qu'on admirait quand on était petites. Aucun pantalon ne me va jamais sauf au rayon femmes enceintes, alors je prends surtout des robes informes et des pulls immettables.

Parfois, je tire le gros lot : un costume de Princesse Peach parsemé de petites taches de café, un legging avec des chaînes en trompe l'œil sur le côté, des chaussures faites sur mesure pour une personne affligée d'une jambe plus courte que l'autre. Mais certains jours, le butin est maigre. Les tennis de sous-marque à motifs et les déshabillés déchirés se sont déjà arrachés. Dans ces cas-là, je bifurque vers le rayon livres, là où les gens se débarrassent de leurs guides pour divorcer les doigts dans le nez, de leurs manuels divers et variés, parfois même de recueils de souvenirs et d'albums photo.

Je passe en revue les étagères poussiéreuses qui me font penser à la bibliothèque d'une famille malheureuse, voire analphabète. J'ignore les *Conseils pour devenir riche en moins de deux*, je m'attarde à peine sur l'autobiographie de Miss Piggy, je me tâte pour *Les Sœurs : le don de l'amour* et m'arrête net devant un vieux livre de poche aux bords jaunis, presque verts : *Having it All*[1], d'Helen Gurley Brown. L'auteur nous fait l'honneur de poser en couverture, appuyée contre son bureau tiré au cordeau, toute de perles et de sourire complice, en tailleur prune à épaulettes que j'adopte aussitôt par dérision.

Je m'acquitte des soixante-cinq cents exigés pour le rapporter chez moi. Dans la voiture, je le montre aux copines en prétendant qu'il s'agit d'un bibelot pour rire, destiné à mon étagère de trophées kitsch et photos de gosses inconnus vendues chez Sears. C'est notre truc, détourner les objets et les exposer comme preuve de ce que nous ne serons jamais. Sauf que je vais dévorer le livre. À peine dans ma chambre, je me glisse en grelottant sous mon dessus-de-lit en patchwork car sur le par-

1. *Je veux tout. (N. de la T.)*

king, devant ma fenêtre, une tempête de neige sévit. Typique de l'Ohio !

Le livre date de 1982 ; à l'intérieur, quelqu'un a écrit au stylo bille : « Pour Betty ! Bisous de Margaret, ta copine des Weight Watchers. » L'idée que ce livre ait été offert, il y a des lustres, par une femme à une autre femme, toutes deux membres d'un groupe de soutien pour perdre du poids, me remue. Dans ma tête, je prolonge la dédicace : « Betty, on peut y arriver. On est en train d'y arriver. Que ce livre te donne des ailes ! »

Pendant une semaine, dès la fin des cours, je fonce dans ma chambre me nourrir des enseignements d'Helen. Je suis scotchée qu'elle ose partager ses multiples humiliations et rares triomphes avec ses lectrices, osant expliquer avec une précision digne d'un *Guide pour les Nuls* qu'elles aussi peuvent obtenir « l'amour, le succès, le cul, l'argent, même en partant de zéro ».

Je tiens à souligner que la plupart de ses conseils sont complètement barrés. Elle préconise de consommer moins de mille calories par jour (« Un régime draconien, c'est bien, jeûner, c'est mieux… hors de question d'être rassasiée. Il est indispensable de se sentir mal et d'avoir faim pendant son régime sinon c'est qu'il ne marche pas. ») ; d'éviter autant que possible d'avoir des enfants et de se tenir prête à tailler une pipe à tout moment (« plus vous aurez d'activité sexuelle, plus vous en supporterez »). Helen fait peu de cas du consentement : « Épuisement, préoccupations, règles douloureuses – rien n'est une excuse valable pour ne pas faire l'amour, à moins d'être très en colère contre l'homme dans votre lit, au point d'avoir les yeux exorbités et les dents qui grincent. »

Certains de ses conseils sont plus raisonnables : « Partez toujours à l'aéroport un quart d'heure plus tôt que prévu. Cela économisera vos soupapes. » ou « Si vous êtes confrontée à de graves problèmes personnels, n'hésitez pas à consulter un psy pour vous faire aider. Pas plus que je n'imagine quelqu'un ne pas se soigner s'il souffre du cœur et de l'esprit, je n'imagine quelqu'un déambuler dans les rues en pissant le sang par la gorge… » Mais cette sagesse sans détour perd de son pouvoir au contact de perles du style : « Éviter à tout prix les hommes mariés lorsqu'on est célibataire équivaut à se passer des premiers soins à l'hôpital de Tijuana même si on saigne comme un porc, au prétexte qu'on préfère un hôpital américain impeccable situé à une distance infranchissable de la frontière. »

Having it All est divisé en plusieurs parties, chacune explorant les poncifs de l'univers féminin : régime, sexe, complexité du mariage. Mais, malgré ses théories hallucinantes en décalage total avec mon éducation résolument féministe, je sais gré à Helen de partager les hontes acnéiques de sa propre histoire afin d'affirmer : « Regardez ! Le bonheur est à la portée de toutes. » Ce faisant, elle se met à nu dans toute sa splendeur (le passage où elle s'empiffre de baklava est gravé dans ma mémoire), mais je la sous-estime peut-être. Elle ne le fait sans doute pas par inadvertance, mais par générosité.

À l'époque où je suis tombée sur son livre, je ne savais pas comment situer Helen Gurley Brown ; j'ignorais qu'elle avait fait l'objet de nombreux papiers et que des femmes telles que Gloria Steinem et Nora Ephron, qui allaient devenir mes modèles, s'étaient insurgées contre elle. J'ignorais qu'elle était la cible favorite du mouvement des femmes et des pourfendeurs de la pornographie, et qu'à bientôt quatre-vingt-dix ans elle continuait de fourguer ses conseils uniques, superficiels et gais aux opprimées. Je savais seulement qu'elle décrivait une vie devenue plus riche du fait d'avoir été ce qu'elle appelait une « grisette » : ni jolie, ni spéciale, ni bien gaulée. Elle était convaincue qu'au final les « grisettes » triompheraient, car, fortes d'avoir été ignorées, mal aimées, elles seraient en mesure de le raconter. Dans son récit, Helen prêche surtout pour sa propre paroisse mais, en ce qui me concernait, ça tombait à pic. À en croire Helen, il était donc possible de devenir une femme de pouvoir, sûre d'elle et même sexy quand on n'avait pas été gâtée au berceau. Peut-être bien.

Affirmer avec certitude que sa propre histoire vaut la peine d'être racontée, je ne trouve rien de plus culotté. Surtout quand il s'agit d'une femme. Malgré tous nos efforts, malgré toutes nos avancées, il demeure encore des forces obscures pour seriner aux femmes que leurs préoccupations sont dérisoires, leurs avis inutiles, qu'elles n'ont pas le sérieux voulu pour que leurs histoires aient du poids. Que leurs récits autobiographiques ne sont que coquetterie et qu'elles feraient mieux de se réjouir de ce monde nouveau pour elles, assises bien tranquillement et en silence.

Sauf que je veux raconter mes histoires, je dirais même plus que je le dois pour ne pas perdre la boule : l'histoire de mon dégoût et de mon affolement à la découverte de mon corps de femme. Raconter comment je me suis fait peloter le cul pendant un stage, comment j'ai dû me montrer à la hauteur dans une réunion pleine de vieux croûtons et comment je suis allée à une soirée chic avec le nez rouge et croûteux. Comment je me suis laissé maltraiter par des hommes, tout en sachant que je ne devais pas. Des histoires sur ma mère, ma grand-mère, le premier mec que j'ai aimé qui est devenu bi et la première fille que j'ai aimée qui est devenue mon ennemie. Si mon expérience pouvait vous rendre les choses plus faciles ou vous empêcher de faire l'amour avec le sentiment que vous devez garder vos chaussures aux pieds au cas où vous auriez besoin de détaler séance tenante, alors toutes mes erreurs n'auraient pas été vaines. Je prévois déjà la honte qui va me submerger pour avoir la prétention de penser que j'ai quelque chose à vous offrir, mais aussi la gloire qui m'auréolera si je réussis à vous empêcher de vous payer une detox aux jus de fruits hors de prix ou de penser que c'est votre faute si la personne avec qui vous sortez fait soudain machine arrière, impressionnée par la netteté de votre mission personnelle sur terre. Non, je ne suis pas spécialiste, ni psy, ni diététicienne. Je ne suis pas une mère de trois enfants à la tête d'une ligne de lingerie florissante. Non, je suis une fille qui se bat pour « tout avoir » (*Having it all*) et ce que vous allez lire n'est autre qu'une brochette de dépêches optimistes envoyées du front.

PREMIÈRE PARTIE

L'amour & le sexe

Je t'offre ma virginité

(si si, j'insiste, sers-toi)

À neuf ans, j'ai fait vœu de chasteté sur un bout de papier que j'ai mangé. Je me suis juré au feutre orange que je resterai vierge jusqu'au bac. La précision est d'importance dans la mesure où ma mère avait, elle, attendu l'été qui précédait sa première rentrée universitaire. Et puis Angela – Angela Chase de la série *Angela, 15 ans* – était ressortie plutôt chamboulée par ce qu'elle avait vécu dans le bouge où les lycéens se retrouvaient pour forniquer. À en juger par mon rapport au pâté de foie – je m'en empiffrais au point de gerber –, ma volonté laissait à désirer. Il me fallait quelque chose de beaucoup plus costaud qu'une résolution pour m'empêcher d'avoir des rapports sexuels précoces, d'où le serment écrit que j'ai demandé à ma mère de signer. Laquelle a refusé : « Tu ne sais pas ce que la vie te réserve et je ne veux pas que tu culpabilises », a-t-elle dit.

Pour finir, le contrat s'est révélé une précaution inutile. Au lycée, l'occasion ne s'est jamais présentée, pas plus qu'en première année à la New School, à moins de compter le coup raté avec James, l'apprenti pilote râblé. Bien que l'affaire n'ait pas été consommée, les choses étaient allées assez loin pour que, le lendemain, je retrouve un préservatif vert menthe intact derrière le lit de ma chambre d'étudiante. Tout roulait gentiment, j'étais nue comme un ver, mais, à l'annonce de ma virginité, James avait eu peur (sans doute à raison) que je m'accroche à lui et il avait mis les voiles. La deuxième année, j'étais dans une autre école d'art, plus modeste, qui devait sa réputation au fait d'avoir été la première fac à accepter des femmes et des Afro-Américains. Elle la devait aussi au goût prononcé de ses étudiants pour les relations à partenaires multiples et leur intérêt pour la bisexualité. Je n'étais attirée ni par l'un ni par l'autre, mais j'ai pensé que l'endroit était idéal pour enfin jeter ma gourme.

Oberlin était le paradis de l'amour libre. À la première averse diluvienne de l'année, les étudiants descendaient nus dans la cour se barbouiller mutuellement de boue (j'étais en tankini). Ils se donnaient du : « mon ancien mec » ou « mon ami du moment ». Tous les ans, à l'occasion d'un séminaire sur le sexe, un garçon et une fille étaient désignés pour exhiber, l'un son zob, l'autre sa foufoune devant une foule d'apprentis sexologues en liesse.

J'avais l'impression d'être la vierge la plus vieille des environs, ce qui était sans doute le cas si on faisait abstraction d'une punkette à gros nibards qui venait d'Olympia dans l'État de Washington et souffrait de la même insatisfaction. On se retrouvait souvent en chemise de nuit pour se plaindre du manque d'opportunités. Deux Emily Dickinson piercées qui s'interrogeaient sur leur avenir et espéraient ne pas avoir, par inadvertance, traversé le fossé qui sépare l'innocence du lamentable.

— Josh Krolnik a passé son doigt sous l'élastique de ma culotte ! Ça veut dire quoi, à ton avis ?

— Il me l'a fait aussi…

Non sans terreur, nous avons été obligées de constater que même le type qui venait aux cours en peignoir violet avait une copine en pyjama Superman, raide dingue de lui. Ils se regardaient avec des yeux énamourés, perdus dans leur monde (sans aucun doute sexuel) peuplé de linge de nuit.

Les choix étaient limités surtout quand, comme moi, on avait fait une croix sur les bisexuels. La bonne moitié des mecs hétéros jouait à Donjons & Dragons et un dernier quart marchait pieds nus. J'avais bien repéré un mec très mignon, Privan, un varappeur à cheveux longs, mais quand le susnommé s'est levé à la fin du cours, sa jupe blanche froufroutante m'a sauté aux yeux. Si je voulais un jour goûter à l'amour charnel, j'allais clairement devoir faire quelques concessions.

J'ai rencontré Jonah* à la cafétéria. Il n'avait pas de style défini, si ce n'est s'habiller comme une lesbienne sur le retour. Il était petit mais balèze. (Les mecs d'un mètre cinquante sont toujours pour moi.) Il avait son T-shirt du rallye de son lycée (un lycée qui organise un rallye ! Trop rétro !) et il avait une façon plutôt raffinée de se servir au buffet perpétuel qu'était la cafétéria. Ce que j'appréciais, car même les végétariens bâfraient comme

* Le prénom a été changé par respect pour l'innocent

si l'apocalypse était pour demain et rentraient hagards dans leur chambre pour cause de digestion impossible. Je lui ai glissé en passant que j'étais embêtée de ne pas pouvoir aller dans le Kentucky pour un projet d'article et il m'a aussitôt proposé ses services. Même si sa générosité m'épatait, je n'avais pas la moindre envie de passer cinq heures dans une voiture avec un inconnu. Alors que cinq à quarante-cinq minutes de galipettes m'allaient très bien.

Le meilleur moyen d'arriver à mes fins était d'organiser une soirée wine and cheese dans ma chambre lilliputienne à l'étage dit « tranquille » d'East Hall. Acheter du vin nécessitait de faire dix bornes à vélo par moins vingt jusqu'à la cave de Lorain qui acceptait de servir les mineurs. Par conséquent, ce fut beer and cheese, et paquet de crackers géant. J'ai invité Jonah avec d'autres étudiants par le biais d'un email groupé, donnant l'illusion d'une décontraction que j'étais loin d'avoir (Salut ! Le jeudi soir, j'ai envie de décompresser. PAS VOUS ?). Jonah est venu et il est même resté après le départ des autres. Il était clair qu'on irait au moins jusqu'aux jeux de mains. On a discuté, d'abord avec animation, puis par ces petits cris de souris qui tiennent lieu de baisers aux timides. J'ai fini par lui dire que mon père peignait des zobs géants en guise de gagne-pain. Comme il manifestait l'envie de voir ses toiles sur le net, je me suis jetée à l'eau et je lui ai sauté dessus. En moins de deux, j'avais retiré mon T-shirt, comme avec l'apprenti pilote râblé, ce qui l'a impressionné. Boostée par mon audace, je me suis précipitée sur le préservatif du « kit de survie » distribué en première année (même si j'étais en deuxième année et même si je me voyais mal affronter la fin du monde avec une paire de fausses Ray Ban, une barre Granola et des mini-pansements).

Pendant ce temps-là, de l'autre côté du campus, ma copine Audrey vivait son propre petit enfer personnel. Elle se fritait avec sa coloc depuis un semestre, une bombe de Philadelphie, fan de reconstitutions historiques, qui chauffait tous les maniaques de jeux de rôle et de black metal. Audrey aurait voulu lire en paix *The New Republic* et chatter avec son copain en Virginie, mais sa coloc sortait désormais avec un type qui avait fait brûler du crystal-meth dans la cuisine de la résidence, provoquant la visite immédiate de deux gus en combinaisons de protection. Audrey lui avait demandé de retirer son anneau contraceptif du minifrigo, et la fille l'avait pris comme un affront impardonnable à son honneur.

Avant de se rendre à ma soirée beer and cheese, Audrey lui a laissé un mot : « Comme les partiels approchent, si vous pouviez faire l'amour en sourdine, ça me ferait plaisir. » Pour toute réponse, la coloc a brûlé son mot et répandu les cendres par terre avant de lui en laisser un de son cru : « T qu'une grosse frigide. Va te faire dépoussiérer la fouffe ! »

Audrey est revenue dare-dare à ma chambre, espérant dormir sur place. Elle sanglotait, terrifiée à l'idée que le mot brûlé soit un avant-goût de quelque chose de plus sanglant et certaine que j'étais seule, en train de finir le fromage. Elle a donc ouvert la porte sans frapper et trouvé Jonah à califourchon sur moi. L'énormité de la situation ne lui a pas échappé et, au milieu de ses larmes, elle s'est écriée : « Mazel tov ! »

Je n'ai pas précisé à Jonah que j'étais vierge, laissant sous-entendre que mon expérience était maigre. J'étais à peu près sûre de m'être déchiré l'hymen au lycée à Brooklyn en escaladant une clôture pour attraper un chat qui n'avait pas l'intention d'être adopté. Il n'empêche, j'ai eu plus mal que prévu, et différemment. Une douleur sourde, plus proche du mal de tête que du coup de poignard. Jonah était mal à l'aise et, clin d'œil à l'égalité des sexes, aucun de nous n'a atteint le nirvana. Après quoi, on a parlé dans le lit et j'ai compris que c'était un mec bien, si tant est que ça veuille dire quelque chose.

Je me suis réveillée le lendemain matin, comme tous les matins, et j'ai repris mon train-train quotidien : appeler ma mère, boire trois verres de jus d'orange, manger la moitié du morceau de cheddar qui restait de la veille, écouter du folk gentillet, regarder des photos mignonnes sur Internet, scanner mon épilation du maillot à la recherche de poils incarnés, relever mes emails, plier mes pulls, déplier mes pulls pour décider lequel mettre. Le soir, je me suis couchée avec la même impression que d'habitude et je me suis endormie comme un bébé. Aucune vanne n'avait sauté, aucun coffre-fort n'avait libéré ma véritable féminité. J'étais, et je demeurais moi.

On n'a fait l'amour qu'une fois, avec Jonah. Le lendemain, il est passé me dire qu'on avait été trop vite en besogne et qu'on devait apprendre à se connaître. Puis il m'a demandé d'être sa petite copine, a enfilé mon casque de vélo rose pétard en décrétant que c'était « le casque de son amoureuse » avec une tête de Lou ravi. Je suis « sortie » avec lui l'espace de douze heures et j'ai mis fin à notre relation dans la buanderie de son bâtiment. Aux vacances de Noël, j'ai reçu un message de lui via Facebook qui disait juste : « T'es canon ! »

Faire l'amour était à l'évidence plus accessible que prévu. J'ai eu une fulgurance : si jusque-là j'avais jeté mon dévolu sur des garçons qui m'ignoraient, c'était que je n'étais pas prête. En dépit de mon goût pour les films mettant en scène des rejetons de bonne famille un peu rebelles, j'avais passé mes années lycée à dorloter mes animaux, écrire des poèmes sur des amours sordides et abandonner mon corps à mes seuls fantasmes. Je n'étais pas disposée à y renoncer. J'étais persuadée que, une fois pénétrée par un individu, mon monde changerait de manière aussi indescriptible que radicale. Je ne pourrais plus embrasser mes parents avec la même candeur, me retrouver seule avec moi-même n'aurait plus la même couleur. Comment expérimenter la solitude, la vraie, quand quelqu'un a farfouillé dans votre intimité ?

Dire que la virginité, qui semble si éternelle, n'est qu'une broutille ! Après Jonah, j'ai eu peine à me remémorer le manque, la honte et le sentiment d'urgence. En revanche, je me rappelle avoir croisé la punkette, bras dessus bras dessous avec son copain de troisième année ; on n'a même pas échangé un signe de reconnaissance entre survivantes. Il était probable qu'elle s'envoyait en l'air tous les soirs, ses gros nibards se soulevant au rythme d'une musique hardcore, notre lien aboli par l'expérience. On ne faisait plus partie d'un club, mais du monde. Tant mieux pour elle.

Plus tard seulement, sexe et identité n'ont fait qu'un. J'ai décrit au mot près la scène de mon dépucelage dans mon premier film : *Creative Nonfiction*, n'omettant que le moment où Audrey déboule dans ma chambre, craignant pour sa vie. Quand j'ai joué la scène de cul, ma première, je me suis sentie plus différente qu'après avoir fait l'amour avec Jonah. Il ne s'agissait peut-être que de sexe, mais c'était quand même mon premier film.

Le partage de lit platonique

Une idée géniale
(pour celles qui ne peuvent pas s'encadrer)

Pendant longtemps, je n'ai pas su si j'aimais la chose. J'aimais tout ce qui précédait : les suppositions, les gestes maladroits et pleins de sous-entendus, les conversations crispées dans l'air froid en me faisant raccompagner, mon visage dans le miroir de la salle de bains rikiki d'un inconnu. J'aimais ce que j'entrevoyais de l'inconscient de mon partenaire de jeux, sans doute un des rares moments où je prenais conscience de ne pas être seule au monde. J'aimais sentir que j'étais peut-être, voire vraiment, désirée. Mais faire l'amour était un mystère. Rien ne collait vraiment. L'acte en lui-même me donnait souvent l'impression d'une Spontex récurant un bocal. Je n'arrivais jamais à dormir après. Si on se séparait, je ressassais à l'infini. Si on dormait dans le même lit, j'avais des crampes et je fixais le mur. Comment dormir quand la personne allongée à côté de moi avait des infos de première main sur mes muqueuses ?

J'ai trouvé la solution au problème en première année de fac : le partage de lit platonique, qui consiste à accueillir sous sa couette l'objet de ses désirs pour une nuit, qui a tous les ingrédients de la nuit, sauf le sexe. On rit, on se blottit l'un contre l'autre, en évitant de passer par la case humiliations et bruits fâcheux qui sont le sort des novices.

Partager mon lit de façon platonique m'a permis de parader en chemise de nuit comme une ménagère des années cinquante, de vivre le frisson de l'amour, sans avoir à subir une invasion de mon intimité. C'était aussi efficace que les astuces trouvées par les pionniers pour se réchauffer en passant un col glacial. Restait une question : se faire des câlins ou pas ? Au réveil, le fait d'avoir été voulue m'emplissait d'une bienheureuse chaleur, exempte d'images sordides de bite, de couilles et de salive qui tournaient en boucle dans ma tête le lendemain des jours où je m'étais vraiment fait culbuter.

Bien sûr, à l'époque où j'usais de la pratique, je n'avais pas conscience de mes motivations profondes et je tenais le partage de lit platonique pour mon lot : pas assez laide pour être repoussante et pas assez belle pour faire l'affaire. Mon lit était une aire de repos pour esseulés dont j'étais la tenancière en mal de mâle.

J'ai partagé mon lit avec ma sœur, Grace, jusqu'à l'âge de dix-sept ans. Elle avait peur de dormir seule et, toutes les nuits, vers cinq heures, elle venait me demander l'hospitalité. Je refusais chaque fois avec la plus grande véhémence, prenant un malin plaisir à la voir me supplier et bouder, mais je finissais toujours par céder. Chaque nuit, son petit corps nerveux et collant s'agitait contre moi pendant que je lisais du Anne Sexton, regardais une redif du « Saturday Night Live » ou glissais même parfois une main entre mes cuisses juste pour vérifier un truc. Grace avait les vertus réconfortantes et soporifiques d'une bouillotte ou d'un chat.

J'ai toujours fait semblant de détester ça. Je me plaignais auprès de mes parents : « Je ne connais aucune ado obligée de partager son lit avec sa sœur, à moins qu'elle soit très pauvre !!!! Je vous en supplie, faites qu'elle dorme toute seule ! Elle me pourrit la vie ! » Il faut dire qu'elle avait un lit perso dans lequel elle avait choisi de ne pas dormir. « Explique-toi avec elle », répondaient-ils, conscients que j'y trouvais mon compte.

À vrai dire, je n'avais pas le droit de râler. Petite, j'avais eu des « problèmes de sommeil » d'une telle gravité que mon père prétendait ne pas avoir dormi une seule nuit d'une traite entre 1986 et 1998. Pour moi, le sommeil était synonyme de mort. En quoi fermer les yeux et perdre conscience était-il différent de mourir ? Qu'est-ce qui séparait une perte de conscience temporaire d'un effacement définitif ? Une perspective que je ne pouvais affronter seule. Si bien que, tous les soirs, on était obligé de me traîner telle une furie jusqu'à ma chambre où j'exigeais de mes parents qu'ils se plient à un rituel alambiqué pour me border. À ce propos, je n'en reviens pas qu'ils ne m'aient jamais mis de trempe (majeure).

Puis, vers une heure du matin, une fois qu'ils dormaient enfin, je me faufilais dans leur chambre, je virais mon père du lit et me glissais à sa place toute chaude. Je sombrais à côté de ma mère, la joie de ne plus être seule l'emportant sur le furtif sentiment de culpabilité d'avoir chassé mon père. Je l'ai compris depuis peu, c'était sans doute le moyen d'être certaine qu'ils ne fassent plus jamais l'amour.

Mon pauvre père, soucieux de mettre un terme à la guerre froide qui faisait rage à la maison sur le front du sommeil, m'a proposé un *deal*. Si j'acceptais de rester tranquille dans ma chambre à partir de vingt et une heures, il me réveillait à trois heures pour me transférer dans la sienne. Le marché était honnête : je n'étais morte seule que quelques heures et il me remontait les bretelles un peu moins souvent. Il a respecté le contrat. Qu'il vente ou qu'il pleuve, il se réveillait à trois heures pour venir me chercher.

Puis, une nuit, j'avais onze ans à l'époque, il s'est abstenu. Je ne m'en suis rendu compte qu'à sept heures, quand les bruits du matin m'ont réveillée. Grace était déjà à la cuisine en train de se régaler de gaufres bio surgelées devant un dessin animé. J'ai regardé autour de moi avec des yeux hagards, scandalisée de voir les flots de lumière qui entraient par ma fenêtre.

— Tu as brisé ta promesse ! ai-je sangloté.

— Mais ça s'est bien passé, a-t-il fait remarquer.

Inutile de discuter, il avait raison. C'était un soulagement de ne pas être sortie des bras de Morphée à trois heures.

Mes problèmes pas plutôt disparus, Grace les a remplacés, comme si les troubles du sommeil étaient une affaire de famille qu'on se repassait de fille en fille. Malgré mes doléances persistantes, j'adorais l'avoir dans mon lit. Son petit ronflement, sa façon de faire venir le sommeil en comptant les fissures au plafond avec un petit couinement de souris qui pourrait s'écrire comme ça : *Mip ! Mip ! Mip !* Son pyjama qui lui remontait sur le bidon. Mon bébé, que je protégeais jusqu'au matin.

Tout a commencé avec Jared Krauter. Je l'avais remarqué d'emblée au séminaire d'intégration de la New School : il était adossé à un mur, en grande conversation avec une fille qui avait la boule à zéro – ses yeux de manga, son pantalon de femme pattes d'eph', son casque de cheveux à la Prince Vaillant. C'était la première fois que je voyais un mec en Keds. L'assurance qu'il avait pour porter des chaussures de filles m'avait troublée. En fait, il me transportait. Si j'avais été seule, je me serais laissée glisser au bas d'une porte et j'aurais soupiré comme Natalie Wood dans *La Fièvre dans le sang*.

En théorie, ce n'était pas la première fois que je voyais Jared. Il habitait Brooklyn et attendait souvent son copain de colo devant mon lycée. Chaque fois que je le repérais dans la foule je me disais : « Quel beau petit lot ! »

— Salut ! ai-je lancé, moulée dans mon top bandeau en me rapprochant de lui. Il me semble t'avoir vu devant St Ann. Tu connais Steph, c'est ça ?

Jared était plus chaleureux que la moyenne des mecs cool. Le soir même, il m'invitait à venir écouter son groupe, le premier d'une longue série de concerts auquel j'assistais – et la première de nombreuses nuits passées, serrés comme des sardines dans le lit du haut de ma chambre d'étudiante, sans jamais s'embrasser. Au début, j'ai mis l'absence de bisous sur le compte de la timidité. Jared était un gentleman et on prenait notre temps. On finirait bien par se rouler des pelles en se bidonnant au souvenir de nos premières hésitations, avant de ziquer comme des bêtes. Mais les jours se transformaient en semaines, puis en mois et son faible à mon endroit ne prenait pas de caractère sexuel. Je me languissais de lui alors que j'étais blottie contre son corps. Sa peau sentait le savon et le métro, et ses paupières palpitaient quand il dormait.

Malgré ses poses rock indé et la possibilité de boire à l'œil grâce à son boulot de videur, Jared était vierge, comme moi. On riait des mêmes choses (une Mexicaine dans notre bâtiment qui disait que son père adorait la pipe), on aimait les mêmes plats (les beignets d'oignons, c'est peut-être pour ça qu'on ne s'est jamais embrassés), la même musique (tout ce qu'il me conseillait d'écouter). Il était un rempart contre la solitude, contre les engueulades avec ma mère, contre les notes médiocres et les barmen odieux qui ne se faisaient pas rouler par ma fausse carte d'identité. En apprenant que je changeais de fac, il a fondu en larmes. La semaine d'après, il arrêtait les cours.

Jared m'a manqué à Oberlin, son ventre contre mon dos, son souffle un peu aigre sur ma joue, le fait de décider d'un commun accord de dormir après que le réveil a sonné. Mais je n'ai pas mis longtemps à le remplacer.

Le premier de la liste s'appelait Dev Coughlin, un pianiste que j'avais remarqué à son retour de la douche et que je m'étais juré d'embrasser. Il avait le visage grave et les cheveux atrocement fournis d'Alain Delon mais disait « super » plus souvent qu'aucun acteur français de la Nouvelle Vague. Un soir qu'on se promenait du côté du terrain de softball, je lui ai avoué que j'étais vierge. De son côté, il cherchait un endroit où dormir car sa chambre était envahie de salpêtre. À la suite de quoi, on a vécu quinze jours d'intense partage de lit, mais pas cent pour cent platonique puisqu'on s'est embrassés deux fois. Le reste du temps, je me tortillais comme une chatte en chaleur, espérant qu'il me frôle d'une manière que je pourrais traduire en plaisir. J'ignore si le salpêtre avait disparu de sa chambre ou si mon affolement lui était devenu insupportable, mais il est rentré chez lui à la mi-octobre. J'ai pleuré son absence l'espace de quelques semaines avant de passer à Jerry Barrow.

Jerry était un binoclard, étudiant en physique, originaire de Baltimore, qui portait des pantalons feu de plancher et jonglait entre deux pseudos : Sherylcrowparledemoi et Planètenibard. À la différence de Jared et de Dev, qui avaient été des amours avec moi, Jerry se bornait à être utile. On ne tomberait jamais amoureux l'un de l'autre, mais sa forte présence physique m'apaisait et on s'est fait une semaine de partage de lit. Quand j'ai invité son meilleur ami, Josh Berenson, à dormir avec nous, il a eu assez d'amour-propre pour se retirer.

La classe, vieux !

Josh faisait partie de ces mecs que j'appelais les « Beaux gosses de colo » et il avait un sens de l'humour ravageur que j'adorais. Malgré ma technique dite « de l'entrisme », qui consiste à rapprocher subrepticement son postérieur des attributs d'un mec qui ne se doute de rien, il n'a pas manifesté d'intérêt pour une partie de jambes en l'air avec moi. Le paroxysme de l'érotisme qu'on ait atteint, c'est sa main à plat sur mon sein gauche, comme si j'étais une extraterrestre à qui un robot donnait un cours d'éducation sexuelle humaine.

À ce stade, la rumeur s'était propagée : Lena aime partager son lit.

Des copains qui restaient le soir pour travailler tenaient pour acquis de pouvoir s'incruster. D'autres dont la chambre était à l'autre bout du campus demandaient à pioncer chez moi pour arriver tôt en cours le matin. Ma réputation me précédait, mais pas toujours comme je l'aurais espéré. (Exemple : Tu connais Lena ? Je n'ai jamais vu de nana aussi créative et portée sur le cul. Elle a les hanches tellement souples qu'elle pourrait se produire dans un cirque, dommage que ce soit une tronche.) Mais j'avais des critères de sélection et je n'aurais pas partagé mon lit avec n'importe qui. Parmi les innombrables prétendants, j'ai refusé :

Nikolai, un Russe qui portait des chaussures noires pointues et me lisait des livres de William Burroughs sur les chats à deux centimètres de la figure. Il était en deuxième année à vingt-six ans et avait la particularité de dire « minou » pour fouffe, comme si on était en 1973.

Jason, qui était en psycho et rêvait d'avoir sept enfants pour les emmener voir jouer les Yankees, chacun un maillot sur le dos marqué d'une lettre qui formerait le nom de l'équipe.

Patrick, si mignon et si petit que je l'ai laissé partager ma couche, une seule fois, pour le découvrir au petit matin son bras en stationnaire au-dessus de mon corps, comme s'il avait eu peur de le poser à côté de moi. Ce qui lui a valu le sobriquet de « Palucheur en stationnaire », même si, plus tard, il s'est rendu célèbre dans tout le campus pour s'être versé de la vodka dans le fondement à l'aide d'un entonnoir.

J'ai appris à me masturber l'été du CE2. J'avais lu comment m'y prendre dans un livre sur la puberté qui décrivait l'exercice ainsi : « Caresser ses parties intimes jusqu'à ce qu'on éprouve une sensation très agréable, proche de l'éternuement. » L'idée d'un éternuement vaginal était au mieux gênante, au pire répugnante. Mais je m'ennuyais ferme cet été-là, j'ai donc décidé d'explorer les possibilités qui s'offraient à moi.

Pendant un certain nombre de jours, allongée sur le tapis de bain de la seule salle de bains qui fermait à clé dans notre maison de vacances, je me suis attaquée au problème de façon clinique. J'essayais toutes sortes de pressions et de rythmes. La sensation n'était pas désagréable, de l'ordre du massage de pied. Un après-midi, alors que je gisais sur mon tapis de bain, mon regard a croisé celui d'un bébé chauve-souris suspendu la tête en bas à la barre du rideau de douche. On s'est dévisagés dans un silence ébahi.

Un jour, vers la fin de l'été, mes efforts ont payé : l'éternuement s'est produit – je précise qu'il tenait plus de la crise d'épilepsie. Échouée sur mon tapis de bain, j'ai mis un certain temps à reprendre mes esprits, puis je me suis levée pour me laver les mains. J'ai vérifié que mon visage n'était pas resté figé dans je ne sais quelle grimace étrange et que je ressemblais toujours à la fille de mes parents avant de sortir rejoindre le reste de la famille.

Maintenant que je suis adulte, il arrive que des images de la salle de bains jaillissent dans mon esprit quand je fais l'amour. Les nœuds du plafond en pin semblables aux trous du gruyère. Les savons raffinés de ma mère dans le porte-savon au-dessus de la baignoire à pattes de lion. Le seau rouillé dans lequel on mettait le papier toilette. Je sens l'odeur du bois. J'entends les bateaux accélérer sur le lac, ma sœur qui traîne son tricycle sous la véranda dans un sens et dans l'autre. J'ai chaud. J'ai envie de grignoter un truc. Mais surtout, je suis seule.

Après mon diplôme, je suis retournée vivre chez mes parents et le partage de lit a continué – Bo, Kevin, Norris –, provoquant pas mal de bisbilles. Ma mère était désemparée, non seulement de parfaits inconnus envahissaient sa maison, mais elle ne voyait pas l'intérêt que portait sa fille à une activité aussi ingrate.

— C'est pire que si tu te les tapais tous ! disait-elle.

— Tu n'es pas obligée de fournir une piaule de dépannage à tout le monde, renchérissait mon père.

Ils ne comprenaient rien, rien du tout. Ne s'étaient-ils jamais sentis seuls ?

En cinquième, ma copine Natalie et moi avions pris l'habitude de dormir tous les week-ends ensemble dans son salon télé. On regardait une chaîne comique ou le « Saturday Night Live » en mangeant de la pizza froide jusqu'à une ou deux heures du matin, puis on s'écroulait sur le canapé convertible, avant de se réveiller à l'aube en surprenant sa grand sœur, Holly, et son copain albinos se glisser en douce dans sa chambre. Le manège a duré quelques mois, notre petit train-train ponctuel, bienheureux et curieusement familial, aussi immuable que celui d'un couple de nonagénaires. Puis, un après-midi, après les cours, Natalie m'a annoncé froidement « qu'elle avait besoin d'espace » (où cette gamine de douze ans avait pêché cette sortie reste un mystère) et j'ai été anéantie. De retour chez moi, ma chambre m'est apparue comme une prison. J'étais passée de la camaraderie idéale à une absence totale de camaraderie.

En réaction, j'ai écrit une nouvelle à fondre en larmes dans le style de Carver. Une nouvelle qui racontait les déboires d'une jeune femme venue à la ville pour devenir actrice à Broadway et finissait esclave domestique d'un ouvrier du bâtiment. Elle passait ses journées à faire la vaisselle, cuire des œufs au plat et à se disputer avec le marchand de sommeil qui louait leur appartement. À la fin, elle allait en douce dans une cabine et appellait sa mère à Kansas City, où je n'avais jamais mis les pieds. La mère lui annonçait qu'elle la reniait et la jeune femme poursuivait son chemin vers où, on l'ignore. Je ne me rappelle aucun passage en particulier, si ce n'est la dernière phrase : « Elle voulait dormir sans sentir ses bras autour d'elle. »

Pendant un moment, je suis sortie avec une ancienne gloire de la télé venue s'installer à Los Angeles pour repartir de zéro, anéantie d'être tombée si tôt de son piédestal. J'avais une chambre insipide dans une résidence hôtelière, qui donnait sur le jardin de deux vieux nudistes. J'étais seule comme un rat et je ne détestais pas l'embrasser. Il ressemblait vaguement au type que j'avais vu à la télé quand j'étais ado et, lorsqu'on dînait dehors, je guettais un signe de reconnaissance sur le visage des serveurs ou des chauffeurs de taxis. Mais on n'a jamais dépassé le stade de la pelle. Il prétendait avoir été marqué par une précédente relation, pauvre biquet, et par un incident lié à la guerre d'Irak (à laquelle, à ma connaissance, il n'avait pas pris part). J'aimais son appartement, les lampes en pâte de verre, son vieux labrador noir, le frigo rempli de Perrier, son bureau bien rangé, avec pour seule déco un tableau sur lequel il notait ses idées. En rentrant un soir, alors qu'il pleuvait des trombes, la voiture a fait de l'aquaplaning et il m'a serré la cuisse comme le ferait un père. On a été en balade à Malibu, où on a partagé une glace. Je l'ai veillé pendant sa pneumonie, lui réchauffant de la soupe, l'hydratant à grand renfort de Canada Dry, effleurant son front brûlant quand il dormait. Il me mettait en garde contre la vie qui m'attendait si je ne faisais pas attention. Le succès pouvait se révéler terrifiant pour quelqu'un de jeune, disait-il. J'avais vingt-quatre ans et lui trente-trois (« L'âge du Christ », me rappelait-il inlassablement). Il dégageait quelque chose de tendre, de brisé et de doux qui caractériserait forcément nos ébats si on en avait. Je n'aurais pas besoin de faire semblant comme avec les autres. Peut-être verserait-on une larme. Peut-être que ce serait aussi bon que le partage de lit.

Le jour de la Saint-Valentin, j'ai mis mon plus beau soutif et je l'ai supplié d'avoir enfin l'obligeance de bien vouloir me lutiner. Il a avancé une litanie d'excuses si pathétiques qu'elles en étaient comiques : « J'ai besoin de te connaître davantage. » « Je n'ai pas de préservatif. » « J'ai peur car je t'aime trop. » Il a avalé un somnifère et s'est endormi, son bras sur ma hanche. Allongée dans le lit, bien réveillée, irritée par ma culotte en dentelle, j'ai eu une révélation : cette situation était humiliante, pas glamour pour un rond et, pire que tout, ennuyeuse à mourir. C'était de la paralysie. Une distance qui se faisait passer pour une relation. J'étais désexualisée au ralenti, je devenais un nounours à nibards.

Je travaillais, je méritais qu'on m'embrasse. Je méritais certes d'être traitée comme un bout de viande mais aussi d'être respectée pour ma petite tête. Et puis, je pouvais m'offrir un taxi pour rentrer chez moi. Alors j'en ai appelé un et son chien triste au nom hébreu m'a regardée sauter la clôture et faire les cent pas au coin de la rue en attendant mon taxi.

Voici la liste des gens avec qui partager son lit ne pose pas de problème :

Sa sœur quand on est une fille, son frère quand on est un garçon, sa mère quand on est une fille et son père quand on a moins de douze ans ou lui plus de quatre-vingt-dix. Sa meilleure amie. Un charpentier emballé chez le marchand de tartes au citron meringuées de Red Hook. Un groom rencontré au business center d'un hôtel du Colorado. Un mannequin espagnol, un chiot, un chaton ou une mini-chèvre apprivoisée. Un coussin chauffant. Un paquet de chips vide. L'amour de sa vie.

Et voici ceux avec qui il est recommandé de s'en abstenir :

Tout ceux qui vous donnent l'impression que vous envahissez leur espace. Tous ceux « qui ne supportent pas d'être seuls en ce moment ». Tous ceux pour qui le partage de lit n'est pas l'activité la plus cosy et la plus sensuelle du monde (à moins bien sûr qu'il s'agisse d'un parent cité plus haut. Auquel cas, le comportement de ces derniers se doit d'être plein d'amour, certes, mais aussi de retenue, et empreint d'agacement).

Maintenant, tournez-vous vers la personne qui est allongée à côté de vous. Remplit-elle les critères susmentionnés ? Si la réponse est non, virez-la ou tirez-vous. Vous serez mieux seule.

18 de mes tirades improbables en mode aguicheur

1. « Au lycée, on m'appelait Lena la Suceuse, parce que *justement* je ne suçais pas ! C'est comme les gros qu'on appelle Fil de fer. »
2. « Je n'ai qu'un dessous de bras qui sent. Je te jure ! Ma mère est pareille. »
3. « Je me suis réveillée une fois en pleine action avec un type que je connaissais à peine ! »
4. « D'accord, on se retrouve pour un café. Enfin, pas un café, plutôt autre chose, parce que le café m'a filé une infection du côlon, et après j'ai dû porter des culottes en papier données par l'hôpital. »
5. « Je précise que je ne suis pas hippie, mais j'ai réussi à me débarrasser de mes verrues génitales grâce à l'acupuncture. »
6. « Il était cul-de-jatte et je le branchais moyen. Mais ce n'est pas pour ça qu'on n'est plus amis. »
7. « Je n'ai jamais vu *Star Wars* ni *Le Parrain*, du coup ce serait une bonne excuse pour passer du temps ensemble. »
8. « J'étais une vraie boule quand j'étais ado, j'avais de la couenne partout. Sans rire ! Je te montrerai une photo. »
9. « Pourquoi tu ne restes pas dormir à la maison ? Mon père est désopilant. »

10. « Je suis le genre de nana qui devrait sortir avec des mecs plus vieux, sauf que je ne me fais pas à leurs couilles. »
11. « Je fais une fixette sur les rideaux de ton van ! »
12. « Viens à ma fête ! On ne pourra pas parler ni faire trop de bruit parce que mon voisin est en train de mourir, mais je n'ai pas lésiné sur le salami. »
13. « Regarde de près mon nombril. Tu dirais que c'est le zona, ou la gale, ou les deux, ou aucun des deux ? »
14. « C'est arrivé une fois et ça ne se reproduira plus, mais j'ai cru que je caressais mon chat, en fait, c'était la fouffe de ma mère. En tout bien tout honneur, évidemment. »
15. « Désolée si j'ai l'haleine métallique, c'est mon médoc. Et encore un autre truc bizarre : je prends la dose la plus forte jamais autorisée. »
16. « Ça m'est complètement égal si tu voles dans les magasins. »
17. « J'apprécie que tu n'aies pas souligné ma colossale perte de poids. C'est épuisant d'entendre les gens dire à longueur de journée : "Mais comment tu as fait ? Et blablabla et blablabla." »
18. « Ma sœur est retournée dans la maison, on est tranquilles. Ça te dirait de t'asseoir sur le rocher qui n'a pas d'algues ? Note, celui qui en a est bien aussi. »

Igor

*(ou mon amoureux virtuel est mort
et ça peut vous arriver aussi)*

Les ordinateurs font leur apparition un jour comme par enchantement. On rentre de la récré et, sur une grande table de notre salle au cinquième, sept boîtes grises sont alignées.

— On a des ordinateurs ! annonce l'instit. Ils vont nous aider à apprendre !

Tout le monde est en effervescence, mais je suis illico sur mes gardes. En quoi défigurer notre salle avec des robots hideux et courts sur pattes est-il génial ? Pourquoi les autres se réjouissent-ils comme des crétins ? Comment des ordinateurs peuvent-ils suppléer des enseignants ?

Les garçons, en particulier, sont scotchés. Dès qu'ils ont une minute, ils pianotent comme des malades, jouent à un jeu débile qui consiste à monter un mur en briques à seule fin de le faire tomber. Je me tiens à l'écart. Je n'ai touché à un ordinateur qu'une fois, chez ma copine Marissa, et l'expérience m'a déroutée. Je trouvais sinistres les lettres et les chiffres verts qui clignotaient sur l'écran au démarrage et je détestais que Marissa cesse de répondre à mes questions ou ne fasse plus attention à moi dès que le machin était allumé.

Mon rejet des ordinateurs a des accents quasi politiques : ils changent notre société en pire. Comportons-nous en humains. Discutons. Écrivons à la main. Je demande à être dispensée du cours de dactylo donné à l'aide d'un logiciel répondant au doux nom de « Mavis Beacon vous montre comment taper », destiné à nous apprendre quel doigt poser sur quelle touche. (Le petit doigt sur « P », serine Mavis. Petit doigt sur « P ».) Pendant que les autres s'acharnent à faire plaisir à Mavis, j'écris dans mon carnet.

À une réunion de parents d'élèves, mon instit se plaint à mon père de « l'hostilité que je manifeste à l'égard de la technologie » et exprime le désir que « j'adopte les nouveautés dans la classe ». Quand ma mère nous annonce qu'on va avoir un ordinateur à la maison, je file dans ma chambre allumer la mini-télé noir et blanc achetée dans un vide-grenier et refuse de sortir pendant une heure.

L'ordinateur arrive un soir après l'école, un Apple avec un moniteur de la taille d'un carton de déménagement. Un type avec un catogan procède à l'installation, montre à ma mère comment utiliser le lecteur de CD-ROM et me demande si j'ai envie de voir les jeux « préinstallés ». Je secoue la tête : « Non merci, très peu pour moi. »

Mais, planté au milieu du salon, l'ordinateur exerce une attirance magnétique avec son ronron imperceptible. Je regarde ma baby-sitter initier ma sœur à Oregon Trail pour que, au final, sa famille numérique meure de dysenterie avant de pouvoir franchir le guet. Ma mère tape un document Word avec les deux index. « Tu ne veux pas essayer ? » demande-t-elle.

En fin de compte, la tentation est trop forte. J'ai envie d'essayer, de comprendre à quoi rime tout ce tintouin, mais je ne veux pas passer pour une comédienne. Je me suis déjà reniée en tant que végétarienne. La honte était telle qu'au déjeuner, j'ai fait croire aux copines que je mangeais un sandwich au tofu-prosciutto. Je me dois d'être en accord avec moi-même. Je ne peux pas passer ma vie à remodeler mon identité. Or détester les ordinateurs participe de mon identité. Profitant de ce que la voie est libre, ma mère range ses chaussures dans sa chambre, je m'assois sur le fauteuil froid, car en métal, et avance un doigt prudent vers le bouton Marche. J'écoute l'engin démarrer, faire son *ping,* puis ronronner. J'ai un sentiment grisant de transgression.

En CM2, on a tous un pseudo. On s'envoie des messages, mais on fréquente aussi les chat rooms, lieux de rencontres virtuelles répondant aux doux noms de Planète Ado ou Au Coin des Copains. Je mets un certain temps à me faire à l'idée de l'anonymat, de gens que je ne vois pas qui ne me voient pas, d'être vue sans être vue du tout. Katie Pomerantz et moi entrons conjointement dans la peau de Mariah, un mannequin de quatorze ans, aux longs cheveux noirs, au décolleté avantageux et jamais à court de smileys. Fortes du pouvoir incroyable de Mariah, on piège les garçons en leur faisant croire qu'on est belles comme des astres, que tout le monde nous aime, qu'on veut rencontrer l'amour et qu'on croule sous l'argent grâce à notre activité de mannequin. On ricane en se relayant devant le clavier, toutes-puissantes. À un moment, on demande à un garçon du Delaware de vérifier la marque de son jean sur l'étiquette.

— C'est un Wrangler, répond-il. Ma mère me l'a acheté en grande surface.

Grisées par notre triomphe, on se déconnecte.

En troisième arrive une nouvelle, Juliana. Elle ne connaît personne mais elle a l'assurance de celle qui attire les foules depuis la crèche. Elle est punk – nez piercé et cheveux en pétard. Elle porte des T-shirts sur lesquels elle a écrit le nom du groupe LEFTOVER CRACK et elle est si belle qu'il m'arrive de ne pas pouvoir m'empêcher d'imaginer son visage se superposer au mien. Juliana est végétarienne pour raisons politiques et raffole de musique inécoutable. Quand elle me raconte qu'elle est passée à l'acte – dans une ruelle, rien que ça, avec un mec de vingt ans –, il me faut une semaine pour me remettre.

— J'étais en jupe, il a juste écarté ma culotte, explique-t-elle comme si elle me racontait ce que sa mère avait prévu au dîner.

Elle n'est pas au collège depuis deux mois qu'elle se sert de sa fausse carte d'identité pour se faire tatouer une étoile de marine rudimentaire sur la nuque.

Je lui demande de pouvoir passer mon doigt sur la croûte, je n'arrive pas à croire qu'elle le gardera toute sa vie.

Juliana a beaucoup de copains punks dans le New Jersey où elle va souvent assister à des « shows » le week-end.

Au déjeuner, on regarde leurs pages perso bricolées sur Internet, la page d'accueil d'un des sites s'ouvre sur une image de cadavre de bébé en putréfaction. Mais la plupart mettent en ligne des photos d'eux, dégoulinants de sueur, entassés devant des scènes approximatives. On a du mal à distinguer le public des musiciens. Juliana me montre Shane, un joli blond sur lequel elle a flashé. Son site s'appelle Str8tOuttaCompton, une référence qui m'échappera encore pendant dix ans. Sur une des photos de Shane, celle d'un concert dans une cave pleine comme un œuf, je remarque un garçon hâlé aux joues de bébé, les yeux bleus et le regard absent, en train de se déchaîner comme un forcené sur la musique ; il a le front ceint d'un bandana.

— C'est qui ? je demande.

— Il s'appelle Igor, répond Juliana. Il est russe, et végétarien comme moi. Il est vraiment sympa.

— Il est craquant.

Ce soir-là, je reçois une demande de contact de Pyro0001 sur la messagerie instantanée. J'accepte.

Pyro0001 : Salut, c'est Igor.

Pendant trois mois, Igor et moi conversons tous les jours via la messagerie instantanée. Je rentre à la maison vers trois heures et demie et lui vers quatre. Je me prépare un truc à grignoter et je patiente jusqu'à ce que son pseudo apparaisse. J'aimerais attendre qu'il se manifeste en premier mais, en général, je n'y arrive pas. On parle animaux, bahut, injustices dans le monde, perpétrées en général sur des pauvres bêtes innocentes incapables de se défendre contre les maux de l'humanité. C'est un garçon de peu de mots, mais son vocabulaire modeste me convient très bien.

L'ordinateur n'est plus l'ennemi à abattre. Je suis dingue de lui.

Au lycée, je ne plais pas aux garçons. Certains m'ignorent quand d'autres se montrent ouvertement cruels, mais aucun ne manifeste l'envie de m'embrasser. Je ne me remets toujours pas d'une rupture qui a eu lieu en cinquième et refuse d'aller aux fêtes où je suis sûre de croiser mon ex. À ce stade, mon chagrin d'amour a duré vingt-quatre fois plus longtemps que notre « couple ».

Igor veut une photo de moi. Je lui envoie celle où je suis adossée au mur de ma chambre décoré au feutre par mes soins d'arbres et de nus. J'ai un rideau de cheveux jaunes qui pend tout raide devant ma figure et j'ébauche un sourire élaboré. D'après Igor, je ressemble à Christina Aguilera. Comme il est punk, la remarque tient plus du constat que du compliment, mais je suis aux anges.

On s'envoie des messages à table, ou lorsqu'on se dispute avec nos parents. Il me raconte le calme qui règne chez lui quand il rentre des cours, il est seul jusqu'à vingt heures. Il écrit : « A+ » quand il va ouvrir au livreur qui lui apporte son dîner, du gratin d'aubergines au parmesan sans parmesan. Il raconte que dans son collège, on croise autant de têtes d'affiche que de losers, de sportifs que de tarés. Un énorme établissement du secteur public avec une classe pleine d'étrangers. Le mien est censé être différent, petit, novateur et ouvert, mais il m'arrive de m'y sentir aussi isolée que lui. Je me mets à décrire mes camarades en les traitant de « pouffes » et de « bimbos », des mots que je n'aurais jamais pensé utiliser avant qu'il me les fasse connaître. Des mots qu'il comprendra et qui me rendront séduisante à ses yeux.

En vacances avec ma famille, je demande l'autorisation d'utiliser l'ordinateur de l'hôtel pour lui adresser un email de Saint-Valentin. Il prétend ne pas vouloir m'envoyer d'autre photo de lui parce qu'il a des boutons. Mon père est énervé que je me prive d'aller à la plage pour m'enfermer dans un bureau sans fenêtre en compagnie d'une femme qui fume des cigarettes mentholées pour envoyer des billets doux à un parfait inconnu. Il ne pige pas. Il n'a même pas d'email.

Je sais par Juliana qui le sait par Shane que je plais vraiment à Igor. La nouvelle me donne le courage de lui demander de m'accorder une conversation téléphonique. L'idée a l'air de l'emballer ; il prend mon numéro mais ne m'appelle jamais. De l'avis de Juliana, il est complexé par son accent.

Trixiebelle86 : si t'M pas le tel, on pourrait se rencontrer pour de vrai ?

On se fixe rendez-vous le samedi suivant dans Saint Mark's Place. Il prendra le train et on se retrouvera au coin de la rue. J'y vais en débardeur, pantalon cargo et blouson en jean taille souris, même s'il fait un froid de gueux. Je suis sur les dents, j'arrive vingt minutes en avance. Il n'est pas encore là. J'attends une demi-heure supplémentaire, mais pas d'Igor. J'essaye de me fondre dans la foule d'ados piercés et de filles asiatiques aux cheveux roses qui défilent devant moi. Je rentre et me connecte aussitôt, il n'est pas non plus devant son ordinateur.

Le lendemain, j'ai un message.

Pyro0001 : Désolé. PriV de sortie. 1 autre fois peut-être.

Igor cesse progressivement de m'envoyer des messages. Quand il entre en contact avec moi, c'est uniquement pour me répondre. Il ne prend jamais les devants. Chaque fois que j'entends le *ping* annonciateur de message, je me précipite sur l'ordinateur dans l'espoir que ce soit lui. Mais c'est John, un jeune d'un lycée voisin, champion de breakdance, ou ma copine Stephanie, qui se plaint de la rigidité de son père péruvien en matière de longueur de jupe. Igor ne me pose plus de questions. Notre relation bruissait de mille possibles : se rencontrer, se plaire encore plus en vrai qu'en ligne, tomber amoureux des yeux, de l'odeur et des tennis de l'autre. Notre histoire se termine avant d'avoir commencé. Je me demande si je peux classer Igor dans la catégorie des ex.

Un jour, vers la fin de l'été, je reçois un message de Juliana.

Northernstar2001 : Lena, Igor est mort.
Trixiebelle86 : Quoi ?
Northernstar2001 : C Shane qui me l'a appris. Il a fait une overdose de méthadone, C étouffé avec sa langue dans sa cave. C naze. Il É fils unique et C parents n'M pas parler anglais.
Trixiebelle86 : Shane t'a dit si je ne plaisais + à Igor ?

Je ne sais à qui raconter la nouvelle dans la mesure où j'ignore si quelqu'un en a quelque chose à cirer. Or je n'ai aucune envie d'expliquer à quiconque les tenants et les aboutissants de l'affaire. La réalité d'Igor échappait à mes parents du temps de son vivant, pourquoi la comprendraient-ils maintenant qu'il est mort ?

Un an plus tard, je change de pseudo parce qu'un chevelu du lycée avec un visage tout de travers m'envoie un email pour me prévenir qu'il va me violer et me couvrir de sauce barbecue. C'est le seul mec qui m'aime de cette façon, mais je m'en serais passée. Il précise qu'il a une machette et m'envoie la photo d'un chaton qu'on a laissé mourir, enfoncé dans une bouteille. Mon père est furieux à juste titre et appelle un oncle avocat qui lui conseille de prévenir les flics. Pour la première et la dernière fois, je rentre à la maison sous escorte policière. En arrivant chez le chevelu, les flics découvrent qu'il a imprimé les milliers de messages qu'on a échangés dans le but de les sauvegarder. À l'un des inspecteurs qui me fait comprendre que je n'aurais pas dû me montrer aussi sympa avec lui s'il ne me plaisait pas de « cette façon », je réponds qu'il me faisait pitié. Ils me recommandent d'être plus prudente à l'avenir. Je suis morte de honte.

Mon vrai nom figure dans mon nouveau pseudo, il est réservé à des amis triés sur le volet ainsi qu'à ma famille. Mais je transfère tous mes contacts, ce qui me permet de voir qui est connecté et à quel moment. Un jour, Pyro0001 apparaît dans la barre des profils en ligne. Tout s'accélère, puis ralentit à nouveau comme la nuit parfois quand je vais faire pipi et que j'ai l'impression d'entendre la maison chuchoter : « Lena, Lena, Lena. »

J'écris : Salut !

Le nom disparaît.

Je déambule le reste de la journée comme si j'avais vu un fantôme. J'entre son nom complet dans des dizaines de moteurs de recherche en quête d'une nécro ou d'une preuve de son existence. Je ne suis pas folle, Juliana le connaissait. Elle l'a rencontré. Elle a entendu son accent. Il était réel. Il est mort. Les gens bidons ne meurent pas. Les gens bidons n'existent même pas.

Des années plus tard, je donne son nom à un personnage de ma série. Un signal de fumée pour que sache celui qui aurait envie de savoir : il était sympa avec moi. Il avait des choses à dire. En quelque sorte, je l'aimais. Vraiment, je l'aimais.

Vider son sac

Le pire email que j'aie jamais envoyé,
avec notes de bas de page

27 septembre 2010
A...[*]
Avant de retourner à mes œuvres, je te griffonne[†] ces quelques mots. Il se trouve que les six dernières fois où on s'est parlé, la

---

[*] Je trouvais romantique de m'adresser à mon chéri par l'initiale de son prénom, comme dans la correspondance secrète et éperdue de deux intellectuels de la fin du XIXe, mariés chacun de leur côté. De crainte que le receveur des postes fouineur ne découvre nos identités et s'empresse de révéler notre liaison à nos conjoints fielleux, nous échangerions par l'entremise d'un code. Ce code serait la première lettre de notre prénom.

[†] « Griffonne » est un mot bien primesautier compte tenu de la logorrhée qui va suivre en vue de décrire un désordre émotionnel. Pendant toute notre relation, je lui ai écrit des tartines de texte

conversation s'est achevée par un silence interminable auquel j'ai mis un terme en disant quelque chose, avant d'ajouter autre chose, histoire de corriger ce qui précédait, puis je me suis excusée, puis désexcusée*. Ce qui pourrait être drôle dans une scène de comédie romantique†, drôle les toutes premières fois où ça se produit. Sauf que ça ne devrait pas se produire du tout, dans la mesure où il faudrait que je sois capable de raccrocher après un : « Bonne journée, A. On se reparle bientôt. » Je cherche clairement à provoquer des trucs pour mieux les disséquer ensuite entre deux silences.

---

auxquelles il répondait par un seul mot (« cool », « d'accord ») ou par un pavé traitant d'un sujet qui n'a rien à voir mais l'occupe sur le moment : trouver une paire de chaussures d'hiver élégantes ou se plaindre de l'absence d'un Hemingway moderne. Je passais ses emails au peigne fin, en quête frénétique d'une preuve indiquant que j'en étais la véritable destinataire et le sujet principal, pour arriver à la seule certitude qu'ils ont été envoyés à mon adresse.

* Moi : Alors...

(Un temps.)

Moi : Tu es toujours là ? J'ai l'impression... je me demande si, quand je dis quelque chose, tu ne pourrais pas en faire autant, parce que c'est ce qu'on appelle...

(Un temps.)

Moi : ... une conversation.

† Les références moqueuses aux comédies romantiques sont un excellent moyen de montrer qu'on n'est pas le genre de fille/femme à se soucier des conventions amoureuses. Avec A., on était souvent en désaccord sur le choix des films. Il avait une préférence pour les classiques testostéronés des années 1980, alors que mes goûts allaient (et vont toujours) aux films mettant en scène des personnages féminins. Au lieu de reconnaître qu'il n'avait pas envie de perdre deux heures à regarder les errements intérieurs d'une femme, il prétendait que les films « manquaient de structure ». La structure revenait souvent sur le tapis. A. fabriquait des étagères, écrivait des scénarios et s'habillait pour le froid avec une rigueur et une discipline qui, au début, ont titillé ma curiosité avant de finir par me donner l'impression de vivre sous un régime communiste. Des règles à n'en plus finir : ne jamais marier bleu marine et noir, ne pas empiler les livres à plat, boire dans un bocal et trouver un rebondissement page 10.

Comment cesser de m'excuser d'avoir ce penchant prononcé pour l'analyse ? Même si je le regrette (pas vis-à-vis de toi, mais de façon plus personnelle, je regrette de fonctionner comme je fonctionne et d'être ce que je suis. Je fais mon possible pour modifier la chimie de mon cerveau, sans recourir à l'héroïne, mais je suis née angoissée et obsessionnelle, comme toutes les petites filles irrésistibles)*. Il est clair que, d'un point de vue artistique et théorique†, la dynamique de la relation amoureuse nous fascine. Idem pour le sexe. Sauf qu'avec ton boulot actuel, c'est plus difficile de l'intégrer de façon confo à ta vie‡. Je ne te cache pas que je t'aime beaucoup. Pas genre super-collante§ ni « Je te regarde de loin » (ce qui a pourtant été le cas)¶ mais plutôt : « Je fais un détour pour te faire une

---

* Cet aparté fait référence à une confession que je lui ai faite. Enfant, j'étais hypnotisée par ma propre beauté. C'était un âge où je ne savais pas encore qu'il était déplacé de s'aimer soi-même.

† Même si son boulot nécessitait de soulever des charges et de travailler dur, sa vraie passion était d'écrire des histoires. À force de persuasion, j'ai obtenu d'en lire une. Vingt pages qui racontaient les efforts d'un jeune homme, son sosie, pour séduire en vain une jeune Asiatique, vendeuse au J. Crew de Soho. Je reconnais que le style était original et drôle, mais l'histoire m'est restée sur l'estomac. Il m'a fallu vingt-quatre heures pour mettre le doigt sur ce qui me chiffonnait : de chaque phrase ou presque transpirait un mépris souverain pour les femmes, mépris qui n'était ni questionné ni argumenté. J'avais ressenti quelque chose d'analogue en lisant *Goodbye, Columbus* de Philip Roth en seconde : j'adore le livre, mais je n'ai aucune envie de rencontrer le bonhomme. Or dans le cas qui nous occupe, le constat est le suivant : cette histoire est potable et son auteur a déjà éjaculé en moi.

‡ La semaine où on s'est rencontrés, j'ai dormi chez lui tous les soirs. Dans sa chambre aveugle et étouffante, le temps s'est arrêté. Il m'a avoué ses problèmes de boyaux. Quand je suis repartie de chez lui, le vendredi matin, on avait vécu la première année d'une vie commune en cinq jours. J'ai pris l'avion pour Los Angeles, sans savoir si on se reverrait. Il me semble l'avoir vu verser une larme en me déposant au métro.

§ Peut-être que si, en fait.

¶ Comme une expérience. Ça me procurait la même impression que regarder un vase vide ou par la fenêtre.

place dans ma vie ou du moins essayer de voir à quoi ça pourrait ressembler. » J'étais prête à passer quatre mois à Los Angeles, à adopter cette ville étrangère aux arbres malades, à laisser mes parents venir me voir, à marcher et même à sortir avec un gros con, histoire de*. Une semaine avant de te rencontrer, j'ai dit pour rire à quelqu'un : « À ce stade de ma vie, je serais une copine infernale, car en manque et non disponible†. » Les plaisanteries ne se résument pas à des plaisanteries.‡

Ça me fait du bien de faire un point avec toi et l'idée de pouvoir vider mon sac de façon régulière n'est pas pour me déplaire§. Parce que je suis à L.A. et toi à New York, ce n'est

---

* Pour ce premier déplacement de femme active, j'ai loué une maison sur les hauteurs de Hollywood. Une maison qu'on m'avait décrite comme « chic et à quelques minutes à pied des endroits chic ». Mais elle était petite et humide, avec trois côtés aveugles et une façade anonyme de labo où on fabrique du crystal. Coincée entre la résidence d'un scénariste de télé raté et sa tripotée de pitbulls, et celle d'un professeur des universités, spécialiste de la théorie du genre, fan de cravates en lacets et de verres de Murano, je me suis juré que la peur générée par le fait d'être seule dans cette maison serait directement proportionnelle à la somme des enseignements que je tirerais de mon séjour à L.A. Je suis restée cinq mois, que j'ai qualifiés de « mois de la maturité ». Une nuit, j'ai enfilé une chemise de nuit, je suis sortie sous la véranda, j'ai regardé la lune et j'ai dit : « Qui suis-je ? »

† Je me rappelle avoir été très fière de ce trait, au point de vérifier avec soin qui j'en avais déjà gratifié et sur qui je pourrais encore le tester.

‡ Pour paraphraser Freud.

§ Je voulais avoir un copain, n'importe quel copain. Ce copain-là avec sa petite gueule de Steve McQueen rageur, convenait pile-poil à l'image que je me faisais de moi. Mais, regardons les choses en face : il s'est trouvé là au bon moment, au bon endroit. Au bout d'un mois, je me suis aperçue qu'être avec lui me donnait l'impression d'avoir la grippe et d'être vide, qu'il détestait mes goûts musicaux et que, parfois, pour mettre un terme à l'ennui qui s'abattait sur moi telle une chape, je provoquais des disputes dans le seul but de ressentir le frisson de le perdre. J'ai passé les trois heures d'un voyage en voiture à pleurer derrière mes lunettes de soleil comme si mes trente ans

pas possible physiquement et j'ajoute, parce que je suis moi et que ça n'est pas de la tarte. C'est pour ces raisons que j'aimerais savoir si je te verrai quand je rentre ou si tu penses à moi quand tu te tires sur la nouille* ou si tu es assez disponible pour qu'on se mêle un peu de ta vie.

À la fête où on s'est rencontrés, quand tu m'as demandé de te retrouver au coin de la rue, j'étais persuadée que tu te payais ma tête et que tu aurais filé on ne sait où. Tu n'étais pas à l'endroit exact que tu m'avais indiqué, mais pas très loin†.

OK.‡

L§

---

de mariage prenaient fin. « Je ne sais pas ce que je pourrais essayer d'autre », disais-je en chouinant. « Je ne peux pas continuer comme ça. » « Tu ne peux pas ou tu ne veux pas ? » a-t-il gueulé comme Stanley Kowalski, en faisant une marche arrière colérique sur la place de parking qu'il détestait avant de maltraiter le changement de vitesse pour se mettre au point mort. Une fois dans l'appart, j'ai fait les cent pas, j'ai pleuré, il a pleuré, et quand je lui ai proposé de nous donner encore une chance, il a allumé sa PlayStation, ravi.

* À un moment donné, je le lui ai demandé et j'ai eu droit à un de ses célèbres silences. Je me suis lancée dans un échange de sextos qui commençait par : « J'ai envie de ziquer avec toi sur les draps. » Une requête qu'aurait pu formuler Anaïs Nin. « Non, aurait-elle dit. Retirons les draps. » Les réponses de A. variaient de : « J'ai envie de ziquer avec toi avec la clim allumée » à « J'ai envie de ziquer avec toi après avoir mis mon réveil sur 8 h 45. » Je fermais les yeux en tâchant de m'imprégner de la sensualité qui se dégageait de ces déclarations : l'air frais sur ma nuque, la certitude que le réveil sonnerait juste avant neuf heures. Il m'a fallu onze de ces textos pour comprendre qu'il était en train de réaliser une sorte de performance dadaïste à mes dépens.

† J'aurais tellement voulu que ce soit une métaphore de l'amour, qui repousse nos limites, nous transforme mais ne nous trahit jamais.

‡ Vu ? Je suis une fille cool qui écrit un email super-cool.

§ À Noël, il était temps d'arrêter les frais. Il m'avait quand même avoué qu'il était incapable d'aimer et ne cherchait qu'à assouvir ses désirs. Alors que, de mon côté, j'étais pleine de passion et de vie, du courant passait dans tous mes membres, j'étais un lys de Brooklyn. Dès que j'ai su qu'il était rentré de chez ses parents, je suis allée chez

P.-S. Si tu ne trouves rien à répondre à cet email, ce sera d'une ironie ahurissante*. Et puis, excuse-moi s'il est sinistre†.

---

lui, décidée à faire en sorte que les choses se passent bien, à couper les ponts avec lui. Sa proprio, Kathy, avait l'habitude de s'asseoir sur les marches devant l'immeuble. Une vieille dame avec un tatouage de panthère gigantesque sur son épaule de catcheuse, surveillant le quartier avec ses deux yorkshire. Mais ce soir-là, Kathy n'était pas à son poste. Des bougies et des fleurs encombraient l'escalier. Quand j'ai retrouvé A., il m'a dit qu'il pensait qu'un des chiens de Kathy était mort. On a appelé Kathy pour vérifier, c'est sa fille qui a répondu. Kathy avait glissé dans la douche. Elle avait peut-être eu un infarctus, ce n'était pas encore certain. La veillée avait lieu le soir même. Mon futur ex et moi avons traversé Brooklyn pour aller saluer la dépouille de Kathy à la chapelle ardente, son corps gris poudré tout raide, revêtu d'un jogging de velours rouge, un paquet de cigarettes mentholées glissé dans la poche de devant. Plus tard, on s'est assis sur le canapé de A. et j'ai pris sa main dans la mienne pendant qu'il s'interrogeait : avait-elle souffert ? Le loyer allait-il augmenter ? Je lui ai serré la main, j'étais prête : « Je t'aime, tu sais. » Il a hoché la tête : « Je sais. »

* Cinq minutes après avoir cliqué sur « envoyer », il m'a appelée. « C'est quoi ce truc ? » « Tu en penses quoi ? » ai-je demandé. « Il y a un truc avec lequel tu n'es pas d'accord ? Dis-le. » « J'ai arrêté de lire à : "quand tu te tires sur la nouille". »

Le premier janvier au matin, on a fait l'amour une dernière fois. Je n'étais pas encore bien réveillée quand il s'est collé contre mon dos. On était chez des amis, des adultes, en dehors de New York, et j'entendais leurs enfants, réveillés depuis six heures, glisser en chaussettes sur le parquet et réclamer des choses. J'aimerais avoir des enfants, ai-je pensé tandis qu'il me ziquait en silence. Des enfants à moi, un jour. C'est alors qu'il m'est apparu que des gens avaient peut-être ziqué pas très loin de l'endroit où je me trouvais quand j'étais petite ! Cette pensée m'a fait frémir. Avant de repartir, un autre invité est rentré dans l'arrière de la voiture de A., et le pare-chocs est tombé. De retour en ville, je l'ai embrassé pour lui dire au revoir, puis je lui ai envoyé un texto quelques minutes plus tard : « Ne viens pas chez moi ce soir, ni jamais. » On fait ce qu'on peut.

† Je m'inscris en faux. Je le trouve plutôt drôle même si ce n'est pas ce que je voulais au départ.

Les filles et les connards

« La légende voudrait que l'amour-propre, pour celles qui en ont, agisse comme un charme contre les serpents, un charme qui les enfermerait dans un paradis exempt d'impureté, loin des lits obscurs, des conversations équivoques et des ennuis en général. C'est faux. L'amour-propre n'a rien à voir avec les apparences, mais plutôt avec une paix séparée, une réconciliation intime... »

Joan Didion – *On Self-Respect**

« Je tombe toujours sur des femmes à poigne en quête d'hommes faibles à dominer ».

Andy Warhol

---

* Si vous voulez mon avis, Joan et moi divergeons sur la notion d'amour-propre. Être responsable de ses actes et en accord avec soi-même quand on se regarde dans une glace est sa définition. Or, dans mon esprit, il s'agit surtout de sexe. Néanmoins teinté de Didion.

J'ai toujours été attirée par les connards. L'éventail du connard va du taré qui a tous les culots mais se révèle au final un mec bien à l'obsédé sexuel, tendance sociopathe avéré. Mais le point commun à tous est de se conduire comme des mufles dès la première rencontre et d'être animés du désir de me donner une leçon.

Les mecs : soyez odieux avec moi dans un magasin bio, et je vous remarquerai illico. Si vous m'ignorez royalement dans une conversation de groupe, ça ne m'échappera pas non plus. J'ai une prédilection pour le mec qui se montre odieux d'emblée, m'explique que c'est sa façon de se protéger, puis, une fois que je le connais bien, enclenche soudain la vitesse supérieure en goujaterie. Maintenant que j'ai franchi l'étape du quart de siècle et entamé une relation avec un vrai gentil, les choses ont changé. Je me considère en convalescence de connards, alors me frotter à ce type de comportements n'est pas encore très recommandé pour moi.

Mon attirance pour les connards a commencé très tôt. Préadolescente, je passais tous mes étés dans une maison de campagne près d'un lac. Vautrée sur un canapé pourri, vêtue du T-shirt « MIND THE GAP » de ma mère, je me gavais de films comme *Souvenirs d'un été* ou *Un été en Louisiane*. Le seul enseignement que j'ai tiré de cette peinture du désir adolescent, si tant est que j'en ai tiré un, c'est qu'un garçon manifeste son attirance pour une fille en l'arrosant au pistolet à eau et en l'affublant du surnom de Globule. Supposons qu'il la fasse tomber de sa bicyclette et qu'elle ait les genoux en sang, c'est sans doute qu'il compte l'embrasser sous peu à l'ombre d'un réservoir.

Je dois ma première émotion sexuelle à Jackie Earle Haley dans *Bad News Bears*. Il portait un blouson de cuir, conduisait une moto avant l'âge autorisé, fumait et faisait preuve d'un manque de respect à l'égard de ses aînés qu'aucun garçon de ma Quaker school ne se serait jamais permis. Qui plus est, il reluquait les femmes comme un abonné à *Play-Boy*. Plus tard, ce sont les représentations d'attirances contrariées qui ont eu ma faveur, je-te-veux-malgré-moi, à la manière de Jane Eyre et Rochester. Ou de Holly Hunter dans *Broadcast News*, quand elle toise William Hurt avec l'air de détester ce qu'il représente. Ça me laissait rêveuse. Même *Neuf semaines et demie* s'inscrit dans cette lignée. Rien que de très naturel – qui n'apprécie pas un brin de tiraillements, de conversation musclée –, mais je suis la première à le reconnaître, j'ai souvent poussé le bouchon trop loin.

De l'aveu général, avoir un bon père prédisposerait à se choisir un bon mec et j'ai sans doute le plus mignon des pères de toute la terre. Pas mignon au sens béni-oui-oui mais au sens où il a toujours respecté ma nature profonde et m'a toujours proposé un mélange savant de distance salutaire et de soutien. C'est un chef inflexible mais bienveillant. Il parle aux adultes comme s'ils étaient des jeunes délinquants et aux jeunes comme s'ils étaient des adultes. J'ai souvent essayé de créer un personnage inspiré de lui, mais tirer la substantifique moelle d'un homme pareil est une gageure. Je n'ai pas toujours été facile, et lui non plus – il faut savoir que les artistes adorent s'enfermer dans leur atelier des journées entières et piquer des crises parce que la lumière n'est pas bonne –, mais l'attention indéfectible qu'il m'a portée a contribué pour beaucoup au sentiment de sécurité qui m'habite. Jusqu'à aujourd'hui, je n'ai jamais ressenti de joie aussi intense qu'au moment où je le découvrais – dans son manteau en tweed – sur le pas de la porte d'une de mes petites camarades, venu me sauver d'un goûter raté.

Un jour, je devais avoir cinq ans, je me trouvais à un vernissage où une dame anglaise flamboyante et pour le moins torchée m'a entreprise. J'aurais dû être couchée depuis longtemps et je commençais à être déçue par toute l'affaire. Ma copine Zoe était aussi de la partie, mais elle n'avait que quatre ans et je trouvais humiliant d'être en compagnie d'une fille aussi jeune. Histoire de faire la conversation, la dame nous a demandé comment nos parents nous punissaient quand on était « vilaines ».

— Quand je suis vilaine, je suis renvoyée dans ma chambre, a expliqué Zoe.

— Eh ben, moi, quand je suis vilaine, mon papa me met une fourchette dans la zézette, ai-je annoncé.

C'est le genre d'anecdote qu'il est difficile de raconter sans déclencher des sirènes d'alarme. D'abord, on nous dit tout le temps qu'il faut écouter les petites filles, surtout quand elles se plaignent d'avoir été sodomisées par un couvert. Et puis, l'œuvre de mon père ne fait pas mystère de son inspiration éminemment sexuelle, par conséquent, il est à craindre qu'il apparaisse déjà sur le radar anti-fourchette-dans-la-zézette du FBI. Encore une preuve de la gentillesse de mon père, après que la dame anglaise a répété mon histoire « désopilante » à un groupe d'adultes, il est venu me récupérer avec ces mots : « Je connais une petite fille qu'il est temps de mettre au lit. »

J'ignore quelle était mon intention – on parle d'une gamine qui adorait prétendre qu'elle avait eu son inexistante poitrine caressée contre son gré par un fantôme –, mais je suppose que la morale de cette fable est que, certes, mon père est vraiment mignon mais j'ai toujours eu une imagination capable de comprendre la sanction, voire de l'apprécier.

Il existe une théorie rarement débattue – sans doute parce que j'en suis l'auteur – qui voudrait que, fille d'un père incroyablement chou, on se mettrait en quête d'une relation diamétralement opposée, comme un acte de rébellion.

Rien dans ma vie ne laissait supposer que j'adorerais les connards. J'ai assisté à ma première réunion de la Coalition pour l'action des femmes à trois ans. Nous, filles de militantes des quartiers branchés, colorions des portraits de Susan B. Anthony tandis que nos mères préparaient leur prochaine manifestation. J'ai compris que le féminisme était une idée noble bien avant de prendre conscience d'être fille en écoutant ma mère et ses amies parler des difficultés de se faire une place dans un monde de l'art dominé par les hommes. Mon éducation féministe s'est poursuivie dans des écoles privées progressistes où l'égalité des sexes était enseignée au même titre que l'algèbre, en colo pour filles dans le Maine et en parcourant l'album photo de ma grand-mère datant de la guerre. (« Le vrai travail, ce sont les infirmières qui l'ont fait », avait-elle coutume de répéter.) Et, par-dessus tout, grâce à mon père qui s'évertuait à trouver que ma sœur et moi étions les petites pestes de New York les plus mignonnes et les plus intelligentes, en dépit du nombre de fois où on faisait pipi dans notre culotte ou massacrait notre frange à l'aide de ciseaux de cuisine émoussés.

J'ai rencontré mon premier républicain à dix-neuf ans,

lors d'une soirée pourrie où j'ai ziqué avec le seul réac résidant sur le campus. Il portait des bottes de cow-boy violettes et animait une émission de radio intitulée « Real talk with Jimbo ». Tout ce que je savais en titubant derrière lui pour rentrer chez moi après la fête, c'est qu'il était bougon, violent et mauvais joueur au poker. Comment tous ces « atouts » ont abouti à une partie de jambes en l'air pourrait constituer le sujet d'une étude sur la mutation rapide de la répulsion en désir pour peu qu'elle soit associée au myo-relaxant idoine. En pleine action sur le tapis mité de la chambre, j'ai aperçu qu'un truc pendouillait de la plante de Sarah, ma coloc. À force de regarder, j'ai fini par comprendre que c'était le préservatif ! Monsieur J'ai-un-physique-à-faire-de-la-radio l'avait balancé dans le palmier nain en se disant que j'étais trop nase ou trop saoule ou trop chaude pour le lui faire remarquer.

— Je crois que le préservatif est dans le palmier, ai-je marmonnée, fébrile.

— Non ! s'est-il écrié comme s'il était aussi choqué que moi.

Il a fait mine de le reprendre avec l'intention de le renfiler, mais j'étais déjà debout et je vacillais vers le canapé qui, dans mon esprit, se rapprochait le plus d'un vêtement. Je lui ai fermement conseillé de prendre ses cliques et ses claques et l'ai mis dehors avec son sweat à capuche et ses bottes. Le lendemain matin, j'ai barboté une demi-heure dans la baignoire à peine remplie d'eau comme un personnage de film déprimant sur l'apprentissage de la vie.

Plus tard, il ne m'a pas saluée en me croisant sur le campus et je n'étais même pas certaine d'en avoir envie. Il a eu son diplôme en décembre comme quatre-vingt-six pour cent de la population républicaine d'Oberlin. Toujours est-il que j'ai canalisé ma honte par l'entremise d'un court-métrage expérimental au titre prometteur d'*Un préservatif dans l'arbre* (un classique !) et pris la décision de ne plus jamais avoir de rapports qui ne soient respectueux.

C'est alors que j'ai rencontré Geoff, un blond contemplatif, étudiant de troisième année, qui a pleuré dans le hamac chez mes parents parce que « je l'obligeais à faire l'amour alors qu'il voulait juste être entendu. » Geoff avait ses points faibles* mais, dans l'ensemble, il m'a encouragée et soutenue. On s'est aimés gentiment, calmement et en toute équité. Geoff n'était pas un connard, mais il n'était pas non plus pour moi.

On s'est séparés, comme la plupart des couples qui se forment à la fac. J'ai passé le mois suivant au fond de mon lit, incapable d'avaler quoi que ce soit à part des macaronis au fromage. Mon chagrin d'amour débordant a même eu raison de la patience de mon père. Mais, à mon premier boulot après la fac, serveuse dans un restaurant branché, j'ai rencontré un mec très différent.

---

*• La fois où on a pris de l'ecsta et où, juste avant qu'il fasse de l'effet, Geoff m'a demandé mon opinion sur les couples libres. S'en sont suivies douze heures de sanglots au lieu des huit heures d'orgasme que m'avait décrites ma copine Sophie.

• La fois où on a roulé trois heures pour aller à l'anniversaire d'un de ses copains et où il a été trop intimidé pour entrer.

• La fois où il a inventé un chat violet qui faisait des bêtises dans son placard. À moins que ce soit un point fort.

Joaquin avait presque dix ans de plus que moi, il était originaire de Philadelphie et avait une certaine allure, indue de mon point de vue, compte tenu du fait qu'il était coiffé d'un Borsalino ! Il était longiligne et sapé comme Brando dans *Un tramway nommé désir*. C'était mon seigneur et maître au travail, fan cynique de *fooding* et de maximes telles que : « Vivre après quarante-cinq ans, ça craint ! » Et bien qu'il ait eu une copine, il me draguait. Dans son cas, « draguer » consistait à remettre en cause mon intelligence ou à souligner mes problèmes de déplacement dans l'espace, tout ça en m'adressant un clin d'œil de temps à autre pour me faire comprendre que c'était sans penser à mal.

Un soir, un client a chié devant la cuvette des toilettes.

— J'espère que tu as compris que tu vas nettoyer ça, m'a-t-il dit.

Je ne me suis pas exécutée, mais j'ai aimé l'ordre. Joaquin était d'une insolence redoutable et malgré mes protestations outrées, je fondais. Il était le méchant et j'étais l'innocente jeune fille saucissonnée sur la voie ferrée, qui n'a pas trop envie que Zorro rapplique.

On a commencé à échanger des emails. Les miens étaient interminables et alambiqués, dans l'espoir de lui montrer toute la noirceur de mon humour (je peux faire des blagues sur l'inceste !) et toute l'étendue de mes connaissances sur Polanski. Les siens étaient courts et je pouvais y lire tout ou rien. Il ne les signait même pas. Le soir où j'ai démissionné, on s'est retrouvés pour fumer de l'herbe que j'avais dénichée spécialement pour l'occasion. Je n'avais pas de papier à rouler (pour la bonne raison que je ne fumais pas !) et on s'est confectionné un joint dans une page de *Final Cut Pro pour les Nuls*. Je me suis penchée pour lui rouler une pelle qu'il a déclinée – pas parce qu'il avait une copine, mais parce qu'il couchait déjà avec une autre serveuse. Puis on est allés dîner dans un restaurant pakistanais ouvert tout la nuit, le fait d'avoir été repoussée m'avait rouvert l'appétit. On a mangé nos naan sans échanger un mot.

On n'a pas dérogé à notre statut d'amis jusqu'au mois de juin suivant, date à laquelle on s'est enfin embrassés dans la rue devant le restaurant. J'étais déçue, ses lèvres étaient dures et il devenait muet comme une carpe dès lors qu'il bandait.

Ce qui a débouché sur deux ans de plans cul intermittents et ambigus, à la théâtralisation de plus en plus perverse et qui m'obligeaient souvent à prendre des médocs soutirés en douce à mes parents après l'une ou l'autre de leurs interventions dentaires. Il pouvait se passer des mois d'affilée sans qu'il me donne signe de vie, périodes durant lesquelles j'arpentais le métro, un béret sur la tête, persuadée de le voir monter dans la rame à chaque arrêt. Quand il a fini par m'inviter chez lui, son appart a agi comme un siphon. Si je m'endormais sur place, j'émergeais souvent à midi. Je sortais dans la rue, éblouie par le soleil rasant de Brooklyn, glacée jusqu'aux os.

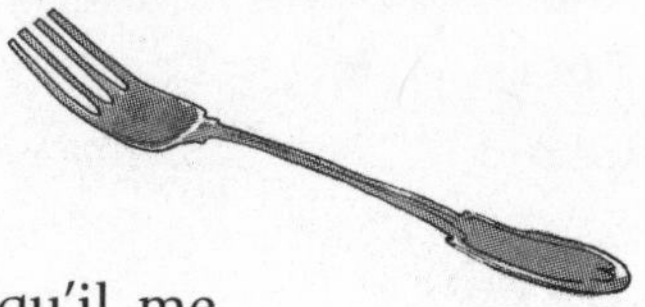

Le point d'orgue de cette histoire fut une effroyable virée à Los Angeles comme on n'en voit que dans les films de David Lynch. On a passé quatre jours au Chateau Marmont où le fantôme de John Belushi rendait la baignoire folle et où le personnel était odieux dès qu'on réclamait une cuillère. Entre autres moments phare du séjour, je citerai : le fait qu'il ne m'ait pas touchée une seule fois, que je me sois endormie vêtue d'une unique cuissarde empruntée à ma mère et qu'il m'ait avoué ne pas savoir s'intéresser à quelqu'un d'autre que lui-même.

Quand mes projets artistiques ont commencé à prendre tournure, j'ai cru que je lui inspirerais plus de respect, mais le seul résultat tangible a été que j'avais enfin les moyens de m'échapper d'un dîner avec des amis pour sauter dans un taxi et débouler chez lui. J'espérais que personne ne me demande où j'allais parce que j'aurais été obligée de mentir. Après le cauchemar de Los Angeles, on a remis le couvert une ou deux fois, mais le cœur n'y était plus, si tant est qu'il y ait jamais été.

Si à l'époque j'avais écrit ce qui précède, je vous aurais emballé toute l'histoire dans du joli papier cadeau – je vous aurais raconté qu'il était un incompris, triste, terrorisé et seul comme nous tous. J'aurais été morte de rire en vous décrivant les libertés sexuelles extravagantes que je lui ai laissées prendre et son manque de maturité en tout (cadre de lit démonté bloquant la porte d'entrée, boîte à cigares pleine de billets, préservatifs dans toutes les poches). Avant d'entrer chez Joaquin, je rappelais chaque fois à mon bon souvenir que ce n'était pas précisément l'endroit où j'étais censée me trouver, mais je me trompe ou il est préconisé de faire des arrêts pipi sur la route de la vie ? Je me prenais pour une espionne, agissant sous le couvert d'une jeune femme dotée d'une faible estime d'elle-même, prête à livrer des informations en or sur la face obscure du monde à destination de filles maquées à des types aux allures de lesbiennes avec lesquels elles regardent des épisodes de *Friday Night Lights* en mangeant de la bouffe à emporter. Elles peuvent se les garder, leurs amitiés solidaires et leurs petites histoires d'amour stéréotypées. Pour ma part, j'y ajouterais ma petite touche Sid et Nancy, je serais celle qui refuse de rentrer dans le rang. Je serais impertinente.

J'ai eu une enfance heureuse. Ce n'était pas toujours facile de vivre dans ma tête, mais j'avais une famille aimante, sans préoccupation majeure, sinon savoir dans quelle galerie on irait le dimanche suivant ou si mes séances chez le psy avaient réglé mes problèmes de sommeil. J'ai compris seulement en fac que mon éducation n'avait pas été très ancrée dans le « réel ». Un soir, devant le dortoir des premières années, une bande de jeunes fumait et hurlait de rire. J'ai déboulé en pyjama, impatiente de me jeter dans la mêlée.

— Qu'est-ce qui se passe ? ai-je demandé.

— Oh ! s'est exclamé Gary Pralick, qui portait toujours un pull tricoté par son arrière-grand-mère (j'ai appris plus tard qu'elle n'avait que soixante-dix-neuf ans). Ne t'inquiète pas, petite Lena des quartiers branchés.

Quel connard sarcastique ! (Évidemment, j'ai couché avec lui après.) Je me suis efforcée de chasser la remarque, mais elle me taraudait, s'est infiltrée dans l'intervalle nocturne qui séparait trois parts de pizza du sommeil. À part décider de déménager dans un pays ravagé par la guerre, qu'est-ce qui m'échappait, et comment le comprendre ? Le sentiment de devoir acquérir de l'expérience, d'apprendre des choses, ne me quittait plus. Et ce sentiment était au cœur de ma relation avec Joaquin.

Mais en apprendre sur le « monde », les amis, ce n'est pas faire semblant d'être une pute pendant qu'un mec qui crèche à l'autre bout du New Jersey décide quel disque de Steely Dan écouter à quatre heures du matin. Les secrets de la vie ne vous sont pas dévoilés quand ce même mec se paye votre tête parce que vous avez étudié la création littéraire. Et laisser le copain chauve du susdit vous toucher la cuisse en frontière de fouffe n'a rien d'édifiant, mais vous fermez les yeux car vous vous croyez amoureuse. Comment expliquer autrement que vous dépensiez autant d'argent pour aller chez lui ?

Nos premiers ébats furent de l'ordre du vite fait mal fait. La lumière au-dessus du lit grésillait. Il ne me regardait pas et une fois la chose accomplie, il ne s'attardait pas. J'étais inquiète d'en être responsable. J'étais peut-être une truite bouillie, sans imagination au lit, paralysée par mon désir maladif de plaire. Va savoir si je n'étais pas destinée à faire le gisant jusqu'à ce qu'ait sonné l'âge de cesser de forniquer.

Et puis, un soir avant Thanksgiving, j'avais rendez-vous avec lui dans un bar du Queens. En collant résille et petit ensemble jupe gris classique, j'avais l'air d'une morue déguisée en agent d'assurances. Mais quelque chose dans ma tenue l'a émoustillé et il m'a regardée avec des yeux nouveaux, ce qui nous a ramenés dare-dare chez lui où il m'a embrassée sur le canapé, résolu, sans doute un peu éméché. Après quoi, il m'a entraînée vers son lit et m'a retournée sur le ventre. Ma mémoire a sombré dans l'alcool, la peur et la fascination. Les seules certitudes qu'il me reste, c'est que j'avais mon collant roulé en boule dans la bouche. Qu'à certains moments, je ne savais pas où il était dans pièce, jusqu'à ce que je ne le sache que trop bien. Et aussi qu'il a déversé sur moi des torrents de boue comme je n'en ai jamais entendus de la bouche d'un autre humain. Une diatribe d'une complexité narrative époustouflante et au contenu horrifiant. Ça, me suis-je persuadée, c'est le meilleur jeu auquel j'aie jamais joué.

Le lendemain, je suis sortie dans la rue, les jambes nues et la tête qui tournait, ignorant si j'avais été détruite ou réveillée.

Me cacher dans une bodega à quelques centaines de mètres de chez Joaquin, en lui faisant croire que j'étais à une super-soirée « pas loin de chez toi », ne m'a pas rapprochée de la vérité. Il était occupé. Avec son autre copine qui, d'après lui « était très bien élevée puisque même ses culottes sales sentaient bon ». Pourquoi ai-je continué à l'appeler ? Parce que j'attendais qu'il change, qu'il me parle comme mon père ou comme Geoff, même dans les moments noirs. J'avais beau être curieuse de cette nouvelle dynamique de l'irrespect, au fond de moi, je ne voulais pas qu'on me parle comme ça. J'avais le sentiment d'être réduite au silence, seule et loin de moi, un sentiment qui, à mon avis, caractérise le summum de la détresse humaine, ex-æquo avec la nausée carabinée sans vomir.

La fin n'arrive jamais quand on s'y attend. Elle survient toujours dix étapes après le pire moment, suivies d'un étrange virage à gauche. Du moins, c'est l'impression que j'ai eue. On était en octobre, il faisait encore doux et une petite bruine persistante tombait. J'avais une nouvelle veste en cuir, que je m'étais offerte avec mon premier chèque. Avec ses œillets métalliques et ses larges revers, elle transformait n'importe quelle tenue en uniforme du futur. On s'est retrouvés pour boire un verre, il m'a serrée fort dans ses bras. On a parlé de Los Angeles, tellement nul, et on s'est félicités d'être amis. On a traîné, verre après verre, puis, une fois chez lui, on a décrété que les amis avaient le droit de s'envoyer en l'air à condition de ne pas se rouler de pelle, style *Pretty Woman*. Le lendemain matin, il s'est serré contre moi au lieu de s'écarter. Quelques heures après, il m'a envoyé un texto pour me dire qu'il avait adoré la soirée. Un miracle !

Deux jours plus tard, on est allés voir un film. J'avais ma veste et il m'a offert un hamburger – c'est Joaquin qui a mis un terme à ma période végétarienne, ce dont je lui serai éternellement reconnaissante, dans la mesure où la viande me donne des forces. Il me frôlait en marchant et je me suis rendu compte que c'était la première fois qu'il s'affichait comme mon mec dans la rue. De retour dans ma chambre – mes parents étaient de sortie –, on a ri et recommencé à s'embrasser. Telle était la teinte que notre relation aurait pu prendre. Et qu'elle n'a jamais prise. J'étais dans une rage folle.

Galvanisée par ma nouvelle vie de femme avec un vrai boulot et une super-veste, j'ai dit à Joaquin d'aller se faire voir pour toujours. « Dit » n'est pas le mot, « emailé ». Après la meilleure nuit qu'on ait jamais passée ensemble, la première où je me suis sentie moi-même, je lui ai écrit qu'il avait profité de mon affection, m'avait fait mal et donné l'impression d'être interchangeable. Que je refusais qu'on se conduise de cette façon avec moi et que, désormais, je n'étais plus disponible. À la suite de quoi, je me suis rendue malade en attendant des excuses qui ne sont jamais venues.

Après avoir envoyé cet email, je n'ai dormi qu'une seule fois dans son lit et en jogging. C'était un début.

Quand je joue un personnage, je n'ai pas le droit de faire passer le message de façon explicite – si on va par là, la fille que j'interprète ne le connaît pas encore. Alors permettez que je vous le livre : je me suis crue assez intelligente, assez pragmatique, pour faire la distinction entre l'idée que Joaquin se faisait de moi et la mienne. De ma fenêtre, je me croyais capable d'être considérée avec une indifférence qui frisait le mépris tout en gardant mon amour-propre chevillé au corps. J'obéissais à ses ordres, convaincue de préserver ce sanctuaire personnel où reposait l'idée que je méritais plus, mieux et autre chose.

En fait, ça ne marche pas comme ça. Quand un mec vous fait comprendre que vous comptez pour du beurre et que vous en redemandez, vous vous dévalorisez à vos propres yeux sans vous en apercevoir. On n'est pas compartimentés ! On est un tout ! Ce qu'on vous dit s'adresse à toute votre personne, idem pour ce qu'on vous inflige. Se faire traiter comme de la merde n'est pas un jeu amusant ni une expérience intellectuelle transgressive. C'est quelque chose que vous acceptez, excusez et finissez par croire que vous méritez. C'est aussi simple que ça, mais que d'efforts j'ai déployés pour le rendre plus compliqué !

Je me suis persuadée que je l'avais bien cherché. Après tout, Joaquin ne m'a jamais juré de rompre avec sa copine, jamais juré de m'appeler. Il m'a fait comprendre dès le départ qu'il était un rebelle, du genre « je te le dis comme je le pense ». Mais lorsqu'on entame une relation, il me semble qu'on se fait une promesse élémentaire, celle de bien se comporter, de se renvoyer une image flatteuse, de faire preuve de respect à mesure qu'on se découvre. À une copine qui se plaignait récemment de l'avocat avec lequel elle sortait : « Comment un type pour qui la justice sociale est un impératif, peut-il nier mes sentiments à ce point ? », j'ai opposé ma foi dans cette promesse, juste et vraie. Joaquin ne l'a pas tenue. Et je n'ai rien appris de plus sur la vie que dans mon quartier branché de Soho.

Barry

Je ne suis pas une narratrice fiable.

Parce que j'ajoute presque toujours un détail de mon invention aux histoires que je raconte sur ma mère. Parce que ma sœur prétend que tous nos souvenirs « communs » ont été fabriqués de toutes pièces par mes soins dans le but de bluffer les foules. Parce que je me sens tout le temps « patraque ». Parce que je prends la même voix grave « on me la fait pas » quand je parle de tous les mecs que j'ai rencontrés, sauf lorsque j'imite mon père en adoptant ce ton évasif propre aux adultes. Mais surtout parce que, au chapitre précédent, je décris un plan cul avec un républicain moustachu du campus comme le choix navrant mais formateur d'une débutante au rayon sexe, alors qu'en fait ce n'était pas du tout un choix.

Je me suis raconté différentes variantes de l'histoire – plusieurs versions continuent de s'entrechoquer dans ma mémoire, même si la nature des événements veut qu'ils ne se produisent qu'une fois et d'une seule manière. Le lendemain, tous les détails me sont apparus avec une netteté aveuglante (du moins aussi aveuglante que possible, sachant que la chose s'est déroulée dans un brouillard de bière chaude, moitié de Xanax et cocaïne sniffée à la va-vite). Pendant des semaines, j'ai tourné le dos à ce souvenir, comme je l'avais fait pour celui de mon grand-père en uniforme de la marine, couché dans son cercueil à la chapelle ardente.

La dernière version en date est : je me rappelle les moments dont je suis capable de me rappeler. Je me suis réveillée en plein milieu de l'affaire. Je ne me souviens pas du début, et puis *pof*, on est étalés sur le tapis, Barry et moi, sans indication concernant ce qui a précédé l'acte. Dans la pénombre poussiéreuse d'un appartement étudiant, j'avise un zob rose et flasque approcher de ma figure et je sens un souffle, des lèvres, sur des parties de mon corps que j'ignore avoir dénudées. Dans ma tête, un refrain tourne en boucle, une sorte de méthode Coué : « C'est ce que font les adultes. »

Dans ma vie, il m'est arrivé deux fois d'avoir la cote et chaque fois, en arrivant dans un nouvel établissement.

La première en cinquième, lorsque j'ai quitté ma Quaker school de Manhattan pour une école d'art à Brooklyn. À la Quaker school, j'étais une vague source d'agacement, l'équivalent d'un prodige de la comédie musicale, sauf que je ne savais pas chanter. Je lisais la bio de Barbra Streisand et mangeais mes sandwiches au prosciutto toute seule dans un coin de la cafétéria, savourant ma solitude telle une divorcée à la terrasse d'un café romain. Mais, dans ma nouvelle école, je suis devenue une fille sympa. Je m'étais fait faire un balayage, j'avais des chaussures compensées, un blouson en jean et un pin's qui disait : « QUI A ALLUMÉ LA MÈCHE DE TON TAMPON ? » Les garçons envoyaient un de leurs potes me dire que je leur plaisais. J'ai affirmé à un certain Chase Dixon, crack en informatique, élevé par deux lesbiennes, que je n'étais pas prête pour une vraie relation. Mes camarades adoraient ma poésie. Mais au bout d'un moment, l'éclat de la nouveauté a pâli et j'ai été une fois de plus reléguée en dernière position dans la disposition de la classe.

La deuxième fois où j'ai eu la cote, c'est à l'occasion de mon changement de fac, fuyant une situation désastreuse dans une école située à quelques encablures de chez moi pour un cocon artistique aux idées larges au milieu des champs de maïs de l'Ohio. J'étais à nouveau blonde, à nouveau en possession d'une veste classe – un superbe caban japonais à rayures vertes et blanches – et j'étais l'objet de l'attention de mes camarades, qui semblaient par ailleurs apprécier ma poésie.

Histoire de m'affirmer, une des premières choses que j'ai faites en arrivant a été de rejoindre la rédaction de *The Grape*, une parution qui s'enorgueillissait à tort d'être le journal novateur d'une fac novatrice. J'écrivais des critiques sur des films de boules (« *Anal Annie and the Willing Husbands* a cette particularité que le personnage principal zozote »), je dézinguais la culture Facebook

(« Le compte rendu des soirées de Stephan Markowitz n'a d'autre but que de déprimer les première année ») et j'étais l'auteur d'une enquête coup de poing sur l'inondation du pavillon afrikaner. Au journal, un des rédacteurs en chef, Mike, m'a tout de suite tapé dans l'œil : un mètre quatre-vingts, des lunettes de geek mais des airs de petit prétentiard et la noirceur de Ryan Gosling. Il habitait Renson Cottage, une maison victorienne du campus qui devait sa célébrité au fait d'avoir abrité sous son toit Liz Phair.

Dans les premières heures de ma carrière à *The Grape*, Mike et moi avons dansé collés serrés à une fête, son genou coincé entre mes cuisses, un détail qui semblait lui avoir échappé à la réunion de rédaction suivante. Il dirigeait *The Grape* d'une main de fer, les insultes pleuvaient sur le petit personnel, mais j'étais jugée acceptable et il me proposait souvent de déjeuner avec lui à la cafétéria où son mini-acolyte juif, Goldblatt, et lui s'empiffraient de nouilles chinoises, de hamburgers végétariens et de toutes sortes de gâteaux très très rassis. Mike et moi nous livrions à des joutes oratoires permanentes. C'était ambigu en diable. On se donnait un mal de chien pour en imposer à l'autre et encore plus pour avoir l'air de ne pas y accorder d'importance.

— Si tu veux mon avis, la monogamie, ça ne marchera jamais, m'a-t-il déclaré un jour qu'on mangeait des galettes de pommes de terre à la cafétéria.

— Je m'en fous. Je ne suis pas ta copine, j'ai répondu.

— Grand bien me fasse, ma poulette.

Je me suis marrée. J'étais beaucoup plus qu'une petite amie. J'étais une journaliste, une allumeuse, une étudiante de deuxième année.

Cet hiver-là, je suis rentrée un mois à la maison en raison d'une mononucléose et, pendant mon absence, Mike a souvent pris de mes nouvelles, sous le prétexte de ne pas « s'en sortir sans mon talent inouï » et de se faire pulvériser par notre rival, *The Oberlin Review*. Le soir où je suis revenue, les ganglions toujours en fête, j'ai enfilé une robe de mariée vintage pour aller dîner avec lui et Goldblatt dans le restaurant le plus agréable de la ville. Mike me souriait comme si on était un vrai couple (un vrai couple qui trimballerait un mini-acolyte juif partout où il allait).

Quelques semaines plus tard, Mike est venu regarder *Les Chiens de paille* dans ma chambre. Après lui avoir confié que je trouvais dérangeante la façon dont le film dépeignait la sexualité féminine, dérangeant ce portrait de femme qui déteste être désirée et rêve qu'on se serve d'elle, il s'est allongé sur moi et on s'est bécotés pendant quarante minutes.

S'en est suivie une liaison qui, traduite en chiffres, donne ceci :

— Une partie et demie de jambes en l'air.

— Une douche ensemble (ma première).

— Environ sept poèmes déchirants sur « le claquement de nos ventres l'un contre l'autre cette nuit-là ».

— Un test de grossesse bien inutile.

Auxquels il faut ajouter la fois où je me suis pointée à une de ses soirées avec le nez rouge qui coulait et des symptômes résiduels de mononucléose, où je l'ai supplié de me parler en privé avant de tourner de l'œil à ses pieds. C'est Kyle, son coloc, qui m'a ramenée chez moi en m'incitant à plus de respect vis-à-vis de moi-même.

J'avais sept ans quand j'ai appris le mot « viol », sachant que j'étais persuadée que c'était « fiole ». Je l'adorais et le plaçais à tout bout de champ avec imprudence. Un jour que je lisais sur le canapé, ma petite sœur âgée de deux ans a trottiné vers moi, son pyjama à imprimé ballons pendouillant au derrière en raison d'une couche pleine. Oh, l'injustice d'être obligée de vivre avec une enfant ! Grace, qui voulait absolument jouer, m'a attrapé les pieds et les chevilles. Voyant que je ne réagissais pas, elle a commencé à m'escalader comme un toboggan, en riant de son petit rire de bébé.

— Maman ! Papa ! ai-je hurlé. Elle me fiole !

— Quoi ? a demandé ma mère en réprimant un sourire.

— Grace est train de me fioler.

Mike est le premier à m'avoir brouté la fouffe sur le tapis de ma chambre d'étudiante, un soir après une soirée de soutien à la Palestine. J'ai eu l'impression qu'un enfant, pas le mien, me mâchouillait l'intimité. La première fois qu'on a fait l'amour, je n'avais qu'une unique expérience au compteur. Mike a mis de la musique africaine, il m'a embrassée comme si c'était une épreuve imposée par son agent de probation et je me suis accrochée à lui, supposant qu'il me ferait comprendre si je m'y prenais comme un manche. Il a fini par jouir en poussant des petits cris effrayés de chat coincé sous la pluie. De mon côté, j'ai continué à bouger jusqu'à ce qu'il me demande d'arrêter.

Noni et moi attendons Grace à la sortie de la maternelle devant le kiosque à journaux qui se trouve en face. J'ai neuf ans et je n'ai pas école, ce que j'adore, sauf que je n'ai pas tiré le meilleur profit de ma journée. Noni est ma nounou. Elle est irlandaise et ne peut pas ouvrir complètement la bouche, suite à un terrible accident de voiture qu'elle a eu quand elle avait seize ans. Elle a les cheveux craquants de laque et son legging laisse voir ses mollets bronzés. On parcourt des magazines en buvant du thé glacé. À un moment, le type qui tient le kiosque me regarde et, va savoir pourquoi, un frisson me parcourt l'échine.

— Noni, je murmure, paniquée. Noni.

Elle lève la tête de son magazine people et se penche vers moi. Je connais le vrai mot désormais.

— Qu'est-ce qu'il y a ?

— Je crois qu'il essaie de me violer.

J'ai aidé Mike et Goldblatt à acheter des petits oiseaux destinés à une installation artistique et, lorsque les volatiles se sont échappés dans la salle de bains de Renson Cottage, j'ai fait appel à mon expérience d'ornithologue bénévole pour les rapatrier dans un coin sombre et les rassembler dans mes mains. Les oiseaux battaient des ailes et j'ai pensé que, pour une non-chirurgienne, l'impression que j'avais en tenant ces petites bestioles était ce qui se rapprochait le plus des battements d'un cœur à nu. Les oiseaux m'ont donné des coups de bec, mais je ne suis pas une chochotte et je les ai fourrés dans leur cage. Combien de filles en feraient autant ?

En mai, Mike a obtenu son diplôme, ainsi que sa bande de joyeux drilles : Goldblatt, Kyle (spécialiste de la culture du Costa Rica) et Quinn, un étudiant en textiles qui, pour son projet de fin d'études avait créé des maillots de bain troués à la fouffe ou au zob. Le seul à la traîne, c'était Barry. Barry qui allait devenir un super-troisième année, une distinction douteuse attribuée à ceux qui avaient encore un semestre à tirer.

Audrey et moi étions d'accord là-dessus, Barry était louche. Il portait une moustache dont le style oscillait dangereusement entre le hipster de Williamsburg et le chasseur de gros gibier, et il portait des Reebok comme on n'en voit plus depuis les vidéos d'aérobic des années quatre-vingt. Il travaillait à temps partiel à la bibliothèque, je le voyais souvent rôder dans les allées et remettre les livres en place n'importe comment. En société, il attirait l'attention par sa présence ostensiblement mâle et sa voix grave à la Barry White. On racontait qu'il avait donné un coup de poing dans les nibards d'une fille à une fête. Et il était républicain. Autant de raisons de l'éviter et de se demander pourquoi les occupants de Renson Cottage le laissaient si souvent s'incruster dans leur salon.

Au cours de son semestre de super-troisième année, Barry semblait égaré. Ses copains partis, il avait perdu de sa superbe. On l'apercevait en train de fumer, seul, en tapant du pied devant le bureau des étudiants ou assis à l'ancienne place de Mike dans la salle informatique, comme un chien sans collier.

Alors, on frime moins ?

Une fête particulièrement bruyante avait lieu au-dessus du magasin de vidéos. Je portais la ravissante robe portefeuille d'Audrey et, avant de sortir, on a bu deux bières chacune et partagé un Xanax qui lui restait après un voyage en avion pour la Floride effectué avec sa grand-mère. J'ai été défoncée en un quart de seconde, et le temps d'arriver à la fête j'étais déchaînée, ce qui m'était assez étranger. De son côté, Audrey commençait à avoir la tête qui tournait et, après mûre réflexion, elle a décidé de rentrer, en me faisant promettre de traiter sa robe avec le respect qui convenait. Elle m'a manqué très fort pendant quelques instants, puis j'ai sniffé un rail de coke sur une clé, avant d'embrasser un première année et de danser au milieu des gens qui faisaient la queue pour les toilettes. Je leur montrais la facilité avec laquelle la robe d'Audrey s'ouvrait et racontait à qui voulait l'entendre que le département de création littéraire était « bidon ».

Tous mes copains étaient partis. J'ai cherché Audrey, même si elle m'avait annoncé son départ et même si j'y avais assisté.

Quand, enfin, j'ai aperçu mon copain Joey, de dos. Cet adorable lourdaud de Joey – D.J. et gros nounours, fier comme un pou. Il était là, dans son blouson Members Only, grand et chaud, prêt à me secourir. Je me suis glissée derrière lui et je lui ai sauté sur le dos.

Quand il s'est retourné, ce n'était pas Joey, mais Barry. Un « oh, oh » a résonné dans ma tête comme le jingle qui accompagne la mauvaise prestation d'un participant à un talk-show japonais. « Oh, oh, oh, oh. »

— Ça fait un bail que je ne t'ai pas vue, a-t-il dit.
— On ne se connaît pas, ai-je répondu. Il faut que je fasse pipi.

Barry me guide jusqu'au parking. Je lui demande de tourner la tête. Je baisse mon collant pour faire pipi et il me fourre ses doigts dans la fouffe, comme s'il voulait me brancher sur le secteur. Je ne sais pas si je ne peux pas ou si je ne veux pas l'en empêcher.

En quittant le parking, j'avise mon copain Fred. Il observe Barry qui me ramène chez moi en me tenant par le bras (je lui ai manifestement indiqué où j'habitais) et il crie mon nom. Je fais comme si je ne l'avais pas entendu. Fred m'arrête. Barry s'éclipse une seconde, ne restent que Fred et moi.

— Ne fais pas ça, me dit-il.
— Tu ne veux pas me raccompagner, alors laisse-moi tranquille, je bredouille, exprimant une blessure profonde dont j'ignorais l'existence. Laisse-moi !

Il secoue la tête. Que peut-il faire ?

Maintenant, Barry est chez moi.

Maintenant, on est par terre en train de faire des trucs de grandes personnes. J'ignore comment on en est arrivés là, mais je refuse de croire que c'est le fruit du hasard.

Maintenant, il est en moi, sauf qu'il est mou de la nouille. Je regarde par terre à côté de son genou plié et je m'aperçois qu'il a retiré le préservatif. Lui ai-je demandé d'en mettre un ? Le préservatif était dans ma trousse de premiers secours. Je sais où je l'ai rangée, pas lui, je suis forcément allée la chercher. Un choix. Pourquoi s'imagine-t-il qu'enlever le préservatif ne pose pas de problème ?

Je reprends un peu mes esprits, je comprends qu'il ne s'agit pas d'un rêve. Je lui demande de remettre le préservatif. Il bande mou. Maintenant, il fonce droit sur ma fouffe et me fourre son zob dans la figure. On dirait un doigt désossé.

Je gémis, style : « C'est bon ! »

Il m'appelle bébé. Ou plutôt grogne des : « Oh, bébé », ce qui est différent.

— Tu veux me faire jouir ? je demande.

— Hein ?

— Tu veux me faire jouir ? je répète et j'ai conscience que je si je pousse ces gémissements et pose cette question, c'est encore un choix.

Maintenant, on est de l'autre côté de la pièce, disposés de manière différente. Je penche la tête en arrière aussi loin que possible et que vois-je dans la plante de ma coloc ? Un autre préservatif. Ou le même. Un préservatif qui ne couvre pas son zob et ne l'a sans doute jamais couvert.

Maintenant, je me remets debout avec les jambes flageolantes, tel un poulain nouveau-né. Je balance Barry et ses fringues dehors par la porte coulissante qui donne sur le parking. Il se cramponne à son T-shirt et bataille avec une de ses chaussures. L'air froid semble le dégriser. Je ferme la porte et le regarde derrière la vitre chercher par quel chemin rentrer chez lui. Je n'aimerais pas le croiser en ce moment. Maintenant, je me cache dans la kitchenette en attendant qu'il parte.

Maintenant, je me réveille. Ma coloc n'est pas rentrée. Plus tard, je saurai qu'elle est montée dormir chez une copine plutôt que de me déranger parce qu'elle avait entendu du bruit derrière la porte.

Avant l'aube, je consigne dûment la rencontre dans mon document Word intitulé : « DONNÉES INTIMES ». *Barry. Numéro quatre. On a fait un 69. C'était affreusement agressif. Une seule fois. Personne n'a joui.*

Plus jeune, j'ai lu un article à propos d'une petite fille de dix ans qui s'était fait violer par un inconnu sur un chemin de campagne. À près de quarante ans, elle se revoyait toujours allongée par terre dans la robe en vichy que sa mère lui avait confectionnée et se forçant à pousser des cris de plaisir pour se protéger. J'ai trouvé ça à la fois glaçant et troublant, mais c'était quand même un stratagème de fuite ingénieux. Je n'ai jamais oublié cette histoire, mais elle ne m'est revenue que plusieurs jours après que Barry m'a ziquée. Et ce avec une telle violence que le lendemain matin, j'ai dû prendre un bain chaud pour me soulager. C'est là que je me suis remémoré la soirée.

Le jour d'après Barry, je retrouve Audrey à la salle informatique pour travailler. On est encore en pyjama toutes les deux, des couches et des couches de pyjamas pour se protéger du froid. On se lave les mains dans les toilettes en laissant l'eau chaude couler dessus et je lui avoue :

« Il faut que je te dise quelque chose. » On se blottit sur le dessus de radiateur et je lui fais le topo des événements de la veille, topo qui se termine par : « Je suis désolée pour ta robe portefeuille. »

Le petit visage pâle d'Audrey se fige. Elle me pétrit la main et, d'une voix réservée aux mères de famille dans les téléfilms, elle me chuchote : « Tu as été violée. »

J'éclate de rire.

Ce soir là, je chatte avec Mike. Il vit désormais à San Francisco, travaille dans une agence de pub et sort avec une fille qui ne supporte pas la pilule et possède ce qu'il appelle : « un cul d'enfer ». Le pseudo Myspace de la nana est : Rainbowmolly.

0 h 30
Moi : É bouffon
T appelé
Mike : Je C
G la gueule 2 bis
bois
gueule de bois
Moi : Moi aussi

0 h 31
Mike : 100 déconner ?
Moi : G T bourrée
Mike : super
me suis vomi dessus.
Moi : beurk
ça va ?
Mike : oui

0 h 32
Pas sorti 2 chez moi
Moi : G fait un truc 2 2meurée
tu vas te foutre 2 moi
Mike : raconte

0 h 33
Moi : je suis rentrée avec ton copain bizarre Barry
Mike : ....
ha ha
HA HA HA
Moi : Je C

Je compose le numéro de Mike sur mon téléphone rose fuchsia sans être certaine d'avoir envie qu'il décroche.

— C'est du délire, non ?

— Barry m'a appelé aujourd'hui. Il s'est réveillé dans l'entrée de son dortoir. Il a bourré une nana, mais il ne sait pas laquelle.

Il éclate d'un rire rauque et épuisé.

« Bourré une nana » ne me quittera jamais. Il restera longtemps après que la douleur dans mon corps, cette brûlure au tréfonds de mon intimité, a disparu. Après que j'ai oublié le goût de la salive amère de Barry ou la bordée d'injures qu'il a proférée à travers la vitre épaisse de ma porte coulissante. Dissocié de son sens, ce chapelet de mots résonne comme le son de la honte.

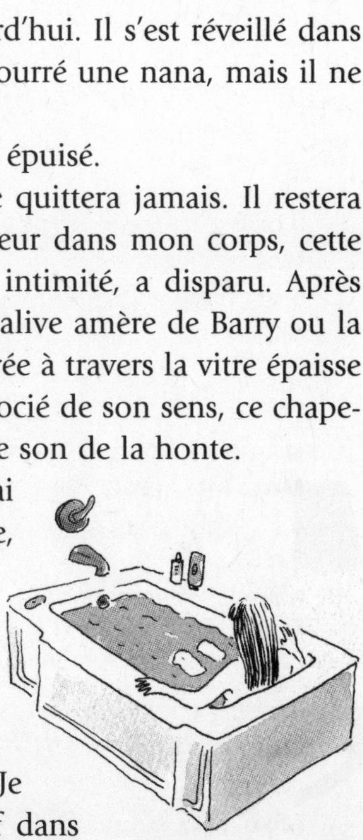

La semaine suivante, j'ai encore mal quand je marche, quand je m'assois. Je pensais qu'un bain chaud viendrait à bout de la douleur, mais les choses ne font qu'empirer. Aux vacances d'hiver, je suis à la maison. Je suis complètement gelée sauf dans mon petit brasero interne que rien ne refroidit. Je décide d'aller voir la gynéco de ma mère. Elle m'examine avec délicatesse et explique qu'on va vers le mieux. Je souffre de l'équivalent d'une écorchure au genou, d'une croûte qui frotte contre un jean.

— Ce devait être plutôt brutal, fait-elle remarquer sans juger.

Au semestre suivant, après le départ de Barry, ma copine Melody m'apprend que Julia, une de ses amies, s'est réveillée un matin, après avoir couché avec Barry, pour s'apercevoir que le mur était éclaboussé de sang. « Éclaboussé, a-t-elle précisé, comme sur une scène de crime. » Mais Barry s'était montré sympa, il l'avait accompagnée pour acheter la pilule du lendemain et avait donné un nom au bébé qu'ils n'auraient pas. Julia n'était pas en colère. « Mais, il faut que tu saches qu'il s'est fait dépuceler par une pute à La Nouvelle Orléans. »

Que faire de cet avertissement rétroactif ? À part m'asseoir dessus.

Je me jure de ne plus coucher avec personne jusqu'à ce que je tombe amoureuse. J'attends six mois et celui qui me remet en selle devient mon premier copain sérieux. En dépit d'un doute sur son identité sexuelle et une tendance radicale à la misanthropie, il se comporte avec moi comme si j'étais la huitième merveille du monde et on est pire potes.

Un après-midi qu'on traîne au lit, ce qui n'est acceptable qu'en fac ou à moins d'être la proie d'une déprime saisonnière costaud, je lui déballe toute l'affaire Barry.

C'est les grandes eaux. En partie parce que les souvenirs remontent et en partie parce que je déteste la façon dont je m'exprime. Lui essaie frénétiquement de se rappeler s'il a déjà croisé Barry sur le campus. Pour ma part, je suis juste furieuse de ne pas avoir plus de vocabulaire.

Même dans les cessions d'écriture les plus sympas, on se dit parfois des choses effrayantes entre scénaristes de télé. On s'avoue ce qu'on pense vraiment de nos partenaires. On se raconte des histoires sur nos enfances respectives que nos parents auraient préféré nous voir oublier. On se rapporte les commentaires qu'on fait sur le physique des autres. Tout est matière à nourrir des histoires principales et secondaires, des ressorts psychologiques, des blagues désinvoltes. Je me demande combien de nos chéris regardent la télé en quête d'un signe annonciateur de leur propre fin.

On rit comme des baleines de choses qui ne sont a priori pas drôles – ruptures, overdoses, parents annonçant leur divorce imminent à un môme qui a la varicelle. C'est tout le sel du métier. Un après-midi, je fais le pitch d'une version de l'affaire Barry. Une partie de jambes en l'air qui n'entre dans aucune catégorie. Un préservatif qui pendouille d'une plante verte contre la volonté de la fille qui se fait ziquer. Une copine procédurière – aka Audrey – qui s'insurge.

Murray secoue la tête.

— Pour moi, le viol n'est pas un truc drôle, quelle que soit la situation.

— Je suis d'accord. C'est raide, renchérit Bruce.

— Mais c'est justement le problème, personne ne sait s'il s'agit d'un viol. C'est une situation pas claire qui...

Je ne finis pas ma phrase.

— Je suis vraiment désolée que ça te soit arrivé, dit Jenni. C'est horrible.

Un jour, je lâche le morceau à Jack sans le faire exprès. On parle de sexe non protégé au téléphone, fortement déconseillé à ceux qui, comme nous, ont une nature particulière, l'angoisse tenace. Il me demande s'il m'est déjà arrivé d'avoir flippé après m'être envoyée en l'air et je me vide comme un vieux lavabo, avant même de réfléchir à l'opportunité d'un tel déballage. Jack est fâché, en colère, mais pas contre moi.

Je pleure alors que ce n'était pas mon intention. Ce n'est ni libérateur ni utile pour étayer mon propos. Je continue à sortir blague sur blague, mais je suis trahie par mes larmes qui pourraient faire penser que je reconnais ma souffrance. Or ce n'est pas le cas. Jack est en Belgique. En Europe, il est tard, il est crevé. Je ferais mieux de ne pas évoquer cet épisode au téléphone.

— Tu n'y es pour rien, dit-il, pensant me rassurer. Aucune version de cette histoire ne démontre ta culpabilité.

Or je suis persuadée que tout est ma faute et de cinquante manières différentes. Je me suis fait des films. Je me suis défoncée, bourrée de substances diverses et variées pour me faciliter le commerce des gens de mon âge, pour réduire l'espace entre moi et les autres. Je mourrais d'envie d'être vue. Cependant, je sais que, à aucun moment, je n'ai consenti à être traitée de cette manière, ni ne l'ai autorisé à être brutal, à se planter dans mon corps sans barrière de protection. Je ne lui ai jamais accordé cette permission. Au plus profond de moi-même, j'ai cette certitude et c'est elle qui m'a empêchée de sombrer.

Je me recroqueville contre le mur en regrettant de m'être livrée.

— Je t'aime fort, dit-il. Je regrette que ça te soit arrivé.

Puis son ton change, de contrit il devient plus vif.

— Il faut que je te dise quelque chose et j'aimerais que tu le comprennes.

— Oui ? je glapis.

— J'ai hâte de te faire l'amour. J'espère que tu sais pourquoi je te dis ça. Parce que ça ne change rien. Je suis en train de réfléchir à la façon de te faire l'amour.

— C'est vrai ?

— Dans toutes les positions.

— Tu as intérêt ! dis-je, mes larmes redoublant.

Il faut que j'y aille, que j'enfile un blouson en jean pour un événement promotionnel chez Levi's Strauss. Je préviens Jack que je dois raccrocher. Il gémit « Non » comme si j'étais une baby-sitter qui l'arrachait aux bras de sa mère près de se rendre à une soirée habillée. Il a sommeil. Je l'entends. Les émotions sont épuisantes.

— Je t'aime comme une folle, lui dis-je en chouinant de plus belle.

Je raccroche et fonce vers la glace, certaine de voir des rigoles d'eye-liner dévaler mes joues, creuser des sillons dans mon fond de teint et mon blush. Je suis à L.A., qu'on se le dise : je ne peux pas faire moins qu'écraser Lindsay Lohan. Mais, à ma grande surprise, mon visage n'a pas souffert, il est même lisse. Mon maquillage n'a pas bronché.

Rien à signaler. Je suis telle qu'en moi-même.

Tomber amoureuse

If you cut a piece of guitar string /
I would wear it like it's a wedding ring

Carly Rae Jepsen

Il joue de la guitare. En amateur, mais que c'est joli. Oui, je le vois et il me rit au nez. Ce qu'il est drôle ! Il arrive en avril.

Terry, la voyante de ma mère

J'ai dit : « je t'aime » à quatre hommes et c'est tout, sans compter mon père, mon oncle et toute un aréopage de timbrés avec lesquels je vais au cinéma en tout bien tout honneur.

C'est mon petit ami de fac qui a eu droit au premier. J'ai tellement supplicié le malheureux en place publique que je vous épargne un énième récit de notre histoire. Je me contenterai d'avouer que j'ai été la première à faire ma déclaration. Une déclaration à laquelle il a répondu par un « je sais » déprimé. J'ai dû verser des seaux de larmes et le supplier pendant des semaines pour obtenir qu'il me rende la pareille avant de se rétracter peu après. Quand il s'est enfin décidé, les mots avaient perdu de leur charme.

Mon deuxième « je t'aime » est allé à Ben, alors que notre relation en était déjà au second round. Je l'avais rencontré à la fac et on avait couché ensemble une poignée de fois avant qu'il saborde l'affaire en se jetant à poil sur mon lit défait après avoir pris une douche glacée, avec ce hurlement : « WAAAAAZZZZZAAAA » (après quoi, il n'avait fait qu'aggraver son cas en coupant les ponts avec moi). Mais après la fac, je me suis retrouvée seule, comme tout un chacun et, pour la première fois de ma vie, je m'ennuyais ferme. En moins de deux, j'explosais le plafond de ma toute nouvelle carte bancaire en achetant un billet d'avion pour la baie de San Francisco où il résidait désormais. Il habitait un quartier qui n'était pas sans rappeler le générique de la série *La Fête à la maison*, avec ses bow-windows et le poster de Selena, l'icône mexicaine trucidée, sur le mur jauni de sa chambre. On a passé quatre jours à crapahuter à flanc de collines, à se tenir la main dans le tramway, à boire des coups avec les employés d'un magasin de vélos et à jouir de concert en une charnelle communion. Un matin, au petit dej, son coloc nous a déclaré : « Vous êtes réglés comme du papier à musique, vous faites l'amour une fois le matin et une fois la nuit. On dirait un couple marié. »

Le soir, assis sous la véranda à l'arrière du bâtiment, on mangeait des raviolis faits maison, lesquels avaient monopolisé son après-midi. Il avait tout loisir de cuisiner : son boulot – éditer la Newsletter d'une association à but non lucratif dédiée à la promotion de l'esperanto – était « aménageable. »

Quand le travail a fini par le rappeler à l'ordre, je suis allée rendre visite à des amis qui habitaient Telegraph Hill, ce quartier où les perroquets sauvages vivent en liberté et où la vue a cette majesté urbaine qui comble les bobos. C'était avant que je n'aie une véritable idée de la situation matérielle de mes amis. Quand j'étais encore capable de dire à propos d'un pote qui vivait dans un gigantesque loft de West Village : « À mon avis, il se fait un max de fric à son stage à Food Not Bombs. » J'ai compris plus tard que mes amis de Telegraph Hill, un réalisateur et une poétesse, officiaient comme gardiens de la sublime baraque avec douche plafonnier qu'ils ne pouvaient s'offrir. À l'époque, je n'en revenais pas des bons plans immobiliers que San Francisco offrait aux artistes. Si on y mettait du nôtre, on pourrait s'y installer, Ben et moi, avec un clébard, une bibliothèque et une petite voiture orange chic.

Au moment de partir, j'ai pleuré comme une madeleine et je lui ai offert une compile sur laquelle figuraient plusieurs versions obscures de « I Left My Heart in San Francisco ».

Pendant l'hiver, j'ai rêvassé à ma nouvelle vie sur la côte Ouest. Ben m'emailait des photos de pancakes, de lunettes de soleil à deux balles, de soirées chez des hippies où le bateau était remisé dans le salon, de nouveaux tatouages à motif dollars, de symboles communistes, d'annonces pour un boulot dans un sex-shop et de programmes d'alphabétisation pour les enfants. Il m'a aussi envoyé une boîte de brownies, accompagnée d'un petit mot signé avec humour : « Salutations platoniques, Ben. »

Je suis revenue un vendredi après-midi et il m'a accueillie à l'aéroport. Pour rentrer chez lui, on a pris le

BART, l'équivalent du métro de New York, à la différence près que les habitants de San Francisco ne semblent pas portés sur le vandalisme de banquettes. On se souriait comme des benêts quand une vieille dame chinoise lui a balancé un glaviot sur la chaussure en passant. « Salope ! » a hurlé Ben. À ma grande surprise, j'étais – secrètement – du côté de la glavioteuse.

Le dimanche, sur la jetée, un SDF déguisé en buisson m'a sauté dessus et il a hurlé de rire quand j'ai crié, puis il a réclamé son obole. Ben était sidéré par l'ingéniosité du type. Un peu plus tard, il a décroché le poster de Selena pour pouvoir sniffer des amphètes sur ses nibards. J'ai attrapé un rhume carabiné, et pas un mouchoir en papier dans toute la maison. Au magasin bio, nos deux cartes de crédit ont été refusées.

Quel que soit l'endroit, on ne se refait pas.

Le soir où il m'a déclaré sa flamme, il était torché. On était dans sa chambre, moi à califourchon sur lui dans son fauteuil de bureau, et on écoutait s'éteindre la fête qui se déroulait au salon quand il m'a lâché le morceau. Je l'ai laissé poireauter encore dix minutes – le temps qu'on se mette à ziquer – avant de lui faire le même aveu. Mais, d'après lui, les je t'aime murmurés en pleines galipettes, ça compte pour du beurre. Le lendemain, suite à une indigestion de hamburgers (à l'époque, on était gras comme des cochons, ce qui en soi constituait déjà une petite révolution), on est restés allongés côte à côte et j'y suis allée de ma larme. Officiellement, parce qu'il allait me manquer quand je serais partie, mais officieusement, parce que j'avais l'impression d'être morte à l'intérieur.

J'aimais vraiment Ben, d'une certaine façon. Pour plusieurs raisons : il me faisait la cuisine ; il me disait que j'avais un beau corps, que je ressemblais à une peinture de la Renaissance, or j'avais un besoin fou d'entendre ce genre de choses et il avait une belle-mère du même âge que lui, ce qui craignait. D'un autre côté, je ne l'aimais pas. Pour plusieurs raisons : il s'obligeait, par orgueil, à porter des chaussures vintage qui lui donnaient des ampoules ; il m'a laissé en souvenir un chapelet de verrues génitales.

Il m'a traitée de tous les noms quand j'ai rompu avec lui pour Joe, un Portoricain qui s'était fait tatouer MAMAN en lettres manuscrites. De mon côté, je dois reconnaître que je me suis un peu lâchée quand j'ai appris qu'il s'installait avec une fille, instit dans une maternelle pour enfants en difficultés. Je n'ai plus redit : « Je t'aime », par amour, s'entend, pendant plus de deux ans. Quant à Joe, il s'est révélé anti-pipe au motif que c'était misogyne et racontait que sa maison était en feu lorsqu'il voulait se défiler.

Le troisième dépositaire de mes « Je t'aime » fut Devon. J'avais presque terminé le tournage de la première saison de *Girls*, au cours duquel j'avais flashé sur plusieurs mecs. À commencer par l'assistant accessoiriste, un agneau à lunettes, un certain Tom, qui s'est révélé beaucoup plus con que prévu. Le béguin suivant fut un acteur à tête de hooligan anglais, qui m'a emmenée boire un verre sur Eleventh Street, a chouiné comme un veau sur son ex, m'a roulé des pelles contre un réverbère avant de m'annoncer qu'il n'était pas client des relations stables.

Ces amourettes n'avaient pas pour seul but de faire passer le temps plus vite ni de répondre à je ne sais quel appel de la forêt intempestif et estival. À un niveau plus profond, elles me donnaient l'impression d'être moins adulte. J'avais été projetée dans un monde d'obligations et de responsabilités, de budgets et de surveillance. De solitaire, mon travail de création était maintenant passé au crible d'une dizaines « d'adultes » qui, je l'aurais parié, n'attendaient qu'une chose pour crier « Eh bien voilà ! Voilà la raison pour laquelle on n'embauche pas de filles de vingt-cinq ans ! » Les amourettes étaient à ma connaissance le meilleur moyen d'oublier mes obligations, de m'effacer derrière un personnage fictif.

Devon est apparu sur le plateau de *Girls* au moment où je tournais le dernier épisode de la saison. Il était le copain d'un copain, appelé en renfort sur une journée de tournage un peu délicate. Petit et taquin, avec un front d'australopithèque, il balançait les sacs de sable à tout-va avec une facilité trompeuse et enroulait les câbles en expert. J'ai remarqué son piercing à l'oreille droite (tellement années quatre-vingt-dix) et j'ai adoré la façon dont son jean se recroquevillait sur ses chaussures de chantier impeccables. Il avait un petit sourire irrésistible qui dévoilait ses dents écartées. Après plusieurs échanges au cours desquels il a contesté mon autorité et fait celui qui n'entendait pas ce que je disais, une conclusion s'imposait : il était mon type.

À l'arrivée de Devon, j'étais en pleine crise de déréalité. L'angoisse qui me collait aux basques depuis toujours comme une mauvaise copine avait réapparu, prête à se venger, et sous une toute nouvelle forme. J'avais l'impression d'être à l'extérieur de mon corps, de me regarder travailler. Je me fichais de réussir ou d'échouer, car je doutais d'être vivante. Entre deux scènes, je me planquais aux toilettes en espérant pouvoir pleurer, ce qui aurait prouvé par a plus b que j'étais vivante. J'ignorais pourquoi j'étais dans cet état. C'est souvent la cruelle réalité avec l'angoisse. Aux moments où elle devrait logiquement se manifester, je pète le feu. Un après-midi où je suis bien peinarde à buller, je peux au contraire être saisie d'effroi. Concernant l'épisode qui nous intéresse, j'avais toutes les raisons d'être angoissée : pression, exposition, dispute corsée avec un collègue adoré. Mais j'en avais encore plus de me réjouir.

Et pourtant, je ne ressentais rien.

Trois jours après, Devon s'est pointé à la fête de fin de tournage. Il avait les bras musclés de Ken mais aussi sa taille rikiki. Je l'ai ignoré, je suis restée avec ma bande d'acteurs à boire un dé à coudre ou deux de vin rouge (ce qui suffit à m'envoyer au tapis). Finalement, imbibée et certaine que la soirée ne me réservait pas d'autre surprise, je me suis assise au bar à côté de lui et je lui ai déclaré : « Tu es malpoli et tu as flashé sur moi. »

Il s'est écoulé quelques minutes d'une conversation insipide avant qu'il se penche vers moi et me chuchote : « Voilà ce qu'on va faire. Je pars et je t'attends au coin de la rue. Tu attends trois minutes et tu pars. Tu ne dis au revoir à personne et on prendra un taxi pour aller chez moi. »

J'étais éblouie par la précision de son plan. Après des mois de prises de décision frénétiques, c'était un soulagement de s'en remettre à quelqu'un d'autre.

En marchant pour trouver un taxi, j'ai essayé de l'embrasser, mais il m'a repoussée. « Pas encore », a-t-il dit. Dans le taxi, sa carte de crédit ne marchait pas, j'ai payé dans un brouillard d'alcool en en faisant des caisses. Je l'ai suivi jusqu'à son appartement au quatrième étage sans ascenseur. Il a ouvert la porte et crié : « Nina ? Joanne ? Emily ? » Ses colocs, m'a-t-il expliqué. Il a allumé la lumière, l'appartement était un studio. Aucune fille ne vivait là. On était seuls. J'ai ri trop fort.

Avant de consentir à m'embrasser, il devait faire son sac pour son boulot du lendemain. Je l'ai regardé ranger soigneusement ses outils, vérifier que sa perceuse était chargée et relire sa feuille de service. La maniaquerie avec laquelle il s'est préparé m'a plu. Elle m'a rappelé mon père me montrant comment faire la vaisselle. Sa chambre était peinte en rouge et n'avait pas de fenêtre. Je me suis assise au bord du lit et j'ai attendu.

Après ce qui m'a paru des siècles, il s'est assis de l'autre côté, un pied toujours par terre, et m'a regardée longuement comme s'il se mettait en condition pour manger quelque chose qu'il n'était pas sûr d'aimer. Je ne me suis pas formalisée, je n'étais pas certaine d'être réelle. Le premier baiser fut vertigineux. Je me suis laissée tomber en arrière, ne sachant pas où je me trouvais ni ce qui se passait. Je n'avais qu'une certitude, la part de moi-même que je croyais avoir perdue m'était rendue. Et le raccordement fut presque douloureux : Wendy essayant de recoudre son ombre sur Peter Pan. J'étais estomaquée par la fluidité des gestes de Devon, l'aisance avec laquelle il attrapait le préservatif, tendait la main vers moi, puis vers la lampe, pour éteindre.

Pendant nos ébats, il n'a pas pipé mot et son silence, couplé à l'obscurité totale, m'a confortée dans l'impression d'être culbutée par un satyre. Il me semblait à des années lumière et, quand je lui ai demandé de me confirmer son prénom, il n'a pas répondu. Le lendemain matin, je me suis réveillée avec le sentiment atroce qu'il s'appelait Dave.

On a passé le reste de la semaine ensemble. Dès que j'avais fini de travailler, je fonçais ventre à terre chez lui. On discutait – de films qu'il détestait, de livres qu'il tolérait du bout des lèvres et de gens qu'il évitait. Sa misanthropie transpirait dans tous ses faits et gestes.

— Je t'aime bien, lui ai-je dit la troisième nuit, calée entre ses genoux, bien après l'heure où j'aurais dû être couchée.

— Je sais, a-t-il dit.

Aucun doute là-dessus, il était bizarre. Son bonnet de douche tenait au plafond par le truchement d'une poulie qu'il avait installée et sur laquelle il suffisait de tirer pour faire descendre l'objet en cas de besoin. Son frigo était vide, à l'exception de bouteilles de jus d'orange et de chocolats Hershey's « parce que c'est ce que les filles aiment ». Il avait toujours des allumettes à côté des chiottes pour la grosse commission, ce qui était à la fois poli et pathétique, compte tenu du fait qu'il était presque tout le temps seul. Il évoquait sa copine de lycée avec les mêmes relents d'amertume que les maris abandonnés avec une tripotée de gosses sur les bras.

À la fin de la semaine, je devais partir à L.A. pour le boulot. Devon ne constituait pas une excuse pour rester, même s'il était d'un avis différent. Il m'a accompagnée au métro et je suis partie à l'aéroport, la larme à l'œil. J'étais redevenue moi-même et je n'aimais pas ça.

Par la suite, notre relation (cinq mois) s'est détériorée à la vitesse grand V. Son tempérament critique s'est révélé plombant – il détestait mes jupes, mes amis, mes films. Il détestait les comédies romantiques et les comédies tout court. Il détestait la bouffe thaïe, la clim et les bios « geignardes ». Ce qu'au début j'avais pris pour un puits de douleur creusé par des femmes inaccessibles était en fait un mépris philiprothien pour le « sexe faible ». Je trouve épouvantable et injurieuse cette nouvelle mode qui consiste à traiter quelqu'un d'autiste. Dans son cas, je me contenterai de souligner que son incapacité à remarquer mes larmes avait quelque chose de pathologique.

On a passé des week-ends épouvantables à vouloir bruncher et voir des films comme les gens qui se connaissent bien. Mais il n'était pas sensible à la drôlerie de mon père et je ne voyais pas ce qu'il trouvait de formidable à Leo, son copain marionnettiste. J'ai fait pas moins de sept tentatives pour le larguer. Et, chaque fois, il chouinait, suppliait et manifestait plus d'émotion qu'au cours de nos galipettes muettes ou petits déjeuners au lit. « Tu tiens à moi, me disait-il. Tu n'as jamais ressenti ça de ta vie. » Qui étais-je pour démentir ?

J'ai traîné Devon dans pléthore d'endroits où je n'aurais jamais dû, dans l'espoir de l'intégrer à ma vie : dîner avec des copines, l'arbre de Noël du Met et même des vacances en famille en Allemagne. (Mon père a tenté de m'en dissuader. Dans l'avion pour l'Europe, j'ai eu si peur que j'ai pris dix gouttes de Rivotril et acheté toute une gamme de valises neuves à l'escale.)

— On ne fait pas saigner une pierre, m'a rappelé ma mère – c'était gentil, compte tenu du fait qu'elle l'a babysitté cinq heures un après-midi où je suis restée dans la chambre d'hôtel à méditer sur mon sort. En admettant que je mette un terme à cette affaire, serais-je seule le restant de mes jours ? Certes, il détestait mes jupes. Certes, il écrivait des histoires destinées à prouver que les vendeuses de J. Crew étaient des putes. Et l'amour dans tout ça ?

· ♥ ·

Mes parents sont tombés amoureux à vingt-sept ans. C'était en 1977, ils habitaient Lower Manhattan et fréquentaient la même clique d'artistes qui portait des pantoufles chinoises et jouait au tennis par dérision. Mon père encadrait les photos que ma mère prenait. Un jour, elle lui a demandé un coup de main et la suite, on la connaît.

— Raconte-moi encore comment tu as rencontré maman, je demande à mon père.

— Si c'est pour que tu écrives dessus, sûrement pas, répond-t-il. Mais, au final, il ne peut pas résister – et commence à me décrire l'étrange sens de l'humour de ma mère, et sa bande d'amis portés sur le mélodrame. « Ils passaient leur temps à provoquer les gens. »

L'histoire de mes parents recèle tous les ingrédients voulus : drame, jalousie, bitures, amitiés qui se brisent et chats dont on hérite. Il aimait sa façon de s'habiller, un peu masculine, et celle de se tenir, idem. Elle était revenue sur son opinion première, à savoir qu'il lui faisait penser à une souris. À l'époque, les portables n'existaient pas, on faisait des projets et on s'y tenait, sinon il fallait marcher jusque chez l'autre, sonner et espérer que tout se passe bien. Il lui arrivait de se torcher et de la mettre en colère. Il lui arrivait de provoquer des engueulades au prétexte qu'elle avait faim. Il leur arrivait d'aller dans des soirées où ils se regardaient avec des yeux extasiés à travers les pièces enfumées.

Malgré des origines génétiques et culturelles différentes, ils avaient le même teint, à peu près la même taille et le même poids, comme un frère et une sœur perdus de vue depuis longtemps. J'adore les imaginer à l'époque avec le même petit bagage que le mien et, pour seule certitude, aimer être ensemble.

Le rafistolage de mon problème de dépersonnalisation effectué par Devon n'a pas tenu. Le sentiment est revenu et avec une violence accrue. J'ai plaqué Devon à ma septième tentative, sachant que la sixième comptait pour du beurre, dans la mesure où je n'ai rien trouvé d'autre à avancer que :

— Je t'aime.

— Je sais que tu m'aimes, a-t-il approuvé.

Mais il se fourrait le doigt dans l'œil.

Je passais mon temps au lit à frotter mes pieds l'un contre l'autre en chuchotant : « Tu es réelle. Tu es réelle. Tu es… »

À ma sortie du trou, délestée de sept kilos mais trop secouée pour m'en réjouir, la perspective de consacrer les huit prochaines années à mieux me connaître m'est apparue comme la solution. L'idée d'une partie de jambes en l'air avait les mêmes attraits que s'enfiler un homard vivant dans le frifri.

♪

C'est alors qu'il est apparu. Dents du bonheur, visage en pâte à modeler, lunettes de dessin animé, si honnête que je me suis méfiée, si spirituel que j'ai eu peur. Je l'ai vu, cardigan jaune, épaules voûtées, et j'ai pensé : Tiens, c'est lui. Dans les mois qui ont suivi, j'ai appris à m'ouvrir, à lâcher prise, à être gentille et courageuse.

J'ai écrit des montagnes de paragraphes pour décrire ces premiers mois ensemble : premier baiser, premier cornet de glace, première fois où je me suis aperçu qu'il ne touchait jamais une poignée de porte sans se couvrir la main avec son sweatshirt. Combien de phrases ai-je élaborées pour dire que faire l'amour avec lui pour la première fois m'a donné l'impression de poser mes clés sur la table après un long voyage ? Dire ce que j'ai ressenti en courant avec ses tennis aux pieds pour rentrer chez moi, qui serait bientôt chez nous, en traversant le parc. Ce que j'ai ressenti quand il m'a ramassée après une journée affreuse et mise au lit. Dire qu'il est maintenant ma famille. Je l'ai écrit noir sur blanc, j'ai trouvé les mots exacts pour définir ce que j'ai ressenti à l'orée du parc vers onze heures du soir, un mardi brûlant, en compagnie de l'homme dont je tombais amoureuse. Mais, en me relisant, je prends conscience que ces mots sont les miens. Je me dois de le protéger. J'ai déballé tant de choses qui se sont trouvées broyées dans le déballage. Je ne l'ai jamais regretté, parce que tout ça n'avait pas la moindre importance.

Je n'aime plus mes ex. Je ne suis pas certaine de les avoir aimés et encore moins d'en avoir eu la conviction sur le moment. Ma mère prétend que c'est normal, les hommes sont fiers de chacune de leurs conquêtes alors que les femmes aimeraient qu'elles passent à la trappe. D'après ma mère, c'est une différence de taille entre les sexes – voilà une théorie que je ne désapprouverais pas. Ce qui me retient du dégoût pur et simple, de l'envie d'obtenir l'équivalent sexuel d'une annulation en cour de Rome, c'est ce que j'ai retiré de l'expérience, à laquelle je tiens encore aujourd'hui.

Mon petit ami de fac m'a obligée à prêter une oreille plus attentive à mes problèmes de tuyauterie (une bénédiction et une malédiction) et à m'interroger avec plus de sérieux sur l'univers au lieu de courir acheter *US Weekly* dès sa sortie en kiosque.

Ben m'a appris le terme « épanouissement personnel », qui n'est pas devenu qu'une expression favorite mais un but en soi.

Devon m'a fabriqué une trousse avec taille-crayon intégré, il m'a prêté sa montre et a réglé mon Iphone sur timba au lieu de marimba pour que je me réveille avec le sourire, en douceur.

Ce qui m'amène à LUI, entier et prêt à être découvert autrement. La vie est longue, les gens changent, je ne suis pas assez stupide pour penser le contraire. Mais, quoi qu'il arrive, rien ne sera jamais plus comme avant. Ma vie a été bouleversée d'une façon qui pourrait paraître banale et limite révoltante, racontée entre deux portes. Je ne pourrai plus être celle que j'étais. Alors, je me contente de regarder cette fille avec compassion, compréhension et une dose d'émerveillement. La voici qui s'en va, son sac sur le dos, en direction du métro ou de l'aéroport. Elle s'est débrouillée comme elle a pu avec son eye-liner. Elle a appris un nouveau mot qu'elle veut tester sur toi. Elle poursuit son petit bonhomme de chemin, à l'affût.

DEUXIÈME PARTIE

Le corps

« *Régime* » *est un gros mot*

Ou comment accuser une surcharge pondérale de 5 bons kilos tout en ne mangeant que du bio

Enfant, j'avais une peur bleue d'être anorexique. Tout était parti d'un article que j'avais lu dans un magazine pour ados, illustré par des photos éprouvantes de filles au visage émacié, l'œil creux et les mains jointes. L'anorexie faisait figure d'épouvantail : on avait faim, on était triste, osseuse et, chaque fois qu'on regardait ses trente-cinq kilos dans la glace, on voyait une grosse dondon à la place. Si on forçait un peu, on finissait à l'hôpital, loin de ses parents. L'article décrivait l'anorexie comme une épidémie qui traversait le pays, au même titre que la grippe ou le colibacille qu'on attrapait en mangeant des hamburgers Jack in the Box. Assise au comptoir de la cuisine, je dînais en espérant ne pas être la prochaine sur la liste, malgré les inlassables dénégations de ma mère qui m'assurait qu'on ne devenait pas anorexique dans la nuit.

Étais-je habitée par cet instinct qui voulait qu'on cesse de manger ? se demandait-elle.

Non. J'adorais manger.

Et pourquoi pas ? Jusque-là, mon régime alimentaire se limitait aux steaks hachés bio, aux raviolis épinards-fromage (que j'appelais raviolis à l'herbe) et aux pancakes en forme de souris ou de revolvers confectionnés par mon père. On me rabâchait à longueur de temps que, pour devenir grande, forte et intelligente, il fallait manger, bien manger.

Or j'étais petite, toute petite. Même si dans la liste de mes préférences alimentaires figuraient les tortillas, le steak, la génoise Sara Lee (encore à moitié congelée, c'était mieux), les pizzas Stouffer aux poivrons sur du pain baguette, le shepherd's pie de ma nounou irlandaise et les tranches colossales de pâté de foie, que je mangeais avec les doigts en guise d'en-cas. Ma mère nie farouchement m'avoir laissée manger du steak haché cru et boire une tasse de vinaigre, et pourtant, je l'ai fait. Je voulais goûter à tout.

À ma naissance, j'étais un très gros bébé – quatre kilos neuf (ce qui me paraît mince aujourd'hui). J'avais un triple menton et un bidon qui s'affaissait d'un côté dans ma poussette. Je n'ai jamais rampé, je roulais, ce qui augurait de ma future aversion pour la plupart des exercices physiques et toute position cochonne où je n'aurais pas le dos bien confo. Mais, vers l'âge de trois ans, les choses ont commencé à changer. J'ai perdu mes cheveux ; de noirs, ils sont devenus blonds. Mon triple menton a fondu. Je suis arrivée en maternelle, tel un petit tanagra bronzé. Je me revois enfant, devant la glace, émerveillée par la beauté de mes traits, la saillie dessinée par ma hanche, les petits poils duveteux sur mes jambes, ma queue-de-cheval soyeuse et dorée. Je continue d'envier la petite fille de huit ans que j'étais, nue, confiante sur une plage du Mexique, prête à se précipiter sur ses nachos et son Coca.

Puis l'été qui a suivi ma quatrième, j'ai eu mes règles. On se promenait dans la campagne avec mon père quand j'ai senti quelque chose me chatouiller l'intérieur de la cuisse. J'ai regardé et vu un mince filet de sang dégringoler vers ma socquette.

— Papa ? ai-je murmuré.

Ses yeux se sont embués.

— Chez les Pygmées, tu pourrais commencer à avoir des enfants, a-t-il dit.

Il a appelé ma mère qui est rentrée des courses en quatrième vitesse avec une boîte de tampons et un sandwich aux boulettes de viande.

J'ai pris treize kilos en un rien de temps. Entrer au lycée n'est déjà pas une mince affaire, mais quand vos chemises de nuit préférées se transforment en brassières, c'est carrément l'horreur. Et pourtant, c'était bien moi, ce bout de truc qui prenait soudain la forme d'un nounours gélifié. Je n'étais pas obèse, mais un élève de terminale m'a quand même traitée de « boule de bowling avec un chapeau » À en croire ma mère, il fallait imputer la responsabilité de cette prise de poids en partie aux hormones et en partie au traitement censé juguler mes TOC. Tout cela me passait au-dessus de la tête – et me prenait la tête.

C'est la même année que je suis devenue vegan. Je dois cette conversion à des toutous adorés et au clin d'œil d'une vache rencontrée à Saint-Vincent-et-les-Grenadines où on passait des vacances avec mes parents. En toute logique, je me doutais que la vache essayait juste de chasser une mouche de sa paupière sans les mains. Mais le clin d'œil, un signe irréfutable de conscience, a réveillé quelque chose en moi – la peur de faire du mal à mes congénères, de ne pas reconnaître leur souffrance.

Je suis restée sur mes positions pendant presque dix ans, avec parfois quelques écarts en direction du végétarisme, lesquels écarts me faisaient culpabiliser à mort. À dix-sept ans, j'ai organisé un dîner vegan qui a même eu les honneurs du *New York Times* dans la rubrique Art de vivre, sous le titre : « Un menu croquant pour un groupe de jeunes ! » Les plats venaient de chez Veg-City Diner, un traiteur à présent disparu. Vêtue de la robe Dior de ma grand-mère et déchaussée comme il se doit (porter du cuir aurait été un faux pas majeur), j'ai expliqué au journaliste que je me fichais éperdument de la guerre en Irak mais que j'attachais une importance capitale à l'attitude désinvolte de notre pays vis-à-vis du meurtre de bovins.

J'étais entrée en veganisme par conviction morale profonde et cette adhésion s'était rapidement muée en un trouble de l'alimentation à effets réduits. Je n'ai jamais considéré le veganisme comme un régime. Malgré tout, il était un moyen de limiter le vaste monde de la bouffe que j'avais jadis portée aux nues – si on ne m'imposait pas de limites, j'avais l'impression de devenir dingue.

Un peu comme ce type qui a bu tout l'océan et dont la soif n'est toujours pas étanchée.

Je suis tombée amoureuse des BD de Cathy chez ma grand-mère, un après-midi où je feuilletais le *Hartford Courant*. Le *New York Times* qu'on lisait à la maison ne les diffusait pas. Alors, chaque semaine, ma grand-mère découpait les histoires de Cathy dans son journal et me les envoyait, sans un mot. Je m'en délectais après l'école en compagnie d'un demi-paquet de cookies, peinant pour comprendre chaque blague. Cathy aimait la bouffe et les chats. Elle était incapable de résister aux soldes et aux glucides. Elle ne semblait pas intéresser les hommes. Je pouvais m'identifier. Au moment où je suis entrée au lycée, je ne lisais plus Cathy, mais je me comportais comme elle. Je me souviens d'une fois où j'ai pris une douche, le bas du corps sous l'eau et le haut couché sur le tapis de bain, de façon à pouvoir finir mon morceau de pain.

La fac a été une vaste orgie de glaces au lait de soja, de burritos dégoulinants et de pizzas locales immondes inhalées à trois heures du matin. Je n'accordais pas d'attention particulière à mon poids ni aux sensations procurées par la nourriture ni à l'impact qu'elle avait sur ma silhouette. Mes copines et moi étions à la tête d'un réseau de boulimiques codépendantes.

— Il te faut ce brownie et tu le mérites.

— Tu vas finir ton risotto ?

À la mort d'une amie de ma mère que je connaissais à peine, j'ai prétexté un chagrin insurmontable pour manger un panini géant.

Je ne suis montée sur une balance qu'un an après avoir eu mon diplôme. Je m'en tenais au point de vue enfantin qui veut qu'on ne se pèse que chez le médecin – et contre une sucette.

À l'occasion, il m'arrivait de débouler dans la cuisine en culotte, de me mettre de profil de sorte qu'apparaissent ce que je considérais comme des abdos et de faire remarquer à ma mère : « Je crois que j'ai maigri. » Elle hochait la tête poliment et reprenait la confection de sa playlist Sondheim sur iTunes.

À la consultation annuelle chez la gynéco, l'infirmière m'a fait monter sur la balance.

— Je crois que je pèse dans les soixante-trois kilos, lui ai-je annoncé.

Elle a approuvé, souri et continué de faire avancer le curseur. Après moult cliquetis, la balance s'est stabilisée un poil au-dessous de soixante-douze kilos.

— Disons, soixante-dix, a-t-elle proposé charitablement.

Soixante-dix ? Soixante-dix ! C'était faux. Ce n'était pas moi, pas mon corps. C'était une erreur.

— À mon avis, votre balance est cassée, lui ai-je dit. À la maison, ce n'est pas pareil.

Sur le chemin du retour, en nage et au bord des larmes, j'ai appelé ma copine Isabel.

— J'ai sûrement un problème de thyroïde, j'ai chouiné. Tu viens ?

Assise dans la cuisine, la bouche pleine de dinde qu'elle mangeait à même la barquette, Isabel m'a écoutée geindre d'une oreille patiente.

— Je suis trop grosse. J'enfle à vue d'œil. Je ne vais bientôt plus passer les portes en boîte, je me suis plainte, allongée sur le plan de travail en marbre.

À quoi elle a rétorqué :

— Je te ferai dire qu'on ne sort pas en boîte.

— Mais, supposons qu'on le fasse, on serait obligé de me porter sur un plateau d'argent avec couvercle, comme un cochon de lait.

Je me suis bientôt insurgée contre mon propre jugement.

— De toute façon, soixante-douze kilos, ce n'est pas l'obésité non plus. Ce n'est jamais que treize kilos de plus que la plupart des mannequins immenses.

C'est ainsi que je me suis retrouvée dans la salle d'attente de Vinnie, le nutritionniste de ma mère. Après toutes ces années, elle avait gagné.

Une petite remarque concernant mes parents : ils ont toute une pléiade de professionnels de l'approche globale à disposition. Un de mes premiers souvenirs à ce sujet, c'est Dmitri, le voyant de ma mère, qui sentait les huiles essentielles et parcourait la maison à la recherche des « énergies ». Il m'avait agrippée très fort et prédit que je vivrai jusqu'à quatre-vingt-dix ans alors que je voulais juste regarder la télé.

Vinnie était rassurant – il a parlé avec amour de la maison qu'il partageait avec sa mère sur Staten Island –, mais n'a pas mâché ses mots pour m'annoncer que ma prise de poids n'avait rien à voir avec une thyroïde rétive.

Non, elle était due à une absorption massive de sucre. J'ai bien été obligée de lui avouer que je mangeais onze mandarines par jour. Diagnostic : pas assez de bon cholestérol, un peu d'anémie, suralimentation générale. Il m'a donné quelques principes de base malins (ne pas lésiner sur les protéines, éviter le sucre, ne pas sauter le petit déjeuner) et certifié qu'à chaque cookie ou tranche de baguette ingérés je me remplissais le corps de calories inutilisables, provoquant une inflammation inutile de mes « rouages ».

À Isabel, qui elle aussi voulait un « réglage », Vinnie a appris que le champagne était l'alcool qui se digérait le mieux et que l'huile d'olive pouvait se consommer à volonté. Je ne voyais pas en quoi Isabel avait besoin d'aide, dans la mesure où elle avait perdu neuf kilos en mangeant un angel food cake entier par jour, et rien d'autre. Mais j'étais contente de ne pas être seule sur le champ de bataille. Sur le conseil pressant de Vinnie, j'ai commencé à noter ce que je mangeais (jusqu'à la plus petite amande) par le biais d'une application pour Iphone, et j'ai perdu presque neuf kilos en quelques mois. À mon boulot en intérim, j'alignais mes casse-croûte de la journée sur mon bureau, en attendant de pouvoir les consigner dans mon journal de bord. Je redoutais et j'adorais la dernière bouchée (en général, une énième amande). Je ne voyais pas de changement, mais la balance ainsi que ma mère me confirmaient que je fondais.

Chaque kilo perdu me donnait le tournis mais, dans le même temps, une voix hurlait dans ma tête : « Qui est cette dame dans ton corps ? Tu es un petit pot à tabac rebelle et féministe ! Qu'est-ce qui te prend de marquer dans ton Smartphone le nombre de calories que tu consommes ? »

Ce qui a débouché sur un an de régime yo-yo. *Confer* ce paragraphe de mon journal, datant de fin 2009 : « *Pour la première fois de ma vie, je fais attention à mon poids et j'ai commencé un régime. Je suis passée de 69 kilos à 65 puis à 72 puis à 64. En ce moment, je dois peser dans les 67 kilos. Mon but est d'atteindre 63 kilos en février (plus d'infos plus tard).* »

Au cours de cette année-là, j'ai remporté le championnat du monde de la boulimique la plus nulle et la plus dilettante. La partie gavage du processus n'avait aucun secret pour moi, mais après m'être goinfrée de tous les cookies et fromages au lait de soja qui me tombaient sous la main, j'entrais dans une sorte de torpeur et oubliais de me faire vomir. Quand je finissais par émerger, tout ce que j'arrivais à régurgiter, c'étaient de rares hauts-le-cœur secs et un fil de céleri avalé, dans un élan d'optimisme, neuf ou dix heures plus tôt. Le visage bouffi, le bide en vrac, je m'endormais comme une masse et me réveillais le lendemain matin avec la vague impression qu'un truc terrible m'était tombé sur l'estomac entre onze heures du soir et une heure du matin. Une fois, mon père a même remarqué la myriade de petits vaisseaux éclatés autour de mes yeux et m'a demandé gentiment :

— Mais qu'est-ce que tu as foutu avec ta figure ?

— J'ai beaucoup pleuré, ai-je répondu.

Une autre fois, j'ai annoncé à ma sœur mon intention de gerber une boîte de pralines. Grace s'est mise à tambouriner sur la porte des toilettes en criant et en sanglotant, pendant que je hoquetais au-dessus de la cuvette.

— Ça n'a même pas marché, je lui ai déclaré en retournant dans ma chambre.

Un copain m'a confié un jour qu'après être passé par les Alcooliques anonymes, l'alcool n'avait plus jamais le goût de la fête. C'est ce que je ressens depuis que j'ai consulté un nutritionniste – je n'aborderai plus jamais la bouffe en mode débridé et déculpabilisé. Ce qui me convient plutôt, sauf que quand je repense à mes années de fac je les vois comme l'époque bénie où je n'avais pas encore été chassée du paradis.

Suivent des passages de mon journal de 2010 relatant mes efforts pour perdre du poids. Jusqu'à aujourd'hui, c'était le document le plus secret et le plus humiliant de tout mon ordinateur, mieux gardé que la liste de mes mots de passe ou le répertoire des mecs avec qui j'ai fauté.

Samedi 21 août 2010

Petit déjeuner – 11 h 00 :

2 tranches de pain sans gluten (100 calories par tranche) avec de l'huile de lin (120 calories)
¼ de yaourt à la grecque (25 calories)
1 pêche (80 calories)

Déjeuner/en-cas – 13 h 30 :

30 g de salami (110 calories)
branches de céleri (??)

Goûter – 15 h 30 :

corn flakes sans gluten (110 calories)
lait de riz (110 calories)
½ yaourt à la grecque (35 calories)
avec 8 noix de pecan (104 calories)
8 cerises séchées (30 calories)

Dîner – 20 h 30 :

courgettes à la vapeur (0 calorie ?)
environ 150 g de steak (calories inconnues)
tomates (60 calories ?)
roquette (3 calories ?)
vinaigrette Newman's Own (45 calories)

Dessert :

un petit carré de chocolat noir (30 calories)
un chocolat chaud sans matière grasse Swiss Miss (50 calories)

En-cas de nuit – 4 h :

1 bout de pêche (10 calories)
1 cuillérée de beurre d'amandes croustillant (110 calories)
céleri (0 calorie, il me semble)

Apport calorique total : environ 1 560

Remarque : J'aurais peut-être dû manger plus de légumes. D'un autre côté, je reconnais que je n'ai jamais eu aussi bonne mine, je respire la santé comme jamais. Note, je travaille beaucoup sur ma culpabilité par rapport à la bouffe, sur l'aspect psychologique du truc – mon besoin obsessionnel de perfection est la cause de toutes mes sorties de piste. Alors que le vrai but, c'est apprécier la nourriture et être à l'écoute de son corps. Si je pars de ce principe, tout roule. Ce journal va beaucoup m'aider. Je vais essayer de ne pas dépasser 1 500 calories par jour, voire moins, et de ne me peser la prochaine fois que le 22 septembre.

<u>**Dimanche 22 août 2010**</u>

Petit déjeuner – midi :

corn flakes sans gluten (120 calories)
lait de riz (110 calories)
2 noix de pécan (26 calories)
2 cerises séchées (20 calories ?)

Déjeuner – 13 h 30 :

2 œufs brouillés avec salsa
(150 calories)
roquette (entre 3 et 7 calories)

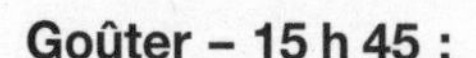

Goûter – 15 h 45 :

½ pomme verte (45 calories)
1 cuillérée de beurre d'amandes croustillant (110 calories)
5 cerises séchées (30 calories)

En-cas – 18 h 40 :

2/3 d'un sachet de mélange apéritif – fruits séchés, noix de cajou, noix (200 calories)

Dîner – 21 h :

2 ¼ chips de maïs trempées deux fois dans le guacamole (100 calories)
salade de betteraves, carottes, pois patate, épinards, vinaigrette pimentée (150 calories ?)
taco frit au poisson avec tortilla de maïs (300 calories ?)
1 bout de banane plantain frite (50 calories ?)

Apport calorique total : environ 1 411

Remarque : Ce journal est destiné à recueillir toutes les émotions violentes et conflictuelles que suscite la bouffe en moi et à m'en libérer. Il ne se cantonne pas à comptabiliser des calories. J'ai décidé de me peser tous les dimanches. Comme ça, je saurai si je suis sur la bonne voie. Aujourd'hui, sur la balance de maman (plus méchante), je pèse 68 kilos. Je ne vais pas faire de fixette sur mon poids, mais un objectif positif serait d'atteindre 63 kilos pour l'avant-première de *Tiny Furniture* le 12 novembre. Pour y parvenir, je mettrai tout de mon côté (je prendrai mes compléments alimentaires, j'écouterai mon corps, j'éviterai le gluten, le sucre raffiné, l'alcool, trop de viande rouge et de graisses, j'irai au cours de gym même si les femmes qui le suivent avec moi sont toutes des teignes en passe de se marier).

Lundi 23 août 2010

1 h

tisane laxative Smooth Move

En-cas de nuit – 4 h 45 :

fruits séchés (100 calories)

Petit déjeuner – 10 h 15 :

1 cookie cru au chocolat Raweo – c'est comme un Oreo mais cru
(100 calories)
2 biscuits boules de neige figue/datte/amande (180 calories)
1 cuillérée à soupe d'huile de lin (120 calories)
1 tranche de pain d'avoine sans gluten (120 calories ?)
2 restes de poulet à la chinoise (100 calories)

Déjeuner dans un Wild Ginger – 13 h 30 :

½ bol de soupe aigre piquante végétarienne (100 calories)
salade au tofu sauce carotte-gingembre (200 calories)
brocoli chinois à la vapeur (25 calories ?)
thé vert (0 calories)

Café – 15 h :

café avec deux doigts de lait de soja et une goutte de sirop d'érable (50 calories)

Dîner au Strip House – 18 h 30 :

environ 170 grammes de filet mignon (348 calories)
½ portion d'épinards à la crème (100 calories ?)
Note de la correctrice : c'est cela, oui !
2 bouchées de pommes de terre sautées (50 calories ?)
1 bouchée de tartine à la moelle (60 calories ?)
¼ d'escargot (43 calories ?)

Boissons :

2 eaux gazeuses

Apport calorique total : environ 1 576

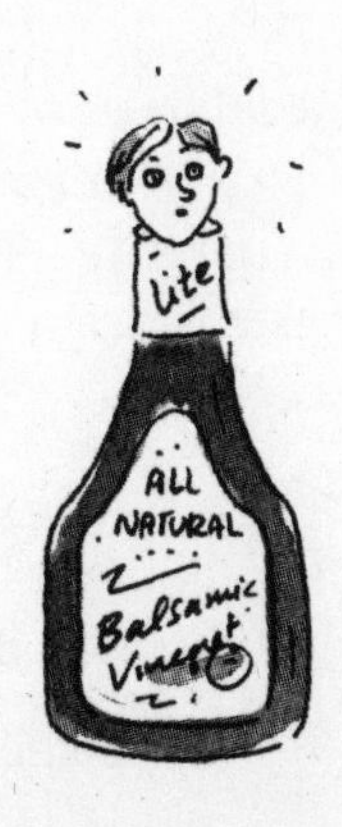

Remarque : Aujourd'hui, j'ai la courante ! C'est peut-être la faute de la tisane laxative Smooth Move à laquelle je suis bizarrement accro. Elle a le goût de chocolat !

Mardi 24 août 2010

Petit déjeuner – 10 h 30 :

2 cerises sucrées prises sur une tarte (20 calories ?)
1 tranche de pain d'avoine sans gluten au miel (120 calories)
avec du beurre d'amandes (100 calories)
1 eau gazeuse

Déjeuner – 15 h :

salade de fruits avec orange, pomme, raisin, ananas, fraise (110 calories)
cottage cheese (100 calories)
thé

Dîner – 20 h 30 :

gâteau de soja à la noix de coco, coulis de fruits rouges (300 calories ?)
1/3 de tartine de pain de maïs à la pâte miso (100 calories ?)

En-cas de nuit – 0 h 30 :

¼ de tartine de pain de maïs à la pâte miso (150 calories ?)
¼ de verre de Canada Dry (93 calories ?)

Apport calorique total : environ 1 093

Remarque : Aujourd'hui, j'ai une grosse fièvre (39,5°) et je suis grippée. N'empêche, j'ai l'impression d'avoir franchi un pas au chapitre bouffe. Et, du côté de la tête, ça fait longtemps que je ne me suis pas sentie aussi bien. Pas de débordements verbaux ni comportementaux. Par conséquent, aucune d'envie de me goinfrer ni de me laisser emporter par une turbulence alimentaire. Que du nouveau !

Mercredi 25 août 2010

Petit déjeuner – 11 h :

2 gorgées de Canada Dry (10 calories ?)
2 tasses de thé vert
1 bouchée de gâteau de soja au thé vert (20 calories ?)
céréales au riz complet soufflé (100 calories)
¾ d'un verre de lait de riz (90 calories)

Déjeuner – 14 h :

3 gorgées de Canada Dry (20 calories)
140 g de riz complet avec algues, haricots blancs et verts (300 calories ?)
sauce tahin (80 calories ?)
¼ de morceau de potimarron (15 calories ?)

Goûter – 18 h :

¼ de pêche (30 calories ?)
1 boule de glace au chocolat Soy Delicious (250 calories)

Dîner – 22 h :

soupe de poulet aux nouilles de riz (400 calories ?)
60 g de cottage cheese avec de l'ananas (120 calories)
3 framboises (4 calories)
jus de cranberries (20 calories ?)

Apport calorique total : environ 1 459

Remarque : JE SUIS NASE ! J'ai mal au bide et la crève. Aucun appétit. Mais je m'en sors toujours super bien avec la bouffe. J'aurais pu manger plus de légumes et moins de sucre/glucides.

Jeudi 26 août 2010

En-cas de nuit – 4 h :

¾ d'un pot de yaourt à la grecque Fage à 2 % de matières grasses (110 calories)
framboises (20 calories)

Petit déjeuner – 6 h 30 :

1 tartine de pain sans gluten au miel (120 calories)
avec du beurre d'amande (100 calories)

9 h 30 :

30 framboises (35 calories ?)

13 h 45 :

jus d'orange bizarre/produit de contraste pour scanner (100 calories ?)

15 h :

5 raisins secs au chocolat (38 calories)

17 h 30 :

¼ de sandwich à la dinde sur du pain de seigle avec salade et moutarde (300 calories ?)
2 bouteilles de thé vert Teas

21 h :

¼ de barquette de *saag paneer* avec du riz blanc (380 calories ?)
½ pot de glace au chocolat Soy Delicious (230 calories)
thé vert
eau gazeuse

Apport calorique total : environ 1 433

Remarque : j'ai passé la journée aux urgences. On m'a trouvé une colite aiguë (mais pas chronique ! Peut-être due à la tisane laxative). Beaucoup de choses à dire sur le sujet, que je compte bien consigner, mais pas tant que je suis juré. Pardon : je suis sous Oxycodone. Je pensais Oxycodone et j'ai tapé juré. Parfois, j'ai l'impression de surestimer mes calories.

<u>**Vendredi 27 août 2010**</u>

Petit déjeuner – 10 h 30 :

2 bouchées de ras malai indien (100 calories ?)
¾ de pizza au poulet grillé sans gluten avec roquette (320 calories)

16 h :

le reste de ras malai indien (300 calories ?)

20 h :

½ pêche pas mûre (30 calories ?)
1 tartine de pain d'avoine au miel sans gluten (120 calories)
¼ de bol de soupe de riz avec champignons et umeboshi (250 calories ?)

0 h 30 :

¼ de cookie aux pépites de chocolat végétalien (65 calories)
2 louches de pâte à cookie végétalienne (280 calories)
¼ de verre de lait de riz (60 calories)
cheerios sans gluten (70 calories)

Apport calorique total : environ 1 595

Remarque : Je suis sous antibios, pas d'alcool jusqu'à la fin du traitement, vendredi 10 septembre. Je suis tombée par hasard sur Elaine. Elle a remarqué que j'avais perdu du poids et cru que j'étais malade, mais j'ai mon petit secret. Il me semble que c'est le schéma d'alimentation le plus sain et le plus viable que j'aie jamais suivi.

Samedi 28 août 2010

11 h :

2 ¼ de rouleaux à la peau de tofu (150 calories ?)
45 g de céréales sans gluten (70 calories)
¼ de verre de lait de riz (60 calories)

12 h 30 :

¼ de pomme Granny Smith (40 calories)

13 h :

¼ de sandwich à la dinde rôtie sur pain de seigle avec salade et moutarde (250 calories ?)

16 h 30 :

grand smoothie beurre d'amande, lait de riz et figue (500 calories ?)

21 h 30 :

salade de cresson avec haricots de soja croquants (60 calories ?)
salade de chou (20 calories)
brocolis (40 calories ?)
haricots verts à la vapeur (20 calories ?)
sauce tahin (90 calories ?)
vinaigrette au sésame (40 calories ?)
2 tranches de prosciutto (70 calories)

Apport calorique total : environ 1 410

Remarque : Ce soir, j'ai pris de la cocaïne ! Joaquin est passé au bar. Comme je ne pouvais pas boire, il a fait genre : « Sniffe-moi ça. » Juste une ligne. Ensuite, on est allés dans un autre bar pour manger des hamburgers. J'étais en colère, je suis montée dans un taxi. Mais, question bouffe, je me sens toujours bien – pas au bord des larmes – et, au bar, on m'a fait plein de compliments sur ma ligne. Je continue à être un peu juste question fruits et légumes. Demain, je commencerai la journée avec un yaourt et des dattes, puis au déjeuner comme au dîner, ce sera légumes dominants – voilà ce que ce corps réclame.

Dimanche 29 août 2010

En-cas de nuit – 2 h :

mousse aux haricots azuki (250 calories)

Midi :

tarte aux pommes (450 calories)
lait aux probiotiques (45 calories)
sirop d'érable (25 calories)

13 h 30 :

salade Waldorf aux pommes (350 calories)
¼ de blanc de poulet rôti (150 calories)
1 bout de pain de maïs (50 calories)

16 h :

1 carré de chocolat au lait (50 calories)
jus carotte/orange (120 calories)

17 h :

1 petite glace Tasti D. lite (50 calories)
1 grande glace Tasti D. lite (120 calories)

18 h :

1 tonne de gâteau au citron (300 calories)

19 h :

du vin blanc (100 calories)

20 h :

steak et légumes (300 calories)

22 h :

encore du gâteau au citron (300 calories)
et encore (300 calories)
lait aux céréales et aux amandes (250 calories)
banane (120 calories)
pomme (85 calories)
¼ de pot de beurre de cacahuète (700 calories)

Apport calorique total : environ 4 225

Remarque : Je suis partie en vrille et j'ai tout bouffé.

Scènes de cul, scènes de nu et se montrer à poil devant tout le monde

Ma mère est l'inventeur du selfie !

Certes, l'autoportrait existait avant elle, mais elle a perfectionné l'art de la caméra cachée dans un but qui reste obscur. Elle se prenait en photo devant le mur tapissé de cerises de sa chambre à l'aide de son Nikon argentique dont elle avait déclenché le retardateur.

On était au début des années soixante-dix. Elle était arrivée en ville avec pour seul bagage son appareil photo, et pour seul désir faire en sorte que ça marche. Elle avait abandonné son petit ami, un menuisier adorable et chauve de Roscoe, New York, qui mettait des chemises de nuit en pilou et savait comment recueillir le sirop des arbres. J'ai eu la preuve qu'il était adorable pour l'avoir rencontré une fois en visite avec ma mère.

Il nous avait offert de la limonade et semblait ne pas lui en vouloir de l'avoir largué. Au contraire, il se réjouissait de sa réussite et de mon existence.

En arrivant à New York, ma mère a emménagé dans le loft où j'ai grandi, trop vaste pour une célibataire et trop petit pour une famille. Elle a accepté toutes sortes de boulots étranges pour payer son loyer – styliste culinaire, vendeuse de boules de billard et une fois, juste une fois, escorte d'un homme d'affaires japonais désireux de connaître la vie nocturne new-yorkaise. (Ma mère a une qualité unique, quand elle est mal à l'aise, elle exprime sa colère sans filtre. J'en ai conclu que le Japonais avait dû passer un mauvais quart d'heure.)

Sur ses autoportraits pris dans le loft, elle est parfois habillée d'un pull trop grand ou d'un short saharien ceinturé. Mais la plupart du temps, elle est dévêtue. Du moins en partie. Pantalon et torse nu, les épaules voûtées, la peau claire, les genoux cagneux. Un chemisier col Claudine et des grosses chaussettes de laine, mais pas de culotte, le repli obscur entre ses fesses apparent quand elle remonte les genoux sous le menton.

Au fil du temps, elle change de coiffure : cheveux longs et raides qui deviennent frisottés par la grâce d'une permanente bien peu inspirée. Au carré, les pointes encore humides au sortir de la douche. Les dessous de bras velus, un parti pris qui, à mon grand regret, avait les faveurs de mon père. Il lui arrivait de mettre une plante verte dans le décor pour ajouter à l'ambiance, comme un étudiant en cinéma qui récréerait le Vietnam de ses petites mains.

Elle se prenait parfois en photo dans une glace, son visage oblitéré par la masse sombre de l'appareil, le point sur sa bouche en cœur aux lèvres sèches et ses dents de lapin (celles dont j'ai hérité et sur lesquelles, depuis, elle a fait poser des facettes). Mais l'œil est d'abord attiré par sa nudité. Jambes écartées de façon provocante. Elle n'est pas encore une artiste, mais elle se donne à fond.

Le fait d'utiliser de la pellicule – on est loin des photos prises avec un iPhone ou un Polaroïd acheté chez Urban Outfitters à la mode selfie – confère une gravité attachante à la fascination qu'elle exerçait sur elle-même. N'empêche, il fallait charger l'appareil, développer la pellicule manuellement dans une chambre noire, mettre les clichés à sécher sur un fil. Lorsque Jimmy, son coloc, un photographe plus expérimenté, n'était pas là pour la dépanner, elle appelait la hotline de Kodak, tenu par un unique bonhomme surexploité. (« Il fait une chaleur à crever dans ma chambre noire. J'ai mis des glaçons dans le révélateur. Je n'ai pas fait de bêtise au moins ? ») Gênée de harceler le malheureux, elle prenait un accent prononcé pour masquer sa voix. Tout ce boulot de dingue pour découvrir au final que votre gazon se marie, ou pas, avec des bottes en caoutchouc vert anis et une paire d'Aviator. Ce n'était pas aussi simple que fourrer son iPhone sous le nez de tout le monde et se comprimer les nibards. Ça demandait du travail.

Ma mère est mince. Un buste long, des bras déliés et des clavicules taillées dans la roche. Mais l'appareil s'attache à ses défauts – le pli de gras sous ses fesses, son genou proéminent, l'énorme tache de naissance sur son avant-bras qu'elle a fait retirer à quarante ans en guise de cadeau d'anniversaire. Je l'imagine en train de développer ces images, de les tremper dans le révélateur à l'aide d'une pince à salade, d'attendre qu'elles virent au gris, puis que les contrastes apparaissent pour voir quelle bobine elle a vraiment.

Elle a persuadé sa petite sœur de poser aussi. Une étudiante en médecine aux cheveux blonds, au corps fait pour se rouler dans le sable humide. Une créature à la crinière soyeuse, cavalière émérite, qui devenait soudain boudeuse une fois son chemisier retiré. Timide. L'appareil photo, la caméra placent tout le monde sur le même plan.

Ma mère comprenait très bien le pouvoir de la photo. Visez ces hanches, dents, sourcils, chaussettes qui font des vagues sur les chevilles ? Ils méritent d'être saisis, immortalisés. Je ne serai plus jamais aussi jeune, aussi seule, aussi velue. Vous êtes tous invités à mon show privé.

Quand mon père est entré dans sa vie, lui aussi a été pris en photo, assis dans la baignoire, une poêle brandie devant lui pour cacher sa nudité. Aussi déconcertant soit-il de voir son père faire une grimace qui n'est autre qu'« aguicheuse », il n'en demeure pas moins que ce sont les images de ma mère qui me fascinent. L'éclair d'appréhension dans son œil – à moins que ce soit du désir ? Le besoin frénétique de dévoiler sa vraie personnalité, autant aux autres qu'à elle-même.

Je me montre souvent à poil à la télé.

J'ai commencé en fac. En panne d'acteurs pour incarner l'esprit de désespérance sexuelle que je cherchais à restituer, je me suis proposée. Ignorant comment les pros se débrouillaient avec les scènes de cul, je n'ai pas fait l'acquisition de cache-sexe ni exigé « d'équipe réduite sur le plateau ». Je me suis contentée de retirer mon T-shirt et me suis jetée dans le bain.

— Tu veux vraiment que je te suce le téton ? a demandé avec embarras Jeff, mon partenaire dans la scène.

Plus tard, en visionnant les rushs dans le labo media d'Oberlin, je n'ai pas rougi. Je n'aimais pas ce que je voyais mais je ne le détestais pas non plus. Mon corps était un instrument au service de l'histoire. Je me sentais à peine concernée, j'étais un accessoire affublé d'une culotte surdimensionnée à laquelle j'avais judicieusement eu recours. À l'image, je n'étais pas élégante, ni belle ni douée. Le sexe tel que je le connaissais.

L'exhibitionnisme n'était pas une nouveauté pour moi. J'ai toujours manifesté un intérêt pour la nudité, que je qualifierai de sociologique plutôt que sexuel. Qui se met à poil et pourquoi ? L'été qui a précédé mon entrée en sixième, je me revois avec mon meilleur copain, Willy, faire le tour à vélo d'un lac du Connecticut où nos familles se retrouvaient chaque année pour passer les vacances – imaginez *Dirty Dancing* mais avec une ribambelle de pédophiles identifiés dans les alentours. Je me revois prendre conscience avec une fulgurance du fait qu'il était torse nu et moi pas. Ce n'était pas juste. Après tout, ma mère venait de me raconter que, en théorie, les femmes avaient le droit de se balader les nibards à l'air dans Manhattan, même si peu d'entre elles usaient de ce droit. Comment se faisait-il que Willy ait la chance de sentir la brise d'été caresser son torse ? En quoi exposer le mien était-il mal ? Je me suis arrêtée, j'ai retiré mon T-shirt et on a repris notre balade à vélo en silence.

En 2010, j'ai eu la possibilité de tourner une série télé. La chaîne voulait voir des jeunes de ma génération, les préoccupations de mes amis et de mes ennemis exposées de façon explicite – et ce n'était pas du chiqué. Si j'étais amenée à écrire avec honnêteté sur la vie des vingtenaires, le sexe était un sujet que je devais aborder bille en tête. Or le sexe à la télé et au cinéma m'avait toujours hérissé le poil. Tous les films que j'ai vus dans mon enfance, de *90210 Beverly Hills : Nouvelle Génération* à *Sur la route de Madison*, ont contribué à me convaincre que le sexe était une affaire embarrassante baignée de lumière chaude au cours de laquelle deux losers à la peau satinée et à l'œil gluant parvenaient à un orgasme simultané en se soufflant mutuellement sur la tronche. La première fois que je me suis retrouvée nue avec un mec, aussi grotesque que ce fût, j'ai été soulagée de constater qu'il évitait de me respirer à plein nez et ne remontait pas ses mains sur mon buste aux sons des accents sirupeux de Chris Isaak.

En plus d'être dégueulasses, ces images de sexe peuvent se révéler dévastatrices. Entre les films de boules et les comédies romantiques grand public, le message est sans ambiguïté : on fait tout de travers. On n'a pas les draps, les gestes, les corps qu'il faut.

Par conséquent, quand j'ai eu la chance de tourner ma série, je n'ai pas dérogé à ce que je faisais depuis presque cinq ans dans des films beaucoup plus « indépendants » : je me suis désapée et j'ai foncé.

Les gens sont toujours curieux de savoir, alors je vais vous décrire ce qu'on ressent à être nue dans un lit avec un type qu'on connaît ou pas et avec lequel on simule une partie de jambes en l'air dans une pièce bourrée de monde. Les acteurs professionnels vous servent toujours le même baratin, style : « C'est le boulot, je fais ça mécaniquement » ou « J'ai adoré travailler avec lui, j'avais l'impression d'être avec mon frère », mais comme personne ne m'a jamais accusée d'être professionnelle ni actrice, je jouerai la carte de la loyauté.

C'est trop bizarre ! Certes, c'est le boulot, mais dans la plupart des boulots, on ne claque pas sa fouffe contre le zob flasque et gainé de nylon d'un mec qui a le cul tartiné de fond de teint pour cacher ses boutons. J'ai vécu toutes sortes d'humiliations parmi lesquelles : donner un coup de genou dans les couilles de mon partenaire, me rendre compte à la lumière aveuglante des projecteurs que j'ai un gros poil noir qui sort du téton ou retrouver un préservatif lubrifié coincé entre mes fesses sept heures après être rentrée à la maison.

On a du mal à imaginer que le résultat de nos agissements dans une pièce pleine de lumières, de vieux Italiens et de sandwichs au thon immangeables sera vu à la télé par une kyrielle de gens. Ce qui explique que je ne pense pas vraiment au public pendant les scènes de cul. Se mettre à poil est plus facile certains jours que d'autres. (Facile : quand on est un peu bronzée. Difficile : quand on a la turista.) Mais je le fais parce que mon boss me le demande. Et le boss, c'est moi. Quand on est nue, il est préférable d'avoir la main.

Ce que ma mère a toujours su, d'où son Nikon brandi

bien haut, l'objectif tourné vers la glace. Elle sentait que, en collectant des informations sur son corps, elle préservait son histoire. Belle, nue, imparfaite. Son expérimentation privée a ouvert la voie à mon expérimentation publique.

On me pose aussi souvent cette question : Où trouvez-vous le courage de dévoiler votre corps à l'écran ? Traduction : Où trouvez-vous le courage de dévoiler votre corps mal gaulé à l'écran ? Car je doute que Blake Lively soit l'objet de ce type d'enquête. Je suis obligée de parler de mon corps avec des inconnus sur le mode badin. Exemple, le petit snobinard torché qui m'a hurlé dans MacDougal Street : « T'as les mêmes lolos que ma sœur ! » Ma réponse : on n'a pas besoin d'être courageuse pour faire un truc qui ne vous fait pas peur. Si je sautais en chute libre, si je visitais une colonie de lépreux, si je plaidais devant la Cour suprême des États-Unis, si je m'inscrivais à un cours de CrossFit, je serais courageuse. Jouer une scène de cul mise en scène par mes soins, montrer un bout de mon drôle de téton bouffi n'entre pas dans la catégorie des choses qui me terrifient.

Il y a quelques années, à Austin, j'attendais la fin de la première projection de *Tiny Furniture* à la sortie du cinéma quand un ado m'a abordée. Il était minuscule, microscopique. Une petitesse qui devait sûrement être source de souffrance pour un jeune. On aurait dit la souris en peluche d'un chat persan.

— Excusez-moi, m'a-t-il entreprise en rougissant. Je voulais juste que vous sachiez à quel point c'est important pour moi que vous ayez montré votre corps de cette façon. Ça m'a rassuré sur le mien.

Le premier résultat de cette déclaration a été de visualiser Tom Pouce à poil, ce qui était anxiogène. Le deuxième d'être submergée de reconnaissance : pour la générosité dont il faisait preuve en se livrant et pour avoir permis que je modifie la perception de son corps à un jeune homme sympa et ouvert (quand même, il était venu voir un film indépendant sur des interrogations féminines un soir de semaine).

— Merci beaucoup, lui ai-je répondu avec un sourire radieux. Tu déchires.

15 enseignements prodigués par ma mère

1. Le luxe, c'est bien, la créativité, c'est mieux. D'où le jeu qui consiste à dégotter dans une friperie une tenue susceptible d'être portée aux Oscars (ou au spectacle de danse de sixième).
2. Les trottoirs ne sont pas aussi dégueux que tu le dis.
3. Barbie est difforme. On peut jouer avec tant qu'on garde ça en tête.
4. Si une personne te met mal à l'aise, n'aie pas peur d'être grossière. Décampe ! Sois polie et tu te feras voler ton trésor ou « voler ton trésor », si tu vois ce que je veux dire.
5. À ce propos, si un bonhomme te dit : « Je ne vais pas te faire de mal » ou « Je ne suis pas un sale type », c'est qu'il l'est forcément. Les chics types n'éprouvent pas le besoin de le clamer sur tous les toits.
6. N'engueule jamais les enfants des autres. Dis pis que pendre sur eux dans leur dos.
7. Quand on est « artiste », on peut faire l'impasse sur le dress code. Les gens se disent que tu boxes dans une catégorie supérieure et se sentent aussitôt complexés.
8. Si un interlocuteur ne répond pas à ton email dans les six heures, c'est qu'il te déteste.
9. « Trouduc » n'est pas une insulte. Même si tu le fais précéder de « gros ».

10. Il est préférable de manger un peu de tout plutôt que de grandes quantités d'une seule chose. Si cette stratégie ne marche pas, essaye de grandes quantités de tout.
11. Le respect ne s'obtient pas par l'intimidation ou la tyrannie intellectuelle. C'est quelque chose qui se construit tout au long de la vie en traitant les gens comme on aimerait être traité et en gardant ce cap.
12. Garde tes amis au chaud. Achète un truc sympa à tes ennemis.
13. Pourquoi claquer 200 $ par semaine chez un psy quand on peut en claquer 150 une fois par an chez le voyant ?
14. Parfois un chien sent le derrière d'un autre chien et, au final, il trouve que ça ne sent pas très bon.
15. Primo : la famille. Deuzio : le boulot. Tertio : la vengeance.

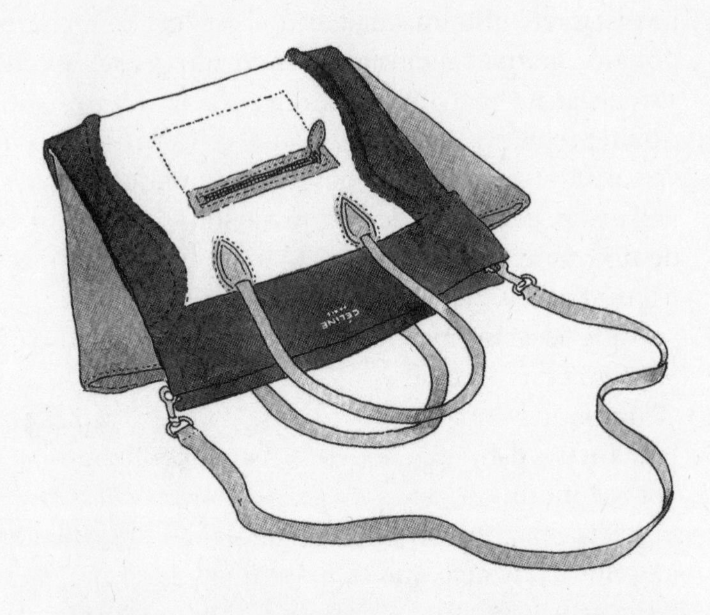

Qu'y a-t-il dans mon sac ?

1. Un chéquier déchiqueté et taché. On ne sait jamais.
2. Mon nouvel iPhone et le vieux, qui est cassé. Je ne veux pas prendre le risque de le voir tomber entre les mains d'une personne capable de le réparer et de voir les photos que j'ai prises de mes coups de soleil sur les fesses, lesquelles photos ont été prises dans un but purement éducatif.
3. Un crayon à sourcils. Comme toutes les gamines des années quatre-vingt-dix, je me suis trop épilé les sourcils. Il ne me reste plus que deux chenilles chauves, c'est le nom que leur donne ma sœur. Sourcils

inexistants = allure inexistante. C'est comme avoir la poignée de mains molle, mais en pire puisque c'est sur la figure*.

4. Advil, Seroplex, Mucinex, Rivotril et Tamiflu en couverture de sécurité. S'il vous reste des comprimés, je suis preneuse, histoire de diversifier ma collection. Soyons clairs, j'en prends rarement. Savoir, c'est pouvoir. Genre. 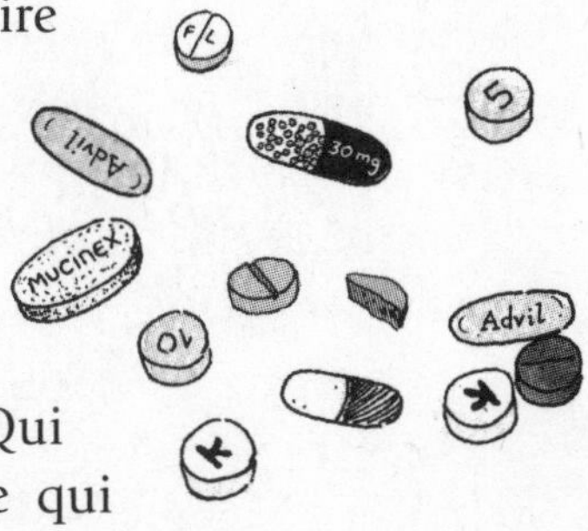
5. Des cartes de visites. Qui vont d'Ingrid la femme qui murmure à l'oreille des muscles à Sandra votre chance passe par moi. Une fois, vers 21 heures, j'attendais un ami au café Barnes & Noble, plongée dans un bouquin sur l'huile d'olive, quand une carte de visite est apparue sur ma table. Dessus était écrit : « *Je veux juste te bouffer la chatte. Je ne demande rien en échange. Je me déplace où tu veux. S'il te plaît, appelle-moi au : 212 555 55 55.* » Plus tard, dévorée par une curiosité morbide, je l'ai appelé en numéro caché. « Allô ? » Il avait la voix de Bruce Vilanch. J'avais l'impression de voir sa mère mourante derrière lui. J'ai haché menu la carte, de peur de ce qui pourrait m'arriver si je la gardais.

* Depuis la rédaction de cette liste, j'ai découvert la teinture à sourcils et l'avenir m'apparaît maintenant bien moins sombre (toutes proportions gardées).

La perspective de me faire boulotter par ce mec était si repoussante qu'elle semblait destinée à se réaliser.

6. La Newsletter de mon immeuble. La moyenne d'âge des occupants est de quatre-vingt-quinze ans. La première nuit où j'ai dormi dans mon appartement, j'ai été réveillée à 7 heures par des gloussements, ni plus ni moins. De ma fenêtre d'angle, j'ai aperçu trois ou quatre vieilles dames (assez pour constituer une assemblée de sorcières), coiffées d'un chapeau de brousse enfoncé sur un essuie-mains blanc, en train de répéter un enchaînement sur le toit. La voisine la plus proche de moi en âge est une gamine de neuf ans, Elyse. Quand elle sera grande, elle sera romancière ou boulangère et a pris l'initiative de rédiger la première Newsletter de l'immeuble. Elle y consigne les rendez-vous festifs des vacances, les vide-greniers et l'état d'avancement des réparations de l'ascenseur. Elle met l'accent sur les VIP (Interprètes aux Nations unies ! Chanteurs d'opéra !). Sa prose est simple et guillerette, la mise en page ludique. Ma seule critique à l'égard d'Elyse est qu'elle n'a pas de calendrier de publication très précis. Par ailleurs, Elyse n'est pas responsable de la note qui a été diffusée en mars dernier, expliquant comment se débarrasser des couches pour incontinents.

7. Mon porte-monnaie. Je l'ai acheté à l'aéroport de Hambourg, un jour que j'étais défoncée comme une cochonne aux médocs. Il est décoré de clowns, de voitures et de teckels, et il fait l'unanimité tant chez les enfants que chez les Japonaises.

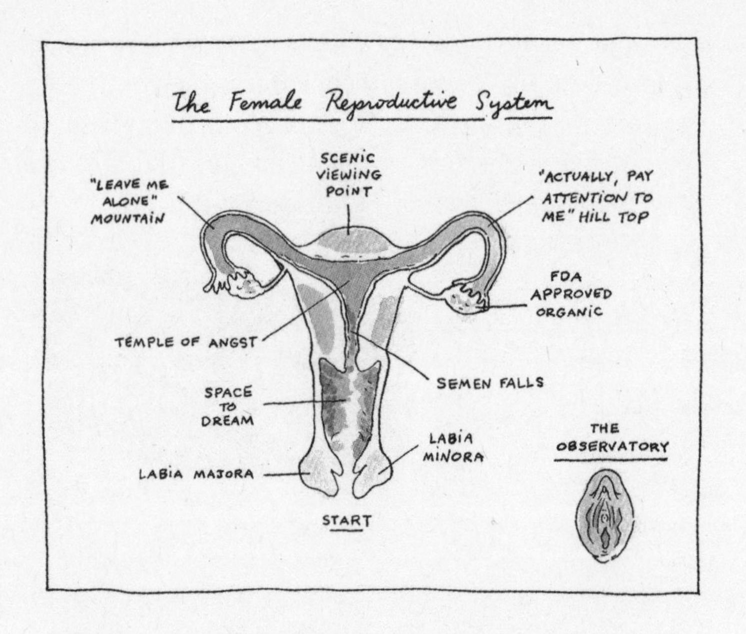

Qui a déplacé mon utérus ?

J'ai toujours su que mon utérus avait un pète.

Ce n'était qu'une intuition. L'impression que les choses n'étaient pas vraiment au carré dans ma cave, tout le système. Petite, à quatre ou cinq ans, je me plaignais souvent à ma mère d'une brûlure dans « mon truc ». Son remède miracle était la Vaseline qu'elle appliquait avec un détachement scientifique. « N'oublie pas de bien t'essuyer », me rabâchait-elle. Mais je lui jurais qu'il ne s'agissait pas de ça. Par ailleurs, je lui étais reconnaissante de ne pas affubler mon intimité de noms ridicules, contrairement aux mères de mes copines qui ne mégotaient pas sur les « roudoudou » et autres « piloupilou ». Au collège, à deux doigts de devenir nubile, j'ai senti un courant électrique, une énergie négative, des lignes de douleur croisées me traverser le bas-ventre.

J'ai eu mes premières règles l'été qui a précédé mon entrée en troisième et, cet automne-là, je me suis inscrite à un cours de danse avec ma copine Sophie. Sa mère était française, d'où la recommandation des pirouettes en guise d'exercice. Tous les mardis, on prenait le train en direction de Park Slope pour passer une heure et demie sous la houlette d'Yvette, notre prof. En dépit de sa crinière à la *Flashdance*, de ses hauts à manches évasées et de ses mines enjouées, Yvette ne pouvait cacher sa déception d'en être toujours au même point à près de quarante ans. Dans un studio de danse sans fenêtre, aux lattes usées, décoré d'un poster de guingois de Merce Cunningham, on apprenait des enchaînements de danse moderne en courant à travers la pièce sur « Nine to Five » et « Daydream Believer ».

— Je ne peux pas venir, j'ai dit à Sophie un mardi. J'ai mes ragnagnas.

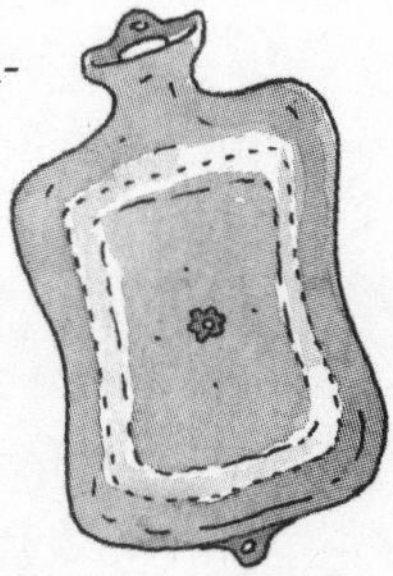

— Ce n'est pas une raison pour annuler quoi que ce soit, elle a répondu, agacée. On fait ce qu'on fait d'habitude, sauf qu'on a ses ragnagnas.

Le problème, c'est que j'avais l'impression d'avoir un début de grippe ; une douleur sourde, mais persistante, me vrillait le bas du dos. J'étais obligée de me plier en deux pour respirer. J'avais des démangeaisons dans la craquette et le fondement, comme si je m'étais frottée avec des orties. Comment pouvait-on se livrer à une quelconque activité dans cet état ? Était-il vrai que ce calvaire allait se reproduire tous les mois jusqu'à ce que j'aie cinquante ans ? C'était l'âge de ma mère et sa table de nuit était encombrée d'ouvrages tels que : *Le Cycle féminin* et *Seconde puberté*. J'ai voulu savoir si elle aussi avait souffert de règles douloureuses. « Non, a-t-elle répondu, je n'ai jamais eu de problème jusqu'à ce qu'elles disparaissent. » Aujourd'hui, elle est obligée d'avaler je ne sais combien de comprimés et de se badigeonner de gel. Je venais de tomber sur un de ses médocs dont la posologie préconisait « d'insérer la capsule dans le vagin au moins cinq heures avant de prendre un bain ».

Il se trouve que mes règles ne se sont pas pointées tous les mois. Certains oui, et dans ces cas-là, c'était interminable. D'autres, on aurait dit qu'elles s'étaient taries quand, soudain, je me réveillais avec l'impression d'avoir été mitraillée dans la fouffe. Les mois où elles s'abstenaient ne m'ont jamais inquiétée jusqu'à ce que je commence à avoir une vie sexuelle et me mette alors à stocker les tests de grossesse dans mon tiroir à chaussettes.

À seize ans, je suis allée voir une gynéco pour la première fois. Il paraît qu'on peut attendre l'âge de dix-huit ans ou d'avoir déjà vu le loup, mais j'avais besoin d'aide. Mes règles – la douleur, l'instabilité, le désespoir insondable – prenaient ma famille en otage. Malgré ma virginité certifiée, la gynéco m'a prescrit la pilule, qui a eu une incidence heureuse sur la régularité de mes règles mais aucune sur mon humeur qui continue de plonger vers des abîmes sans fond quelques jours avant la rupture des digues, un gros nuage noir qui avance tel un rouleau compresseur. Je suis anormalement sombre et pessimiste. Tout le monde en a après moi, veut me faire du mal, me rayer des listes d'invitation aux sauteries, juger mon corps et détruire ma famille. Je ressemble à un personnage de *Dallas*, obnubilée que je suis par les subterfuges et les vengeances, persuadée d'avoir déjoué des complots ourdis contre moi, improbables et pourtant véridiques. Une fois, en proie aux affres du syndrome prémenstruel, j'ai réussi à me convaincre qu'un mec en imper noir me suivait sur La Cienega Boulevard. « La police ne me croira jamais », j'ai soupiré avant d'échafauder un plan de mon propre cru pour le semer. Quand j'ai mes ragnagnas, je suis la définition même d'inconsolable : « Qui ne peut être consolé. » Ma copine Jenni jure que mes yeux rétrécissent comme ceux des chats et que mon visage se vide de son sang. Un individu qui insinue que c'est hormonal reçoit un tombereau d'injures, suivies de violentes excuses et de suppliques destinées à me faire pardonner. De larmes aussi. Je me couche sur le ventre et j'attends que ça passe.

Avoir ses règles est la seule des composantes de la féminité que je n'aime pas. Tout le reste m'apparaît comme un privilège unique et enviable, mais ça ? Quand elles ont commencé, elles exerçaient sur moi une fascination morbide, comme si un accident de voiture se produisait toutes les trois semaines dans ma culotte. J'étais heureuse d'être admise dans ce club fermé, de pouvoir enfin considérer le distributeur de boîtes de tampons avec l'œil de l'initiée. Mais c'est rapidement devenu pénible, au même titre qu'une copine qui en fait des caisses ou les répétitions d'une pièce de théâtre. Je trouve déprimant que tout soit prévisible : on a envie de chocolat, on est en colère, on a le ventre qui gonfle comme un baba. Très vite, je me suis fait la promesse de ne jamais utiliser les règles comme un pansement comique ou un ressort dramatique dans mes films. De ne jamais entrer dans une discussion à propos des meilleurs médocs pour calmer les règles douloureuses. De ne jamais rien dire d'autre que : « J'ai mal au ventre. » Et je m'y tiens.

L'été dernier, j'ai commencé à avoir mal à l'intérieur de la fouffe. Je me réveillais en ayant une conscience de mes organes génitaux plus aiguë que d'habitude et, au fur et à mesure que j'émergeais, je comprenais pourquoi. La journée de travail commençait, l'équipe se saluait, on mangeait nos petits pains fourrés aux œufs, on désignait l'objet de nos sarcasmes de la journée, et pendant tout ce temps-là, je le sentais. J'avais l'impression qu'on m'avait versé du vinaigre saupoudré de bicarbonate de soude à l'intérieur. Ça bouillonnait, ça pétillait et ça s'en allait où ça devait. Je me suis mise à boire des litres d'eau, persuadée que mon urine était trop acide. Conseillée par ma coiffeuse, j'ai pris des médocs vendus au rayon frais chez Whole Foods. J'ai fait faire une analyse d'urine dont j'ai contesté les excellents résultats auprès du médecin. J'ai imaginé le pire : une bactérie dévoreuse attrapée en Inde qui me boulotterait l'urètre pour ne laisser de moi qu'un tas d'os. Une microscopique tumeur, de la grosseur d'un petit pois, au fin fond de mon corps. Une écorchure invisible provoquée par du sable sur un tampon.

De tous mes cauchemars, et j'en ai beaucoup, la douleur vaginale chronique figure depuis longtemps au top ten. Dans *The Camera My Mother Gave Me*, Susanna Kaysen consigne avec poésie sa lutte contre le vaginisme, une douleur vaginale qu'elle ne peut ni expliquer ni ignorer. Je vous le certifie : vous n'avez jamais lu de livre aussi captivant sur l'appareil génital féminin. Kaysen souligne avec brio le fait que le vagin est un organe dont la propriété incomparable est de nous révéler nos émotions lorsqu'on fait la sourde oreille à notre cerveau ou à notre cœur. De plus, le vagin est notre organe le plus sensible, matière à la fois scientifique et intellectuelle. Au point culminant de sa saga, Kaysen déclare :

« *Je voulais qu'on me rende mon vagin... Que le monde retrouve cette autre dimension que seul le vagin perçoit. Car le vagin est l'organe qui regarde vers l'avenir. Le vagin est potentiel. Il n'est pas vide, il est possible.* »

Une fois le bouquin refermé, j'ai commencé à associer mal de fouffe à faiblesse et tristesse. Kaysen a fait son métier de décortiquer sa folie aux yeux du monde et, dans ce livre, elle n'impute jamais sa douleur vaginale à une quelconque cause physiologique. Au contraire, elle est soulagée de mettre un terme à une relation négative, reprenant possession de sa vie, de son âme, et ce faisant, de son vagin. Par conséquent, quel était le truc que je réprimais et qui me faisait souffrir ? Fallait-il y voir une ambivalence au rayon ébats ? Avais-je été agressée sexuellement ? (Si oui, ça expliquerait pas mal d'autres choses.) Avais-je la trouille que ma carrière m'entraîne je ne sais où, que je galope plus vite que la musique et que je ne puisse pas me rattraper ? Est-ce que je savais au moins la différence entre urètre et vagin ?

La douleur allait et venait, mais mon angoisse à ce sujet augmentait à la cadence d'un métronome. J'évitais d'aller voir le médecin, certaine que le diagnostic serait : « Vous travaillez du chapeau. » Quand, finalement, mes pensées catastrophistes sont devenues insupportables et que mon boy-friend à la patience légendaire en a eu marre de mon éternelle rengaine : « J'ai la craquette qui me fait mal », alors, je suis allée voir Randy.

Randy est mon gynéco. Au fil du temps, j'en ai eu toute une ribambelle, excellents à leur façon, mais Randy est le meilleur. C'est un vieux Juif qui, avant d'exercer le métier de spéléologue des profondeurs féminines, jouait chez les Mets. D'ailleurs, il a gardé la détermination farouche du lanceur d'une équipe de losers et, de mon point de vue, c'est l'homme idéal pour vous accoucher ou farfouiller dans votre intimité.

Ce qu'il a fait un certain mardi, tout en m'interrogeant sur mon travail et en me racontant que son fils avait un nouveau bouledogue français.

— Ça fait mal quand vous faites crac-crac ?

J'ai acquiescé. Il a introduit le speculum en m'expliquant que sa femme suivait son cours de spinning avec assiduité. Il m'a répété au moins trois fois « qu'il n'était pas un bec fin ».

— Pour moi, tout va bien, a-t-il annoncé.

Exception faite d'une petite protubérance de tissu cicatriciel inexpliquée, mon canal utéro-vaginal était nickel.

— Mais on va vérifier quand même.

Il a appelé Michelle, la manipulatrice de l'échographe, qui a enfilé un gant en caoutchouc avec un claquement sec mais n'a pas retiré sa bague de fiançailles de son annulaire noueux et bronzé. Puis elle a couvert la sonde d'un truc qui ressemblait furieusement à un préservatif de supérette.

— C'est un préservatif ? j'ai demandé.

— En gros, a-t-elle répondu.

— Mais c'est différent d'un préservatif ? Comment ça s'appelle ?

— Un préservatif.

Gentille mais ferme, Michelle a glissé la sonde à l'intérieur de mon intimité et l'a déplacée d'avant en arrière, un œil attentif tourné vers l'écran. Randy l'a regardée avec intérêt tenter d'écarter mon gros intestin comme un rideau.

— Son utérus part vers la droite, regardez !

Randy a hoché la tête.

— Mais l'ovaire ?

— Il est collé à la paroi.

— Mon utérus ? j'ai demandé.

— Il part loin dans cette direction, a répondu Randy.

— Je constate un peu d'adénomyose de ce côté-ci, a dit Michelle en indiquant une masse grise mouvante. Mais rien de bien méchant. Pas de kyste. L'ovaire gauche est…

— Non, c'est le droit qui est bancal, l'a interrompu Randy en lui prenant la sonde des mains.

On aurait dit un gosse impatient jouant à un jeu vidéo avec un copain.

Au bout d'un long moment, il m'a tapoté la jambe d'un geste rassurant et a retiré la sonde avec doigté.

— Levez-vous, rhabillez-vous et on se retrouve dans mon bureau.

Après leur départ, j'avais tellement mal que, histoire d'éparpiller la douleur, j'ai secoué les jambes comme une gamine dansant une ronde enfantine. Le stratagème n'ayant pas marché, j'ai fait une boule de la blouse bleue que je portais et l'ai appuyée contre mon sexe, le même geste que pour stopper une hémorragie.

Dans son bureau, meublé de deux fauteuils Régence dépareillés et décoré d'un dessin au fusain de femme enceinte ainsi qu'un d'une paire de gants de boxe décorative, Randy m'a annoncé que je souffrais d'endométriose classique. À l'aide d'une planche plastifiée datant sans doute de 1987, il m'a expliqué que l'endométriose se manifeste par la prolifération ailleurs que dans l'utérus de cellules qui d'ordinaire le tapissent. Au cours du cycle hormonal, ces cellules augmentent de volume, provoquant la plupart des symptômes que j'avais toujours considérés comme mon dysfonctionnement perso, un signe indiquant que je n'étais pas assez costaud pour ce monde. La douleur dans ma vessie, la sensation de brûlure, mon mal de dos étaient dus à des grosseurs de la taille d'une tête d'épingle qui parsemaient mes organes à l'origine proprets. Randy ne pouvait pas se montrer catégorique sans avoir recours à la chirurgie, mais il avait vu défiler tant de cas similaires qu'il avait peu de doutes. De plus, l'adénomyose – lorsque les cellules endométriales se développent dans la paroi musculaire de l'utérus – était un signe révélateur. Sur la planche que Randy brandissait, on aurait dit des centaines de toutes petites perles se frayant un passage dans du velours rose velouté. Il a poussé la gentillesse jusqu'à me montrer des clichés pris au cours d'interventions par laparoscopie de cas plus graves que le mien. On aurait dit les vestiges d'un mariage : du riz éparpillé, du gâteau écrasé, un peu de sang.

— Ça expliquerait pourquoi je suis si fatiguée ? j'ai demandé, pleine d'espoir.

— Si vous avez mal la moitié du mois, alors oui, vous avez toutes les raisons d'être fatiguée, a-t-il confirmé.

— Ça peut avoir une incidence sur ma fertilité ? j'ai fait d'une voix hésitante.

— Tomber enceinte peut se révéler plus difficile, a répondu Randy. Pas obligatoirement, mais c'est possible.

— On a toutes un utérus ? j'ai demandé à ma mère quand j'avais sept ans.

— Oui. On l'a en naissant avec tous nos œufs. Mais au début, ils sont tout petits et ne seront prêts à faire des bébés que beaucoup plus tard.

J'ai regardé le bidon de ma sœur, une petite dure toute

mince, j'ai imaginé les œufs à l'intérieur, semblables à ceux de l'araignée dans *Le Petit Monde de Charlotte* et son utérus de la taille d'un dé à coudre.

— Sa zézette est pareille que la mienne ?

— Sans doute, a répondu ma mère. Juste plus petite.

Un jour que je jouais aux Playmobil dans l'allée de notre maison de Long Island, ma curiosité l'a emporté. Grace, tout sourire, babillait assise par terre quand je me suis penchée et lui ai délicatement écarté les bords du sexe. Elle n'a opposé aucune résistance mais, en voyant ce qui se trouvait à l'intérieur, j'ai hurlé.

Ma mère est arrivée en courant.

— Maman ! Maman ! Grace a un truc dans la zézette.

Ma mère n'a pas pris la peine de me demander pourquoi j'avais cru bon d'entrebâiller la fouffe de ma sœur. C'était dans l'ordre des choses que j'étais susceptible de faire. Elle s'est agenouillée et a regardé pour vérifier. Il a très vite été établi que Grace s'était fourré six ou sept petits cailloux dans le truc. Ma mère les a retirés patiemment pendant que Grace gloussait, ravie que sa farce ait si bien marché.

D'aussi loin que je m'en souvienne, j'ai toujours voulu être mère. Toute petite, ce désir était si exacerbé qu'on me retrouvait souvent allaitant une peluche. Quand ma sœur est née, la légende familiale veut que j'aie demandé à ma mère qu'on échange nos rôles. « On n'a qu'à lui dire que je suis sa maman et toi, sa sœur. Elle n'y verra que du feu ! »

Avec le temps, ma foi en un certain nombre de choses a vacillé : le mariage, la vie après la mort, Woody Allen. Mais en la maternité, jamais. C'est un truc pour moi, je le sais. Parfois, allongée à côté de mon boy-friend endormi, je gonfle le ventre, j'imagine qu'il me protège et que je protège notre enfant. Il nous arrive de nous exciter tout seuls à l'idée que quelque chose arrive par accident, qu'on soit mis au pied du mur, qu'on devienne parents sans l'avoir décidé. Je donne des prénoms aux bébés, je me vois aller les chercher au parc, les traîner dans les rayons d'un Gristedes alors que tout le monde est enrhumé, m'arrêter à une aire de pique-nique « juste cinq minutes parce qu'il a très sommeil », lire *Eloise* pour la première fois à ma poupette de trois ans, courir dans toute la maison pour fermer les fenêtres avant l'orage en leur expliquant : « C'est pour qu'on soit bien au sec ! »

Quand j'annonce à ma tante médecin que je souffre d'une endométriose (« endo » pour les initiés), son conseil fuse : « Il faut que tu te mettes au boulot illico. À la fac de médecine, c'est la première chose qu'on nous apprend. Aussitôt un diagnostique d'endométriose posé, on dit à la patiente de s'y mettre sans tarder », m'explique-t-elle.

Mon gynéco ne m'a jamais refilé ce tuyau. Il a été très léger – maintenant que j'y repense, trop léger ? J'avais raison depuis le début, j'ai eu plus de jugeote que n'importe quel toubib : quelque chose clochait vraiment dans ma cave.

Alors comme ça, il faudrait que je m'y mette. Ce serait le moment d'y aller. Pourquoi pas ? J'ai un boulot, un amoureux, on a une chambre d'amis qui sert pour l'instant à stocker des chaussures, des cartons, et de temps à autre à héberger un invité. Il paraît que mon toutou est étonnamment gentil avec les enfants. J'ai déjà l'air en cloque ! Alors pourquoi pas, bordel ?

Les bébés, je les sens. Ils ne crapahutent pas partout sur moi, ils ne me dégobillent pas sur les cheveux, ils ne hurlent pas comme des sirènes. Ils se comportent comme des bébés normaux et je les maintiens en vie. Mais je leur en veux. Leur fidélité, leur intrusion dans ma relation amoureuse, mon temps libre, mes siestes, mon imagination et mon cœur. Ils sont arrivés trop tôt et je ne peux rien faire de ce que j'ai prévu. Ma seule perspective c'est survivre.

Dans un de mes rêves les plus récurrents, je me rappelle soudain que je ne me suis pas occupée de tous les animaux qui vivent chez moi depuis des années. Lapins, hamsters, iguanes, empilés dans des cages répugnantes dans mon placard ou sous mon lit. Terrifiée, j'ouvre la porte, et la lumière les frappe pour la première fois depuis des lustres. Désespérée, je fouille les copeaux de bois agglutinés et humides. J'ai peur qu'ils ne soient en train de se décomposer dans le fouillis, mais je les retrouve vivants, maigres, les yeux laiteux et sales comme des peignes. J'ai conscience de les avoir aimés, de leur avoir procuré une vie meilleure à l'époque où mon travail, ma petite personne ne m'accaparaient pas et de les avoir laissés frôler la mort. « Pardon ! Pardon ! » je leur répète tandis que je nettoie les cages et remplis leur réservoir d'eau propre. « Que puis-je faire pour me rattraper ? »

TROISIÈME PARTIE

L'amitié

Craquer sur une fille

Cette fois où j'ai failli être lesbienne, avant de dégobiller

> *Vous m'avez écrit une lettre magnifique – je me demande si votre intention était de la rendre aussi magnifique, je pense que oui ; car d'une certaine façon je sais que votre sentiment pour moi, si minime soit-il, est de l'ordre de l'amour... Dites-moi de venir et je viendrai par le premier train, comme je serai.*
>
> Lettre de Edna St. Vincent Millay
> à Edith Wynne Matthison

En fait, je n'ai eu de vrai béguin pour une fille qu'une fois, un terme que des femmes que j'admire (mais qui ne collectionnent pas ce genre de béguin) m'ont appris à détester. En plus, étant en possession d'une sœur homo, je trouve l'expression « avoir un béguin pour une fille » un rien homophobe, comme s'il fallait que je lève toute ambiguïté sur la nature de mon amourette pour une autre femme, à savoir pas du tout sexuelle, mais plutôt douce et mignonne, fille, en somme.

Mon béguin s'appelait An Chu. J'étais en CE2 et elle en CM1. Elle portait des Damart, des pantalons pattes d'eph' et un bandeau au ras des cheveux, qui donnait l'impression de retenir une perruque aile de corbeau.

Avec le recul, je pense qu'elle était peut-être homo – elle aimait le foot et avait cette dégaine qui n'est pas censée chauffer les mecs mais les chauffe quand même au cours de l'ère pré-gaule durant laquelle une fille susceptible de faire des conneries est un stimulant sexuel plus fort que des nibards. Un aimant vers son groupe de copines triées sur le volet. An était sublime comme une femme mais incompréhensible comme un homme. Elle était énergique et pourtant silencieuse, elle avait le sourire lent et une tête trop grosse pour son corps. Et quand je la regardais, j'étais envahie d'une chaleur embarrassante.

On ne s'est jamais parlé, mais je l'ai observée à la loupe lors d'une classe verte, admirée quand elle a joué du bâton de pluie et disséqué une crotte de chouette. Et, après que mes parents sont venus me chercher plus tôt (j'avais dégobillé), j'ai passé le week-end suivant chez ma grand-mère, dans la chambre d'amis, à nous imaginer An et moi partageant des secrets nimbés de cette lumière orange qui éclaire les nuits où une copine vient dormir à la maison.

Je n'ai plus jamais eu de béguin pour une femme depuis, à moins de compter ma relation ambiguë avec Shane de *The L Word*. Je ne voulais pas tant être avec des femmes qu'être elles : des femmes dont la carrière m'électrise, dont la facilité à s'exprimer me sidère, dont les roucoulades en soirée me hérissent et me ravissent à la fois. Je ne suis pas jalouse de façon classique – de petits copains, de bébés, de comptes en banque – mais je reconnais envier la manière d'être de certaines femmes.

Il existe deux types de femmes en particulier qui suscitent ma convoitise. La première est du style exubérante, elle n'arrête pas une minute, adore les déjeuners en groupe, les vacances à Carthagène sur un coup de tête avec des bandes de copines, préparer la baby shower d'une autre. Elle n'est pas turlupinée par les questions existentielles et peut nettoyer son four sans se poser une fois la question : quel intérêt ? De toute façon, il va se resalir et après, on casse sa pipe. Autant se fourrer la tête dedans tout de suite…

Ma grand-mère Dottie entre dans cette catégorie. À quatre-vingt-quinze ans, elle continue d'aller chez le coiffeur deux fois par semaine, a toujours un tube de rouge à lèvres corail sur elle et propose ses conseils aux âmes en peine (« Il faut se montrer positif et parler avec les yeux »). Elle a été microscopique toute sa vie et, une fois, à un bal militaire vers la fin des années trente, un soldat lui a dit : « Je pourrais vous manger des cacahuètes sur le haut de la tête », ce qu'elle a pris pour un énorme compliment.

La version moderne de Dottie est ma copine Deb, qui adore essayer les nouvelles sortes de gym et peut écrire quatre heures durant tous les jours dans le même café, sans être tiraillée par les vicissitudes de la création. Quand elle était célibataire, elle enchaînait les dîners impromptus avec des mecs, puis elle a rencontré son futur mari et elle est tombée amoureuse de lui. Pas une fois, elle ne lui a reproché de ne pas comprendre « ce que ça fait d'être moi ». Deb planifie régulièrement des échappées d'un week-end vers des destinations « sexy et sympas », comme Palm Springs ou Tulum. Elle est experte en organisation de dîners et en visites chez le médecin. Elle n'a pas l'air de s'inquiéter d'avoir chopé le lupus ou un cancer. Il serait facile pour moi, par jalousie, de rejeter Deb comme étant frivole et superficielle, inconsciente de ce qui se passe vraiment dans le monde. Mais Deb est brillante et je vous le répète, je suis envieuse.

L'autre type de femme qui me rend verte de jalousie, c'est la dépressive magnifique. Certes, il n'est pas souhaitable d'enjoliver la dépression, mais ce dont je parle est une forme de vague à l'âme moins sévère, qui serait une vraie galère si le caissier de votre supermarché en était atteint mais marche au poil sur les apprenties actrices – poétesses à membres interminables et cheveux ternes. Un dimanche, je faisais le tour de Brooklyn pour trouver du riz au lait, quand je suis tombée sur la nana d'un de mes proches amis. Elle faisait son jogging, jambes laiteuses qui s'étiraient à des kilomètres de son short d'athlétisme rétro.

— Comment ça va, Leanne ? j'ai demandé.

Elle m'a regardée avec des yeux endormis, a poussé un soupir à fendre l'âme et a répondu :

— Très mal.

J'étais médusée ! Qui répond à cette question avec honnêteté ? Supposons que je m'apprête à acheter un flingue pour me tirer une balle dans le cigare et que je tombe sur une vague connaissance, attachée de presse chez H&M.

Vague connaissance : Salut, qu'est-ce que tu racontes ?

Lena : Pas grand-chose. Je vais acheter un truc bizarre. (Petit rire niais.)

Vague connaissance : Ça fait un bail qu'on ne s'est pas vues. Tu vas bien ?

Lena : Couci-couça. La vie est un truc étrange. C'est carrément loufoque ! On devrait boire un café, un de ces jours. J'ai du temps libre à revendre.

En regardant Leanne rentrer chez elle en courant au ralenti, je me suis fait la réflexion que l'exercice donnait manifestement des résultats. Elle était belle comme un camion et triste à pleurer. Son petit copain allait passer des années à courir lui chercher des trucs en pleine nuit, histoire de la faire sourire. Autrefois, j'étais persuadée que les mecs adoraient les filles de bonne humeur, flexibles et spirituelles. Alors que faire la tronche devant un docu de National Geo et les obliger à se demander ce qu'on pense après une partie de jambes en l'air est, dans certains cas, beaucoup plus efficace.

Il m'est arrivé d'envier des traits de caractère masculins, plus que les hommes eux-mêmes. Je suis jalouse de l'aisance avec laquelle ils endossent leurs habits professionnels : pas d'excuses intempestives, pas de salamalecs pour s'assurer de l'assentiment des autres sur ce qu'ils font. Je suis jalouse du fait qu'ils soient si souvent exempts de cette manie de vouloir plaire à tout le monde que j'estime être une plaie de mon existence de femme. Quand je regarde un homme commander au restaurant, choisir un vin dégueu et exiger plus de pain avec une assurance que je n'aurai jamais, je me dis : quelle chance ! D'un autre côté, je considère qu'être femme est un cadeau inestimable, un bonheur sacré, quelque chose que je ressens de façon si profonde que je ne peux l'exprimer vraiment. C'est une sorte de privilège particulier de naître dans le corps qu'on voulait, de faire sienne l'essence de son genre même si on sait identifier ce qui nous déplaît. Même si on cherche à le redéfinir.

J'ai la certitude que, au soir de trépasser, quand je ferai le bilan, ce seront les femmes qui défileront, celles avec qui je regrette de m'être disputée, celles que j'ai cherché à impressionner, à comprendre, qui m'ont torturée. Des femmes que j'aimerais retrouver, voir sourire, rire et dire : « C'était pile-poil comme ça aurait dû être. »

En quatrième, ma classe a effectué une sortie à Washington, D.C. C'est la tradition pour les quatrièmes dans tout le pays, le but étant de visiter les monuments, d'apprendre l'organigramme du gouvernement et de faire une halte bien méritée dans un Johnny Rockets. En réalité, la journée n'est qu'un moyen d'arriver à la nuit, au moment où le rideau se lève sur une orgie au cours de laquelle le personnel d'encadrement choisit avec sagesse de « dormir. » Les élèves courent d'une chambre à l'autre d'un quelconque Marriott en lisière d'aéroport, donnent libre cours à leur moi débridé, hurlent pour se faire entendre par-dessus les télés et le rap qui braillent, font couler des douches que personne ne prend. Parfois, l'alcool circule dans un flacon de shampoing. Parfois, certains s'embrassent dans une salle de bains.

C'est au deuxième soir du voyage, alors qu'on regardait un film avec Drew Barrymore sur une chaîne du bouquet de base, que toutes les filles de ma chambre – Jessica, Maggie et même Stephanie qui avait un petit copain officiel – ont décidé de se faire une soirée cent pour cent homo. L'affaire a commencé par des petits bisous sur le lit, puis Jessica a retiré son haut et s'est mise à secouer ses nibards, à empoigner ses tétons et à les agiter sans pitié sous notre nez. J'étais un chien de la SPA, tétanisé de peur. Je n'aurais pas été contre participer. Peut-être. Mais supposons que j'y prenne goût ? Que je commence et que je ne puisse plus m'arrêter ? Comment faire machine arrière ? Je n'avais aucun problème avec les homos. C'est juste que je ne voulais pas en être une. J'avais quatorze ans. Je n'avais pas encore envie d'être qui que ce soit. Je me suis couchée en chien de fusil et, comme notre prof de maths dans la chambre d'à côté, j'ai fait semblant de dormir.

Je savais qui était Nellie – une dramaturge anglaise qui, selon sa page Wikipedia, avait deux mois de moins que moi. D'après un acteur que je connais et qui avait joué dans la seule pièce de Nellie donnée à New York, elle faisait penser à la Fée Clochette ou à Anabelle Leigh – ou à Pattie Boyd à l'époque où elle farcissait de conneries la tête de George Harrison. Une intellectuelle avec un faible pour les liens forts, les dance floors, torchée, et aux vestes vintage jetées sur une épaule.

Les photos d'elle sur Internet montrent un souffle de fille aux cheveux décolorés en bataille, habillée comme une Jeanne d'Arc des temps modernes, toute de chiffons clairs et d'aspérités androgynes.

Une recherche sur Nellie dans Google n'a pas donné grand-chose. Elle n'avait pas de compte Twitter, ni de blog, ni aucune autre plate-forme d'expression personnelle sur le web. Ce qui est une rareté de nos jours et séduisant en soi. Elle parlait d'elle par l'intermédiaire d'un médium antique, le théâtre.

Après des mois d'enquête sur Google, Nellie est apparue à une table ronde que j'animais au « New Yorker Festival ». Le public n'était pas facile à dérider et, aux questions bouffies de sérieux sur les politiques raciales et sexuelles qui pleuvaient, je répondais d'une voix mal assurée, fatiguée et en improvisant. À la fin, j'ai retrouvé Nellie au foyer, j'ai serré sa main fragile, surprise par sa voix grave de vieil Anglais. Elle avait les yeux mi-clos et le col de son chemisier était boutonné jusqu'en haut. Elle ressemblait à Keats ou Edie Sedgwick ou quelque autre artiste important disparu.

— J'adore ce que vous faites, je lui ai déclaré, alors que je m'étais contentée de rechercher des photos d'elle sur Google.

Je n'avais pas lu une ligne de ses pièces, mais devant son visage en forme de cœur, mon désir le plus cher était de faire une impression durable. « Salut, je m'appelle Lena et j'adore le théâtre, les perrons et les soirées où les gens pleurent » est en gros ce que j'aurais voulu lui transmettre.

— Merci, merci beaucoup, a-t-elle roucoulé.

Quand j'avais quinze ans, ma copine Sofia m'a enseigné son secret pour rendre dingues les garçons. Elle m'a présenté la chose comme une pratique élaborée nécessitant les indications d'une pro, alors qu'il s'agissait de sucer le lobe de l'oreille d'un individu. Sofia avait quelques longueurs d'avance sur moi au rayon sexe et je faisais des efforts considérables pour lui faire croire que le suçotement de lobe n'avait pas de secrets pour moi.

Il était tard, j'entendais le dîner de mes parents toucher à sa fin, les invités reprendre leurs manteaux, mon père commencer à faire la vaisselle avant leur départ, une façon de leur signifier que la soirée était terminée.

Sofia était en train de me décrire la bêtise insondable des garçons qu'on pouvait mettre à genoux en moins de deux par l'entremise de quelques trucs. Elle était moulée dans un T-shirt blanc et portait un jean délavé qui lui sciait la taille. Elle avait cette qualité des cheveux lisses qui s'échappent toujours des queues-de-cheval et elle était rougeaude en permanence.

Elle a fait sa démonstration sur le matelas de mon « bureau » – en clair le débarras où on rangeait le bac à litière et les fournitures de dessin. J'ai senti le bout de ses dents sur mon oreille, puis ma fouffe palpiter.

Je vais à Londres, toute seule. La dernière fois que j'y suis allée, j'avais quatorze ans, j'en voulais à mort à ma mère parce qu'elle m'avait obligée à faire un tour de grande roue et encore plus parce que j'avais adoré.

Ne sachant comment organiser mon emploi du temps, j'écris un email à Nellie dont, entre-temps, j'ai lu les pièces, que j'ai trouvées aussi surprenantes et impénétrables que sa personne.

Nellie me répond en m'appelant Petite Chérie. Je lui propose un thé, elle préfère un verre et précise qu'elle viendra me chercher vers dix-sept heures trente. Puis elle m'envoie un autre message pour me prévenir qu'elle sera en retard, puis un autre encore pour me prévenir qu'elle sera en avance. Dans le hall de l'hôtel, je la découvre en pantalon slim en cuir et long manteau noir ; son sac ressemble au coffre à trésor d'un pirate.

On s'arrête d'abord à son « club », qui se trouve un peu plus loin dans le quartier, en sous-sol. Une pièce poussiéreuse et lambrissée, basse de plafond, envahie par la fumée. Nellie commande un verre de vin rouge, j'en fais autant en tripotant fébrilement les lanières de mon sac. Elle me présente à plusieurs personnages assez wildiens et cite Aristote, Ibsen et George Michael dans la même phrase (le dernier étant son voisin). Elle commande deux autres verres de vin alors que je n'ai pas terminé le premier, puis se rend compte qu'on va être en retard chez J. Sheekey où elle a réservé. Elle me guide dans le West End en me tenant par la main, m'explique que le restaurant où on va dîner est celui dans lequel ses parents l'emmenaient quand elle avait de bonnes notes ou méritait un sermon sur la montagne. Elle me raconte des histoires de liaisons secrètes et de passages secrets. Elle adore marcher, elle parcourt des kilomètres par jour.

Chez J. Sheekey, un vieux restaurant de poisson très chic où, avant de vous installer, on vous demande systématiquement si vous devez aller au théâtre ensuite, elle commande en experte du vin blanc, une petite friture ainsi que d'autres plats pas très ragoûtants a priori, mais qui se révèlent délicieux, comme du beurre ou du sirop. Je commence à avoir les joues en feu et il est vraisemblable que je me vide déjà comme un vieux lavabo. Je suis censée prendre un verre avec des amis une heure plus tard mais elle me supplie d'annuler et de l'accompagner chez elle.

— C'est un lieu étonnant. Je veux que tu rencontres tout le monde et tout le monde veut te rencontrer.

Dans le taxi, on parle à bâtons rompus des raisons qui nous poussent à écrire, du but de notre travail, quand elle dit :

— Ce monde est plein d'horreurs auxquelles on ne peut remédier.

— On en crée un meilleur ou plus lisible par notre travail, je lui glisse dans un souffle. Un monde qui a plus de sens, du moins.

— Un endroit où on aimerait vivre ou, à défaut, qu'on aimerait comprendre, renchérit-elle, ravie. Tu es vraiment futée.

Je me rends compte que je ne me suis jamais ouverte à quiconque de cette problématique, encore moins à une femme de mon âge. Avec les gens de mon âge, les sujets de discussions ne dépassent pas celui de l'ambition. Technique, passion, philosophie, rien de tout ça n'est abordé.

Elle me demande quelle est ma pire qualité et je réponds qu'il m'arrive de forcer sur l'égocentrisme. La sienne est de se perdre dans son travail et de ne plus trouver le chemin de la sortie.

La ville change, l'agitation urbaine laisse place aux rues bordées d'arbres et de maisons imposantes aux façades desquelles brillent quelques rares lumières. (Cherchez « gazon anglais » dans Google et vous aurez une idée.) Arrivées à destination, on descend du taxi dans la nuit humide. Avec mes talons, j'ai du mal à marcher sur les pavés, je m'accroche au bras de Nellie. Je n'ai jamais mis les pieds dans un endroit pareil. La maison a la magnificence d'un conte de fées et le cachet d'un film de Mike Leigh. J'inspire, rue mouillée et lointaine fumée. Je suppose qu'elle a payé le taxi.

Elle ouvre la porte d'une bibliothèque qui ressemble à un décor de la série *Masterpiece*, des vieux bouquins éparpillés partout, il en déborde même de la cheminée.

— Salut ! crie-t-elle à la cantonade.

Un bouledogue français acariâtre dévale l'escalier monumental en montrant les dents.

— Ça suffit, Robbie !

Une gamine avec des oreilles d'animal sur la tête surgit d'une porte secrète. Elle me saute au cou. Je les suis dans le salon ou quatre ou cinq des colocs de Nellie sont rassemblés autour d'une bouteille de vin rouge. Elle me les présente à tour de rôle, ils sont acteurs ou étudiants en littérature ou les deux. Sa sœur, encore une autre fée à coiffure élaborée, part d'un drôle de rire rauque.

Je sais que je devrais arrêter de boire ou, du moins, éponger les premiers verres avec une ou deux poignées des chips qui circulent. Personne n'est capable d'expliquer la genèse de son installation dans cette maison. Nellie se lève d'un bond, retire son manteau après avoir dit qu'il gelait.

— Je vais te faire visiter, annonce-t-elle.

Je n'en perds pas une miette, comme si j'avais à nouveau six ans et lisais un livre d'images, dont je me repaissais. À côté d'une cheminée au manteau de marbre, traînent un vieux *Elle*, une paire de bas filés, un paquet de Marlboro vide, un dessert à moitié fini. Chaque pièce communique avec la suivante, comme dans ces appartements new-yorkais insensés où, en ouvrant une porte dissimulée, on tombe sur une pièce immense dont on ignorait l'existence. Je renverse du vin sur ma robe.

Au milieu de la chambre de Nellie trône une baignoire à pattes de lion. Je dévore les titres de ses livres, ses coupures de presse, avec une avidité pitoyable. Elle me raconte qu'elle a passé la journée d'hier au lit avec une femme inaccessible, en convalescence d'une nuit qui l'avait achevée. Je lui répète que j'adore ses pièces – je suis sincère. Elle travaille par thèmes, par mèmes, par métaphores, utilise des astuces formelles hors de ma portée.

— Personne n'écrit comme tu écris à ton âge, je lui confie.

— Merci, merci, répond-elle.

De retour dans le salon, la musique hurle, du rap old school, et mon verre a été à nouveau rempli. Je ne peux pas m'asseoir sans que ma jupe remonte. Jenna, un beau brin de fille qui joue le rôle d'Anne Frank dans un théâtre de West End embrasse Nellie à pleine bouche.

— Salut ! je suis rentrée, dit-elle.

Je suis touchée par Aidan, ancien enfant acteur à la sexualité indéfinie. Il a la douce élocution d'un fleuriste.

Ils m'apprennent des expressions typiquement anglaises qu'ils utilisent dans toutes sortes de contextes rien que pour mes oreilles.

Ils remplissent mon verre et re-remplissent mon verre. On rit comme des bossus à des mimiques, des bruits, des objets, quand soudain tout se met à onduler et ma vision rétrécit, un indicateur infaillible d'un vomi imminent.

Je n'ai pas plus tôt averti la compagnie que la chose se produit. Un torrent qui se déverse sur leur moquette jusqu'ici crème. Je sens les vestiges chauds et acides de mon dîner dévaler mon menton avant d'atterrir par terre. Je suis trop malade pour avoir honte. C'est un tel soulagement que je me fiche de décorer leur salon de toutes les bonnes choses anglaises que j'ai mangées au cours de la journée, sans parler des innombrables verres de vin rouge. Nellie me caresse la tête en me murmurant des mots tendres. Je me redresse et regarde autour de moi. Tout le monde est à la même place sauf Aidan qui réapparaît avec un balai et une pelle avec lesquels il ramasse mon vomi comme s'il s'agissait de billes de polystyrène ou de bouts de cheveux. Il affirme que c'est très courant. Je n'ai toujours pas honte.

Nellie se rapproche de moi.

— Tu es très belle, me dit-elle. Tu as des yeux ahurissants. Tu es si mince.

— Tu te moques de moi ? je bredouille d'une voix

pâteuse. Toi, tu es une créature de rêve. Une tête. Et je… j'ai l'impression de te comprendre.

Elle prend mon visage entre ses mains, hors d'haleine comme si on essuyait une tempête de neige. Ses yeux s'agrandissent comme des soucoupes et, sans qu'elle ait besoin de parler, je comprends. Quelque chose manque. Quelqu'un est mort. Elle se frappe la poitrine du poing.

— Ça fait un mal de chien. Tu ne peux pas imaginer.

— Je sais, je lui dis et, sur le moment, c'est vrai. Je sais, tu es courageuse.

Elle s'allonge contre moi. On est face à face. Jenna danse au-dessus de nous, vêtue de son seul soutif de sport.

— C'est difficile d'en parler, dit-elle. J'adore te connaître.

Je l'étreins. J'ai l'impression de n'avoir jamais ressenti la douleur de quelqu'un à ce point. Je suppose que j'ai une haleine de putois, mais qu'elle ne se formalise pas de ce genre de choses. De mon côté, je me fiche qu'elle me souffle sa fumée dans la tronche. J'ébouriffe ses cheveux, puis les miens, puis les siens. Elle n'allait pas m'embrasser ou peut-être que si.

J'annonce que je m'en vais une heure avant mon départ effectif. Dans le taxi, je serre dans ma main le bout de papier sur lequel elle a écrit son numéro et je me dis que je n'ai pas pu voir sa pièce d'eau.

Le lendemain, je dors jusqu'à quinze heures, bercée par le chuintement des taxis qui s'arrêtent devant mon hôtel sous la pluie. J'ai des rendez-vous dans l'après-midi et je suis résolue à ne dévoiler l'affaire vomi à personne. Mais la déballer est mon premier réflexe et j'en fais cadeau à mon auditoire à peine dix minutes après le début de ma première réunion professionnelle. Je sirote la même tasse de thé jusqu'à ce que, vers dix-huit heures, je sois prête à entamer la croûte d'une tourte. Je sors mon téléphone et fais défiler les photos de la soirée, que je ne me rappelle pas avoir prises. Sur la première, Aidan menace l'objectif, il est flou. Sur une autre, Jenna embrasse mon visage moite. Sur plusieurs, la cigarette de Nellie s'agite furieusement, menaçant de mettre le feu à la maison. Sur d'autres encore, Nellie et moi sommes face à face, les yeux clos, les mains serrées.

Un œil averti serait en mesure de repérer, en haut à gauche, le spectre violet de mon vomi.

En fac, j'ai embrassé trois filles, les trois en même temps. Trois hétéros s'essayaient à l'amour universel dans un coin à une soirée de soutien à la cause palestinienne, quand elles m'ont proposé de me joindre à l'expérience, j'ai accepté. On a formé un cercle et, chacune à son tour, on s'est embrassées le temps de sentir la bouche de l'autre épouser la sienne. La sensation était douce, un peu électrique, mais il manquait les rugosités auxquelles j'étais toujours en train de m'habituer avec les garçons. Après quoi, on a ri. Rien de ce que je redoutais en quatrième ne s'était produit. Je n'étais pas soudain à la tête d'une bande de bikeuses lesbiennes militantes, mais je n'avais pas honte non plus. Je n'ai même pas sursauté en découvrant dans le bâtiment des arts une photo de moi et d'une fille qui s'appelait Helen en semi bécot comme illustration de la thèse d'un certain Cody « en hommage à Nan Goldin ».

Plus tard, seule dans mon lit, la nausée de la gueule de bois quasi derrière moi, je zoome sur la photo de Nellie et moi, la version non expurgée, s'entend. Deux filles affreusement perdues en osmose sur un beau canapé. Si j'étais un peu différente, j'aurais passé des kyrielles de soirées comme celle-ci, j'aurais un disque dur bourré de photos de ce genre. J'ai beau détester le terme de « béguin » pour une fille, une photo ne ment pas. Elle a la qualité d'une image prise par un chasseur de fantômes, une image qui laisserait apparaître les corps flottants et les esprits que les protagonistes n'ont pas été capables de voir.

Le meilleur dans tout ça

— À mon avis, ça ne va pas marcher, dit-il. On ferait mieux de rester amis.

C'est l'année de la cinquième et on vient de rentrer des vacances de Noël. La dernière fois qu'on s'est vus, on a déambulé dans la rue plusieurs heures en se tenant par la main avant d'aller chez Häagen-Dazs attendre ma mère qui venait me chercher. Je suis certaine d'en pincer pour lui dans la mesure où le voir les dents truffées de grains laissés par son smoothie cent pour cent fruits rouges ne me donne pas envie de régurgiter. Le mercredi suivant, on aurait fêté nos six mois.

— D'accord, je couine avant de m'effondrer contre les nibards de Maggie Fields en manteau de fourrure bleue.

Elle sent la barbe à papa et elle est navrée pour moi. Elle m'accompagne aux toilettes des filles situées au douzième étage, me caresse les cheveux. Il était mon premier petit ami et je suis persuadée que je n'en aurai plus jamais. Maggie en a eu trois et ils l'ont tous déçue.

— Quel con ! s'écrie-t-elle. Qu'est-ce que tu vas lui faire ?

Quand elle est en colère, son accent de Brooklyn ressort.

· ⁂ ·

— Je ne peux pas continuer comme ça, je déclare avant de me blottir contre la vitre.

Au volant de sa Jeep verte, il se demande ce qui me met dans cet état tandis que je verse des seaux de larmes derrière mes lunettes de soleil. Il se gare sans un mot et me traîne jusqu'à son appartement comme une petite fille turbulente. Il referme la porte, remplit un verre d'eau et me fait une déclaration, son visage tordu par l'unique expression que je lui connais pour traduire une émotion. Je suis la seule personne qui ait jamais compté pour lui et il sait que je ressens la même chose à son égard.

Finalement, après trois tentatives de largage – à la plage, au téléphone, par email –, je me confie à ma copine Merritt à une terrasse de café de Park Slope. Il fait un peu trop froid pour rester dehors, mais on a nos lunettes de soleil et on est bien emmitouflées sous nos capuches. Je goûte mon pancake quand elle me dit tout de go : « Il n'y a que les cons qui ne changent pas d'avis. » À propos d'un sentiment, d'une personne, d'une promesse d'amour. Éviter de me contredire n'est pas une raison suffisante pour rester avec lui. Je ne suis pas obligée de le regarder pleurer.

Résultat : je ne réponds plus au téléphone, j'arrête de demander la permission et, en moins de deux, il a disparu corps et âme. Quelque chose qu'on croyait devoir durer toute la vie, comme être collé pendant les vacances de Noël ou un autre truc horrible du même acabit.

— Quand tu auras mon âge, tu comprendras tout le mystère de la chose, déclare-t-il.

Il parle de l'amour, et il n'a que huit ans de plus que moi. J'aurais dû m'en douter. Elle roulait presque trop bien, cette relation d'une côte à l'autre. Il m'appelait tous les matins avant d'aller surfer. Je lui décrivais la vue de la fenêtre de mon nouvel appartement, la neige qui tombait sur le jardin du voisin, les chats du coin qui miaulaient de leur escalier incendie respectif. Je ne me rappelais pas toujours à quoi il ressemblait. Si bien que, au cours de nos conversations interminables, ce sont mes pieds nus et blancs appuyés contre le mur qui ont remplacé son visage.

— Dommage que tu ne sois pas là, disait-il. Je t'emmènerais manger une glace et te montrerais les vagues.

J'acquiesçais.

— J'adorerais.

Du moins j'adorerais adorer.

Mais me voilà à sa fête d'anniversaire, mal fagotée dans la robe noire de ma mère, le visage écarlate, le cheveu gras, les talons qui s'enfoncent dans la cour de son copain Wayne. La DJette a onze petits chignons sur la tête et il se tient près du jacuzzi en compagnie d'une fille affublée d'une barboteuse, et là je sens, avec plus d'acuité que jamais, que mon arrivée n'est pas conforme à ses attentes. Mais peut-être n'a-t-il rien imaginé. Le lendemain, il m'emmène en balade le long de la côte, ce qui aurait dû fleurer bon sa fleur bleue et empeste la prise d'otage. Dans la queue pour acheter des tacos au poisson, j'espère en dépit de tout que personne ne l'entend parler et que, si c'est le cas, personne ne me juge à l'aune de sa vacuité. Je n'ai qu'une envie : être seule.

Je rentre chez moi, et comme j'ai refermé ce chapitre, pour la première fois depuis des mois, je parviens à décompresser. Tout compte fait, le désir est l'ennemi de la satisfaction. De la baignoire, je crie à Audrey :

— Ça ne va pas marcher. À mon avis, il est persuadé d'avoir eu du pif en sortant avec une fille grassouillette.

Plus tard, on découvrira qu'il draguait une actrice de la série *The West Wing* en même temps et qu'il lui a offert un cactus.

Audrey éclate de rire.

— Tocard ! Il a la chance de te connaître, mais il est trop bête pour s'en rendre compte.

— Je t'aime encore, mais il faut que nos chemins se séparent, m'annonce-t-il.

— Tu veux qu'on arrête ? je demande d'une voix tremblante.

— Je crois que oui.

Je chois telle une donzelle du XIIe siècle, tournant de l'œil à la vue de la pendaison sur la place principale de la ville.

En rentrant de sa soirée, ma mère me découvre en état de choc, gisant en travers du lit, les photos de nous deux éparpillées autour de moi, les mitaines qu'il m'a offertes à Noël sous ma joue. Je suis paralysée par ce qui m'apparaît comme de la tristesse mais que je finirai pas identifier comme de la honte. D'après ma mère, c'est une bonne excuse pour : m'occuper de ma petite personne, pleurer mon saoul, ne manger que des féculents gluants de fromage.

— Tu verras qu'avoir le cœur brisé confère une certaine grâce, me dit-elle.

Une phrase que je reprendrai souvent à mon compte au fil du temps, l'offrant en cadeau à ceux qui en ont besoin.

13 trucs qu'il est préférable de ne pas dire à une copine

1. « Elle est rondouillarde mais pas comme nous. »
2. « T'inquiète, personne ne s'en souviendra quand tu seras morte. »
3. « Non, ne t'excuse pas. Si j'avais ta mère, je serais ingérable aussi. »
4. « Pas grave. L'honnêteté n'a jamais été ton fort. »
5. « Tu devrais peut-être ouvrir une boutique ? C'est tout à fait ton truc. »
6. « Holocauste, troubles de l'alimentation. C'est du pareil au même. »
7. « Quand j'ai tapé son nom dans Google, le mot associé était "viol". »
8. « Mais dans mon cas, c'est différent, parce que j'ai un père.
9. « Laisse, c'est moi qui t'invite. T'as pas de boulot ! »
10. « Il y a un chapitre sur toi dans mon livre. »
11. « Il n'y a rien sur toi dans mon livre. »
12. « Au fait, ton mec a essayé de m'embrasser quand tu es allée chercher un smoothie. À moins qu'il ait voulu sentir ma bouche. »
13. « En te remerciant, connasse ! »

Grace

J'ai été fille unique jusqu'à l'âge de six ans.

Je supposais, vu mon ignorance en matière de reproduction et de planning familial, que les choses resteraient à jamais en l'état. J'avais entendu mes camarades de maternelle parler de leur fratrie ou plutôt de leur absence de fratrie :

— Ma maman ne peut plus avoir de bébé.

— Mon papa dit qu'avec moi, c'est suffisant.

— As-tu des frères et sœurs ? m'a demandé l'institutrice le jour de la rentrée.

— Non, mais ma maman attend un bébé.

Ce qui était archi-faux et ma mère avait dû s'en expliquer auprès de l'enseignante, qui s'était empressée de la féliciter pour ce « prochain ajout ».

— Tu as envie d'avoir un frère ou une sœur ? m'a

interrogée ma mère ce soir-là tandis qu'on dînait de plats chinois sur la table basse.

— Bien sûr, ai-je répondu distraitement, comme si elle m'avait proposé de reprendre un nem.

C'est ainsi que, à mon insu, mon avis a fait pencher la balance et que mes parents se sont mis en besogne avec le plus grand sérieux. J'ai continué de vaquer à mes petites affaires, ignorant que, dans la chambre à l'autre bout du couloir, une tempête était en gestation. Deux ans plus tard, par une journée de juin caniculaire, ma mère s'est retournée sur son siège dans la Volvo familiale pour me dire :

— Tu sais quoi ? Tu vas avoir une petite sœur.

— Sûrement pas.

— Mais si, a-t-elle confirmé avec un sourire radieux. C'est ce que tu voulais.

— J'ai changé d'avis.

Grace est arrivée à la fin du mois de janvier, nuitamment, en semaine, rien que ça. Ma mère a perdu les eaux devant l'ascenseur, inondant le parquet. Après quoi, elle m'a raccompagnée dans ma chambre en marchant comme un canard et m'a mise au lit. Quand je me suis réveillée à trois heures, la maison était plongée dans l'obscurité, à part une lumière qui brillait dans la chambre de mes parents. Je me suis glissée jusqu'à leur porte pour découvrir, allongée sur leur lit, Belinda, la baby-sitter, en train de lire en compagnie d'une poupée de porcelaine que j'avais exigée après avoir vu la pub dans *TV Guide* (en cinq versements de 11,99 $) et d'un tas de bonbons à la menthe.

Le lendemain matin, on a descendu Broadway à pied pour aller à l'hôpital. Grace était le seul bébé blanc de la nurserie, tous les autres étaient chinois. J'ai regardé par la vitre et demandé :

— C'est laquelle ?

Ma mère était allongée dans son lit d'hôpital, le ventre aussi ballonné que la veille mais mou comme du flan. Je me suis efforcée de ne pas fixer ses lolos écarlates qui pendaient de son kimono. Elle était pâle et fatiguée, mais m'a regardée avec des yeux impatients quand je me suis assise dans le fauteuil et que mon père a délicatement posé le bébé sur mes genoux. Grace était interminable, avec une figure rouge et plate, un crâne protubérant et desquamé. Elle était flasque et sans défense, et n'arrêtait pas d'ouvrir et de fermer son poing minuscule. Ma nouvelle poupée était beaucoup plus mignonne. Mon père a levé son Polaroïd et j'ai brandi Grace comme si c'était un lapin en peluche gagné dans une fête foraine.

La première nuit de Grace à la maison, j'ai hurlé sans discontinuer : « J'en veux pas ! Rendez-la ! » jusqu'à ce que je m'endorme d'épuisement dans un fauteuil. Ma douleur était si aiguë, si indéniablement dramatique, que je ne l'ai jamais oubliée, même si elle n'est plus revenue me tourmenter. C'est peut-être ce qu'on ressent en découvrant un mec dans le lit de sa femme ou quand on est viré après trente ans de bons et loyaux services ou tout simplement quand on a perdu ce qui est à soi.

Dès le début, Grace a dégagé quelque chose de mystérieux, un flegme, une opacité ; elle ne pleurait pas comme le bébé lambda et ne manifestait pas non plus ses désirs de façon explicite. Elle n'était pas très câline et, quand on la prenait dans ses bras (du moins quand je la prenais dans mes bras), elle se tortillait pour se libérer comme un chat capricieux. Un jour, elle devait avoir deux ans, elle s'est endormie sur moi dans le hamac.

Je suis restée aussi immobile que possible, terrifiée à l'idée de la réveiller. J'ai fourré mon nez dans le petit duvet de ses cheveux, j'ai embrassé ses joues rebondies, passé le doigt sur ses sourcils épais. Quand elle a fini par émerger, c'est dans un sursaut, comme si elle avait piqué du nez sur les genoux d'un inconnu dans le métro.

Le parc de Grace était installé dans le salon, entre le canapé et la table de salle à manger sur laquelle j'avais gravé mon nom. La vie s'organisait autour, mes parents téléphonaient chacun de leur côté et je dessinais des « filles à la mode » et des « bonhommes fous ». De temps à autre, je m'agenouillais devant le parc, je passais la tête entre les barreaux et je lui roucoulais des « bonjoooooour ma Graaaacie ». Une fois, elle s'est penchée vers moi et a posé ses lèvres sur le bout de mon nez. À travers la barrière, j'ai senti sa petite bouche fine et dure.

— Maman, elle m'a embrassée ! Regarde, elle m'a embrassée !

J'ai passé la tête à nouveau et Grace m'a planté ses deux nouvelles canines dans le nez avant de partir d'un grand éclat de rire.

À mesure qu'elle grandissait, je la soudoyais pour obtenir de son temps et de son affection : un dollar en pièces d'un quart si elle acceptait que je la maquille comme un camion volé. Trois bonbons pour avoir le droit de l'embrasser sur la bouche cinq secondes d'affilée. Le programme de son choix à la télé pour peu qu'elle accepte de « s'en remettre à moi. » En gros, tous les subterfuges d'un prédateur sexuel pour attirer une petite banlieusarde. J'ai pensé qu'elle mettrait une meilleure volonté à accepter mes baisers si j'enfilais le masque que portait notre grand-mère quand elle était sous dialyse. (La réponse est non.) Ce que je voulais à tout prix, au-delà de son affection, c'était sentir qu'elle avait besoin de moi, qu'elle était désarmée sans l'aide de sa grande sœur pour lui ouvrir les yeux sur le monde. Je prenais un malin plaisir à lui annoncer de mauvaises nouvelles – la mort de notre grand-père, un incendie de l'autre côté de la rue – dans l'espoir que, d'effroi, elle se jette dans mes bras et soit obligée de me faire confiance.

— Si tu ne déployais pas tant d'efforts, ce serait plus productif, m'a dit mon père.

Alors je me suis retenue. Mais, dès qu'elle était endormie, je me faufilais dans sa chambre pour l'écouter respirer : inspirer, expirer, inspirer, jusqu'à ce qu'elle se tourne de l'autre côté.

Grace a toujours fasciné les adultes. Primo, c'était une lumière. Elle avait de multiples centres d'intérêts, architecture, ornithologie, et elle appréhendait les choses en adulte plutôt qu'en chien savant horripilant. Petite, j'avais une conscience aiguë de mon odieuse petite personne, j'étais vaniteuse à gifler, je lisais le dico « pour le plaisir » et j'assénais des vérités du type : « Papa, aucune fille de mon âge n'apprécie la littérature. » Des paroles que j'avais entendues dans la bouche de personnages de films « exceptionnels ». Grace se contentait d'exister, bulle de sagesse et d'émerveillement, à tel point qu'au restaurant on la découvrait souvent aux toilettes en train de discuter séparation avec une quadra ou de lui demander quel goût avait la cigarette. Un jour, on l'a retrouvée dans le cellier en train de descendre une mignonnette de vodka rapportée d'un voyage en avion, écœurée mais intéressée.

Une unique fois, sa maturité l'a entraînée trop loin. On était à la préhistoire des réseaux sociaux et Grace, alors en CM2, m'a demandé de lui créer un compte Friendster.

On a listé ensemble ses préférences (les sciences, la Mongolie, le rock'n'roll) et ses attentes (des amis), puis on a téléchargé une photo d'elle un peu floue où elle était en maillot une pièce fluo et soufflait un baiser vers l'objectif.

Un soir, en prenant mon ordinateur, je me suis aperçue qu'il était ouvert à la page Friendster de Grace. Un certain Kent lui avait laissé une bonne dizaine de messages : « Si tu es fan de Rem Koolhass, il faut qu'on se rencontre. »

Toujours annonciatrice du pire, j'ai réveillé ma mère qui, le lendemain matin, a passé un savon à Grace devant ses pancakes au blé complet. Furieuse, elle ne m'a pas adressé la parole pendant plusieurs jours. Peu lui importait que j'aie voulu la protéger ou que « Kent », le placeur de pubs, aie eu des idées derrière la tête. Tout ce qui comptait, c'est que j'avais révélé son secret.

En fac, Jessica qui partageait ma chambre s'est mise à sortir avec une fille. J'ai trouvé l'affaire soudaine et précipitée, une sorte de réaction au politiquement correct de rigueur plutôt qu'une attirance humaine normale.

— Elle essaie de se prouver qu'elle n'est pas qu'une petite fille gâtée, je disais à qui voulait l'entendre. Elle a largué son mec, il y a quinze jours ! Elle ne parle que de chaussures et de robes.

Sa copine, une camionneuse avec une jolie frimousse, des lunettes rondes et une coupe années cinquante, avait déjà obtenu son diplôme et faisait la route jusqu'à Oberlin un week-end sur deux. Ce qui m'obligeait à débarrasser le plancher et squatter un coin de chambre amie pour qu'elles puissent se brouter le minou jusqu'à plus soif.

Il m'arrivait de demander à Jessica des détails cochons, si la fouffe d'une autre fille n'était pas gerbante.

— Non, répondait-elle. J'aime bien le faire.

Traduire « le » par « se brouter le minou ».

Grace est venue me voir un week-end et je l'ai embarquée à une soirée. Elle avait quinze ans à l'époque, jambes interminables, yeux immenses, taches de rousseur de jeune faon, cheveux châtains et brillants qui lui tombaient dans le dos et jean à deux cents dollars qu'elle avait convaincu mon père de lui acheter. Elle est restée dans son coin, à rire et à siroter l'unique bière que je lui avais autorisée.

Oberlin était un havre de tolérance où l'opposition était reine. Résultat, la bande la plus sympa de la fac était l'équipe de rugby féminin, cent pour cent lesbienne et lycra fluo. En soirée, les filles assuraient, mix pointus de Kate Bush, maquillage abstrait sur la figure et énergie sexuelle tous azimuts.

— Le baiser est un pas de danse, m'avait expliqué Daphne, la capitaine de l'équipe.

Ce soir-là, Daphne a repéré Grace, son petit museau et ses grandes dents striées toujours pas à sa taille, et l'a entraînée sur le dance floor.

— On est vivantes ! lui a-t-elle crié et Grace, gênée, a quand même dansé.

D'abord comme un balai, puis avec conviction, à fond mais sans excentricités. Je l'ai regardée du canapé avec fierté. « Ça, c'est ma sœur. Elle se coule dans tous les moules. »

— Ta sœur est homo, m'a annoncé Jessica le lendemain en pliant le linge propre sur son lit.

— Pardon ?

— Je te dis que ta sœur aime les filles, m'a-t-elle expliqué, comme si elle me filait un tuyau pour payer moins cher l'assurance de ma voiture.

Je suis devenue hystérique.

— Non, non, non et non ! Ce n'est pas parce que tu es homo que tout le monde doit être homo, d'accord ? Je me fiche qu'elle le soit, mais je le saurais. Je suis sa sœur, d'accord ? Je le saurais. Je sais tout.

Grace a fait son coming out avec moi à dix-sept ans. On était à table toutes les deux devant notre pad thaï, nos parents étaient partis en goguette quelque part, ce qui arrivait souvent maintenant qu'on était assez grandes pour se débrouiller toutes seules. Vingt-trois ans et toujours chez papa et maman, j'enfournais mes nouilles pendant que Grace me racontait l'horreur de « ringard » d'un autre lycée avec lequel elle était sortie.

— Il est trop grand, s'est-elle plainte. Il est gentil. Il en fait des caisses pour être rigolo. Il pose son blouson sur la hotte de sa cuisine et me dit tu as vu ma cape hotte ?

Elle s'est interrompue une seconde.

— Et puis, il dessine des BD et il est diabétique.

— Il a l'air génial ! je m'exclame et sans réfléchir, j'ai ajouté : Tu es homo ou bien ?

— En fait, oui, a-t-elle répondu en éclatant de rire mais sans se départir du flegme qui est sa signature depuis qu'elle est née.

Je me suis mise à sangloter. Pas parce que je ne voulais pas qu'elle soit homo – à vrai dire, ça collait avec l'image inavouable que j'avais de moi, celle de la fille la plus tordue du quartier. D'où ma fixette sur le fait que j'avais été adoptée sur une autre planète par mes parents quand j'étais bébé. Non, je chouinais parce qu'il m'est soudain apparu avec une clarté aveuglante que je ne connaissais pas grand-chose d'elle : ses chagrins, ses secrets, les fantasmes dont elle se berçait la nuit dans son lit. Sa vie intérieure.

À mes yeux, Grace a toujours été insondable, un sublime mystère à sourcil unique, incompréhensible pour sa famille. Depuis toute petite, j'ai toujours exposé mes désirs à mes parents, ma sœur, ma grand-mère – à qui voulait les entendre, en fait. Je vis dans un monde obsédé par l'abolition des secrets.

Quand Grace avait trois ans, elle est rentrée de la maternelle en annonçant à la ronde qu'elle était amoureuse d'une fille.

— Elle s'appelle Madison Lane et on va se marier.

— Tu ne peux pas, c'est une fille, j'ai répondu.

Grace a haussé les épaules.

— Eh ben, on le fera quand même.

Plus tard, c'est devenu une histoire qu'on adorait raconter à la maison : l'année où Grace était homo, l'épisode Madison Lane. Elle riait comme à une autre de ces histoires tordantes de bébé. Et nous, on riait comme à une bonne blague.

Or ce n'était pas une blague. La confession de Grace ne m'a pas fait l'effet d'une révélation mais d'une confirmation, celle du pressentiment qu'on avait eu mais refusé d'admettre. Au lycée, Grace a toujours été dix coudées au-dessus du lot. Elle présidait les ateliers d'expression orale, participait à une joute oratoire puis filait en vitesse en petite jupe blanche à son cours de tennis, considérant d'un œil dubitatif l'effervescence hormonale qui avait gagné ses copines. On se disait : « Elle s'éclatera à la fac. À tous points de vue : satisfaction, détente, garçons. »

Grace s'est montrée polie, ferme et sans état d'âme pour répondre à mes questions, tout en finissant son pad thaï, un œil sur son téléphone. Questions basiques : « Tu as su quand ? Tu as peur ? Tu aimes quelqu'un ? » Puis celles que je ne pouvais pas lui poser : « Est-ce que j'ai dit quelque chose qui t'a déçue, plombée ou fait te sentir seule ? À qui tu l'as raconté avant moi ? Est-ce que c'est ma faute, à cause du masque de dialyse ? »

Elle m'a expliqué qu'elle était déjà tombée amoureuse d'une certaine June avec qui elle avait partagé sa chambre au cours d'un programme d'été à Florence. Elles s'étaient embrassées toutes les nuits mais n'avaient jamais fait de topo là-dessus. J'ai essayé de me figurer June, mais la seule image qui m'est venue à l'esprit est celle d'un mannequin de couture fantomatique avec une perruque.

Le malaise que les secrets provoquent chez moi a tourné à la torture en attendant que Grace crache le morceau à mes parents. Je l'ai suppliée de passer aux aveux, pour son bien en sachant pertinemment que c'était pour le mien. Le schisme créé dans la famille du fait que je savais me tapait sur les nerfs. J'ai toujours été gênée par les non-dits et je n'ai jamais rien caché. Sauf que Grace n'était pas prête, malgré mes caresses dans le sens du poil et mes coups de pied sous la table. Je tenais ma langue, terrorisée à l'idée d'être atteinte du syndrome de la Tourette et de lâcher tout à trac : « Grace est homo ! »

Un matin, ma mère est sortie de sa chambre, les yeux creux, ébouriffée et toujours en peignoir.

— Je n'ai pas dormi de la nuit, m'a-t-elle dit d'un ton épuisé. Grace a un secret, je le sais.

J'ai failli m'étouffer.

— À ton avis, c'est quoi ?

— Elle traîne après le lycée, elle ne me répond pas quand je lui demande comment s'est passée sa journée. Elle a l'air dans la lune. Je pense - elle a avalé une gorgée de café d'un air chagrin -, je pense qu'elle a une liaison avec son prof de latin.

— Non, maman !

— Comment tu l'expliques autrement ?

— Réfléchis ! j'ai chuchoté. Réfléchis !

J'ai attendu mais pas assez pour qu'elle comprenne.

— Grace est homo !

Elle a versé plus de larmes que moi, comme un enfant surpris ou comme une mère qui s'est plantée dans les grandes largeurs.

Quelques années après son coming out, Grace a reconnu avoir inventé sa rencontre avec June, histoire de prouver au premier quidam en quête de confirmation qu'elle était bien homo. J'ai été soulagée qu'elle ne soit pas tombée amoureuse sans me le dire.

Grace est en train de passer son diplôme. Les quatre ans qui l'ont éloignée de la maison ont atténué son mystère et accentué la perception qu'elle a d'elle-même. Elle a émergé de sa chrysalide en adulte insolite, surprenante, avec un penchant pour les retraites dans sa tour d'ivoire, mais un rire irrésistible et toujours l'envie de faire la fête comme une folle. Et quand elle me chatouille, le contact de ses doigts glacés m'horripile - un retournement de situation que je n'aurais jamais envisagé. Quand elle écrit, ce qui est rare, sa tournure d'esprit, le fait qu'elle crée pour son plaisir et non pour être connue me rendent verte de jalousie.

Elle s'habille comme un voyou hawaïen, chemises floues imprimées, costumes informes et mocassins, ou pieds nus. Au chapitre cul, son approche est plus moderne que la mienne et comporte une dimension radicale que j'ai poursuivie de mes assiduités mais jamais trouvée. Elle se réveille avec des nœuds dans les cheveux et sort telle quelle, pour rentrer souvent à pas d'heure. Elle a un goût pour les femmes bizarres avec un nez fort, des yeux de poupée et la veine créatrice. Elle a un sens de la justice sociale chevillé au corps, sait dénicher les anachronismes et les contradictions. Elle est mince mais déteste les efforts physiques. Les mecs en sont dingues.

10 raisons pour lesquelles j'adore New York

Ta ville est bien... Mais la mienne est mieux

1. Parce que même si les histoires new-yorkaises commencent toujours par : « J'étais tranquillement en train de m'occuper de mes petites affaires... », tout le monde se mêle des affaires de tout le monde.
2. Parce que les règles sont en fait plutôt des suggestions.
3. Parce que New York ne s'arrête pas à Manhattan ni même à Brooklyn. Il faut compter avec Roosevelt Island, City Island et Rikers Island ! Vous saviez qu'une communauté de Staten Island a un cuisinier nain ? Qu'un chirurgien japonais vit avec sa femme aveugle dans un manoir colonial de Brooklyn ? Du moins, c'est ce qu'on raconte. Qu'à Chinatown, on peut acheter une tortue miniature atteinte de salmonellose, ultra-contagieuse, mais si mignonne qu'on a envie de prendre le risque.
4. J'ai une passion pour les chauffeurs de taxi. Je n'en démords pas, et ce depuis belle lurette : il n'existe pas sur cette planète de groupes d'humains plus marioles, plus éclectiques, plus excentriques que celui des hommes (et rares femmes) employés par la Taxi & Limousine Commission of New York. À la fin des années soixante-dix, mon père a été chauffeur de taxi pendant six mois, et jusqu'en sixième je continuais à raconter à mes copines que c'était son boulot.

5. Parce que tout le monde déteste les costards-cravates. Même ceux qui en portent.
6. Parce que, si je vois encore un film qui se targue d'être une « déclaration d'amour à New York » ou dont « New York est le troisième personnage principal », je peux tout péter. Et pourtant, je suis la première à reconnaître que rien n'est plus cinégénique qu'un coin de Manhattan en hiver ou le ferry pour Staten Island en plein mois d'août.
7. Parce que la pharmacie ouverte 24 h/24 h au croisement de Forty-eigth Street et Eighth Avenue, accepte de vous dépanner en Ritrovil à trois heures du mat, aussi facilement qu'on vous vendrait une bouteille de lait à Bethesda, Maryland, en plein après-midi.
8. Parce que les gens ont beau être malpolis, dans les cas graves, ils font mieux qu'être polis, ils sont gentils. On vous sert toujours un thé même s'il vous manque trois sous. On vous laisse prendre le taxi la première si vous pleurez. On se précipite à vos côtés quand vous prenez un gadin monumental en coinçant votre talon compensé dans un trou. On vous aide à attraper le lapin à oreilles tombantes mort de trouille qui squatte un parking de Dumbo depuis des semaines. On vous indique comment rentrer chez vous.
9. Parce que tout le monde se fait siffler. Et quand je dis tout le monde, c'est tout le monde. Pour peu qu'on soit dotée d'une fouffe, d'origine ou par choix, vous n'aurez pas fini d'entendre des « Hé, mademoiselle, t'es trop belle » ou « Vas-y, fais pas ta pute » ou « T'es mignonne, tu sais ». Des petits noms qui dénotent un bouillonnement créatif ! Une fois, ma sœur marchait dans une rue avec ses grosses lunettes cerclées de noir sur le nez quand un SDF lui a marmonné : « Vas-y, fais-moi ta geek. »

10. Parce que je suis née ici et que je connais New York sur le bout des ongles : je l'ai dans les tripes comme une maladie incurable. En marchant dans Soho ou dans Brooklyn Heights, il m'arrive d'être arrêtée net par une odeur, une odeur de renfermé. Prisonnière de cette odeur : me faire traîner de chez Balducci jusque chez moi par une chaude nuit d'été avec une ampoule au pied due à une chaussure en plastique, supplier à chaque pas de pouvoir prendre un taxi pour me rendre compte avec effarement que je suis quasi à destination puisque mon immeuble est en vue et que je suis toujours à pied. La vue ombragée de la fenêtre de la salle d'attente de ma dentiste, avant qu'elle me fourre ses gros doigts dans la bouche. Le trajet dans le camion d'un livreur de lait de soja le jour où il pleuvait des cordes et où on était à la bourre pour l'école, ce que ma mère persiste à nier. La ruelle où je regardais fumer des mecs d'un autre lycée. Moi en train de faire pipi dans des plantes vertes parce que mes parents sont en retard et que j'ai perdu mes clés. Découvrant que, pour une raison inconnue, j'ai de la terre qui a giclé jusqu'aux genoux. La fois où, le jour de mon anniversaire, le taxi que j'ai pris a renversé une vieille dame. Elle gisait sur le sol, ses dents en moins, et le chauffeur de taxi soutenait sa tête ensanglantée. Je me suis recroquevillée sur mon siège jusqu'à ce qu'un piéton prenne sur lui de dégager le taxi du croisement et me découvre au fond de mon siège. « C'est mon anniversaire », je lui ai dit d'une voix brisée. La fois où, en petite robe d'été, je promenais mon chien, quand j'ai croisé le regard d'un cycliste qui s'est emplafonné une voiture, et j'ai détalé. Chaque coin de rue m'évoque un souvenir. En ce sens, New York est pareil à n'importe quelle ville.

QUATRIÈME PARTIE

Le travail

Et vous trouvez ça marrant ?

Tirer le meilleur profit de ses études

Personne ne croit à cette histoire.

On était au printemps, j'étais en CE2 et je partais en classe verte pour trois jours, histoire de me former au travail en équipe, à l'écologie et à l'histoire dans un coin reculé du nord de l'État de New York. J'en étais malade depuis que, deux mois plus tôt, la nouvelle était tombée comme un couperet et que j'avais rapporté la demande d'autorisation à la maison, espérant secrètement que mes parents me la rendent avec ces mots : « Pas question ! Aucune de nos filles ne part batifoler dans les bois pendant trois jours ! Laissez tomber ! »

Je n'avais pas de copains. Que ce soit par choix ou non était une question à laquelle j'étais incapable de répondre, pas plus à moi qu'à mes parents qui, forcément, se faisaient du mouron. Quitter ma famille ne serait-ce qu'une journée me mettait en transe, et tous les jours j'appelais ma mère à l'heure du déjeuner, l'estomac noué quand je n'arrivais pas à la joindre. Ce qui m'aurait ravie, c'était d'apprendre que mes parents avaient décidé de me scolariser à la maison, de renoncer à tout simulacre de socialisation me concernant et de me laisser passer mes journées dans leurs ateliers respectifs, là où j'étais à ma place.

Franchement, dès le premier jour, je n'ai pas pu saquer l'école. Mon père adore raconter la réaction que j'ai eue après ma rentrée en maternelle.

— Alors, comment c'était ? a-t-il demandé.

— J'ai adoré. Mais je n'y retournerai pas, ai-je répondu en me laissant tomber sur la chaise devant mon bureau lilliputien.

Avec tact, il m'a expliqué que je n'avais pas le choix, l'école étant aux enfants ce que le travail était aux adultes : leur lot. Résultat, qu'il pleuve ou qu'il vente, je devais y aller tous les jours jusqu'à dix-huit ans, à moins d'être malade.

— Après quoi, m'a-t-il dit, tu pourras choisir ce que tu veux faire.

Dans treize ans ! Je ne me voyais pas endurer ce pensum treize minutes de plus, treize ans encore moins.

Et pourtant, me voilà en CE2, en route pour le nord de l'État dans un minibus de quinze places, assise à côté d'Amanda Dilauro qui me montre les trois cents photos de son chat Shadow. La première chose que j'ai faite en arrivant devant nos lits superposés, c'est poser mon sac à dos et dégobiller sur le matelas en plastique.

Les jours suivants, ce fut la farandole des activités. On a joué du tambourin, pesé les reliefs de notre repas avant de les balancer sur le tas du compost, transporté des œufs dans des gobelets capitonnés attachés autour de notre cou au bout d'une corde, en faisant comme si c'étaient nos petits bébés. Puis, avec le dernier jour, est arrivée la simulation du Chemin de fer clandestin.

C'est cet épisode qui rend tout un chacun incrédule.

— Aucun adulte ne ferait une chose pareille, dit mon auditoire. Tes souvenirs sont déformés.

Au contraire, je me rappelle l'affaire avec une précision diabolique. Les animateurs nous ont « enchaînés » les uns aux autres à l'aide de cordes pour nous transformer en « familles d'esclaves », puis ils nous ont relâchés dans les bois. On nous a donné une carte destinée à nous mettre sur la route de la « liberté » au « Nord », liberté qui se trouvait à quelques centaines de mètres mais semblait à perpète. Puis, dix minutes plus tard, un animateur, dans le rôle du chasseur de primes, a enfourché un cheval et s'est lancé à notre poursuite. En entendant le martèlement des sabots, je me suis accroupie derrière un rocher avec Jason Baujelais et Sari Brooker, en les suppliant de se tenir à carreau sinon on allait être faits prisonniers et « fouettés. » J'étais trop jeune, trop égocentrique et trop ignare pour me demander quel effet cette expérience avait sur mes camarades de classe noirs. Tout ce que je savais, c'est que j'étais au fond du seau. Le bruit des sabots s'est rapproché et Max Kitnick, qui s'était caché derrière un chêne et souffrait d'un léger asthme, a fait entendre sa respiration sifflante. « Tais-toi ! » a murmuré Jason, et j'ai su qu'on était fichus. Quand l'animateur a surgi, Sari s'est mise à chouiner.

De retour au camp de base, l'animateur devenu chasseur de primes redevenu animateur nous a raconté que d'innombrables Américains avaient emprunté le Chemin de fer clandestin et que beaucoup n'y avaient pas survécu. Histoire d'illustrer son propos, il a brandi un carton déroulant la chronologie de la guerre civile alors que, dans ma tête, tournait une unique pensée : c'est complètement idiot.

En quoi être attachés avec ses camarades de classe et poursuivis par un poney allait-il nous apprendre quelque chose ? Allait-on soudain compatir au sort des esclaves américains, être capables d'imaginer ce qu'ils avaient vécu ?

Un mois après la classe verte, Jason Baujelais, mon frère esclave, a été exclu pour avoir traité un camarade de nègre. Fiasco total de la classe verte.

Le CM2 était l'année charnière avant le collège et apportait avec lui toute une kyrielle de privilèges : cours facultatifs, les vendredis pizzas, les temps libres autorisés à la bibliothèque. Ma salle de classe de CM1 se trouvait en face de la salle du cours d'histoire des CM2. Et il arrivait que Nathan, le prof, laisse la porte ouverte et qu'on l'entende expliquer la Mésopotamie à des gamins de onze ans hilares. J'avais déjà aperçu Nathan. Il était la définition même du mot « dégingandé », il avait le cheveu rare et, au chapitre vestimentaire, il n'avait rien à envier à Bob Saget. Mais il n'en était pas moins primesautier, dans le sens où il n'hésitait pas à sautiller autour de sa salle en empruntant des voix rigolotes, comme celle de Dana Carvey, ma préférée, et à organiser le concours de celui qui dirait « genre » le moins souvent. Les CM2 l'adoraient.

Un jour, le hamster des CM1, Nina, a eu six petits. On aurait dit de la tomate écrasée, un avis que j'ai d'ailleurs partagé avec l'instit venue vérifier à ma demande dans la cage.

— Selon moi, elle a dégobillé des fraises.

Tous mes camarades se sont massés autour de la parturiente, mais dans l'après-midi ils avaient déjà perdu tout intérêt pour la chose. De mon côté, je développais une fixette sur la portée, et en particulier sur l'avorton du lot, une créature noir et blanc de la taille d'une fève, que j'ai baptisée Pepper. À mesure que Pepper grandissait, il est apparu évident que le malheureux était victime d'un petit problème de fond : il avait les pattes arrière jointes par une sorte de membrane qui avait tout du chewing-gum étiré au maximum. En raison de son infirmité, Pepper était obligé de se traîner sur les pattes avant et il arrivait souvent qu'il soit abandonné dans son coin. Kathy, notre instit, était inquiète : un jour ou l'autre, Pepper arriverait à la mangeoire après la bataille ou se ferait martyriser par ses frères et sœurs, voire pire. Nathan, m'a-t-elle dit, était expert en hamster. Il en avait quinze chez lui. Pourquoi ne pas emmener Pepper de l'autre côté du couloir en consultation chez Nathan.

Au déjeuner, Pepper dans une boîte à chaussures, j'ai traversé le couloir avec hésitation. Je me suis arrêtée sur le pas de la porte pour regarder Nathan, penché sur son bureau, devant un sandwich, une briquette de jus de fruits et un roman pour grandes personnes.

— Bonjour.

Nathan a levé les yeux.

— Bonjour.

Je lui ai fait un topo de la situation en butant sur chaque mot, soucieuse de lui faire comprendre la gravité du cas de Pepper et, en même temps, de ne rien perdre de la réalité d'une salle de classe de CM2. Il m'a fait signe de lui montrer la boîte, a regardé à l'intérieur, soulevé Pepper d'un geste sûr et l'a tenu par ses microscopiques dessous de bras pour examiner son arrière-train.

Il a sorti une paire de ciseaux à ongles du tiroir de son bureau et, devant mes yeux ébahis, il lui a séparé les pattes.

— C'est une femelle, m'a-t-il annoncé tandis que Pepper agitait ses membres tout juste libérés en poussant des petits cris. Elle va s'en tirer.

· ♀ ·

L'année d'après, quand j'ai eu Nathan comme prof, j'avais l'impression de le connaître. De son côté, il se comportait comme si moi aussi je ne lui étais pas étrangère. Et puis il a remarqué que j'adorais lire, écrire, interpréter des rôles et que je n'avais pas de copains. Il m'a proposé de déjeuner avec lui, pour que je n'aie pas à rester dans la cour avec ceux que je détestais, blottie dans un coin pour me réchauffer quand mes camarades plus sportifs transpiraient comme des veaux et retiraient leur pull. Nos déjeuners finissaient souvent en discussions à propos de livres, de rongeurs, des choses qui me faisaient peur. Il m'a raconté que sa femme était morte peu après avoir donné naissance à sa fille et qu'il s'était trouvé une autre femme, mais pas trop à son goût. D'après lui, c'était une galère de trouver quelqu'un avec qui passer autant de temps. Son énergie était sujette à variations. Certains jours, il était calme et rigolo. D'autres, agité, tendu, et n'arrêtant pas de s'enfiler du Nasonex dans les narines toutes les cinq secondes.

— Stupides allergies, disait-il.

Aucun instit ne s'était jamais adressé à moi de cette façon, comme à une personne dont les idées et les sentiments comptaient. Il n'était pas seulement gentil. Il me voyait telle que je me fantasmais : atrocement brillante, incomprise, une mine de nouvelles, de poèmes et de blagues qui faisaient mouche. Selon lui, les gosses avec des tonnes de copains devenaient des adultes insipides et les gosses intéressants n'avaient jamais la cote. Pour la première fois de ma vie, j'étais impatiente d'aller à l'école, d'entrer dans la classe, de croiser son regard et d'être certaine que je serais entendue.

Il m'appelait « Ma Lena », ce qui est devenu Malena. À un moment donné, il s'est mis à me caresser la nuque pendant les cours. Il dessinait un cœur au tableau chaque fois que je disais « genre », alors que les autres n'avaient droit qu'à un trait. J'étais terrorisée à l'idée de ce que mes camarades pensaient et folle de bonheur d'être l'élue. Un jour, il est venu en classe avec sa fille, qui a passé le déjeuner à siroter son jus de fruits, assise sur ses genoux, les jambes ballantes, les pieds qui raclaient le sol. Elle lui ressemblait comme deux gouttes d'eau mais avec des cheveux. J'avais envie de la buter.

Cet hiver-là, Jason Baujelais (manifestement pardonné d'avoir traité un camarade de nègre) est arrivé un matin en annonçant qu'il n'avait pas fait ses devoirs.

— C'est embêtant, a dit Nathan, les bras croisés.

— Vous n'obligez jamais Lena à faire les siens, a répliqué Jason.

Je me suis figée. Nathan s'est avancé vers moi et m'a demandé d'ouvrir mon sac à dos. J'ai tiré la fermeture Éclair, morte de trouille qu'il en tombe je ne sais quoi. Mon sac était bourré de devoirs inachevés, d'embryons de rédactions, qu'il avait cessé de me réclamer, sous prétexte qu'il préférait lire les histoires que j'écrivais.

— Tu as intérêt à finir tout ça pour demain, m'a-t-il dit.

J'avais ramassé un billet d'un dollar qui s'était échappé de mon sac et je le malaxais dans ma main moite. Il me l'a arraché.

— Tu pourras le récupérer à la fin du cours.

Une fois la classe désertée, je me suis avancée vers l'estrade.

— Je peux récupérer mon dollar ?

Il a souri et l'a glissé sous sa chemise.

— Bon, maintenant, je n'en veux plus, j'ai dit en gloussant, espérant faire baisser la tension.

Il me l'a lancé.

— Bon sang, Lena. Tu parles beaucoup, mais quand il s'agit de passer à l'action…

J'ai mis des années à comprendre l'intention derrière ses paroles, mais j'ai su tout de suite qu'elles ne me plaisaient pas. Je m'en suis ouverte à ma mère, qui est devenue blême comme si elle avait croisé une cohorte de fantômes.

— Vieux cochon ! s'est-elle exclamée en composant le numéro de mon père d'un doigt furieux. Viens tout de suite !

Le lendemain matin, elle est entrée au pas de charge dans l'école au lieu de me déposer au pied de l'escalier comme d'habitude. J'ai attendu devant le bureau de la directrice, d'où s'échappaient des bribes étouffées mais colériques de la diatribe de ma mère. Au bout d'un certain temps, elle est sortie comme une fusée, m'a prise par la main et m'a dit :

— Viens, on se tire d'ici.

Quinze ans plus tard, j'ai rencontré un homme dont la fille était dans la classe de Nathan dans une autre école d'un autre quartier.

— Vous devriez faire attention, j'ai suggéré, l'air de rien, m'efforçant de paraître plus détendue que je ne l'étais. Il a eu une conduite déplacée avec moi.

L'homme a pris un air outré.

— C'est une accusation très grave.

— Je sais, j'ai dit avant de filer aux toilettes pour éviter qu'il me voie pleurer.

Une fois de plus, on rappelait à mon mauvais souvenir qu'une ribambelle de choses utiles pouvaient aussi se révéler dangereuses : voitures, couteaux, adultes. On me rappelait que personne n'écoute vraiment les enfants.

En cinquième, j'ai changé d'école pour un établissement dont les valeurs étaient conformes aux miennes et, pendant six ans, aller en classe s'est révélé plus chouette que ça ne le serait jamais. J'écrivais des poèmes, des épopées interminables ponctuées de gros mots et d'allusions distraites au suicide, qui ne m'ont pas valu de convocation comminatoire chez la psy de l'école. (D'ailleurs, je doute qu'il y en ait eu une.) On montait des pièces de théâtre qui mettaient en scène des lesbiennes ou des éleveuses de chats, voire les deux. Nos profs nous entraînaient dans des discussions animées au cours desquelles ils n'hésitaient pas à avouer « Je ne sais pas » si tel était le cas. J'avais la permission de distribuer des tracts sur le veganisme dans l'escalier. J'ai eu un malentendu avec un prof qu'on a démêlé ensemble et notre conversation n'a rien eu d'incorrecte, elle était vraie.

Je n'étais pas une élève modèle – loin s'en faut. J'étais bourrée de médocs, sur les rotules, je me baladais en pyjama et chapeau vintage à voilette, je luttais pour ne pas m'endormir en cours d'histoire, je contestais l'autorité, j'avais le droit de venir avec mon toutou en cours de gym, mon meilleur ami jouait d'un didgeridoo acheté sur Internet, mais j'étais dans un environnement où les enfants étaient compris, respectés pour ce qu'ils avaient à offrir. C'était le meilleur cas de figure pour le pire des postulats : être obligé d'aller à l'école. Et, quand il a été temps de la quitter, je n'étais pas prête.

Je suis arrivée à Oberlin sur un nuage, transportée d'avoir été admise et prête à apprendre avec un grand A. Je trépignais d'impatience de devenir une star de la création littéraire et, en vue de mon entretien avec la chef du département, j'avais préparé une sélection de mes poèmes et nouvelles. Vêtue de velours sage, j'ai attendu devant la porte de son bureau pour en parler avec elle.

— Vous écrivez beaucoup, a-t-elle dit.

— Merci ! Oui, c'est vrai, tous les jours ! j'ai répondu, plus guillerette que si elle m'avait fait un énorme compliment au lieu d'énoncer un fait.

— Certains passages sont intéressants, mais vous n'avez pas de don particulier pour un genre quelconque. Les poèmes ressemblent à des nouvelles et les nouvelles à des pièces de théâtre.

J'ai acquiescé, style : « Bien vu, la taupe. »

— Oui ! J'écris aussi des pièces.

— Quant à cette histoire de simulation du Chemin de fer clandestin, elle a tout de la caricature. On la croirait tirée de *The Onion*. C'est un peu gros, trop évident.

— Mais ça m'est vraiment arrivé, est tout ce que j'ai réussi à lui opposer.

Elle a hoché la tête, pas ébranlée pour un sou.

J'ai été acceptée dans le département, mais avec des réserves, et la colère que j'ai ressentie à l'issue de cet échange succinct s'est transformée en combustible. Je suis devenue la fille la plus pugnace de tous les ateliers d'écriture. Celle qui barrait d'un grand trait des phrases entières du travail d'un type qui se trouvait devant elle. Celle qui braillait des « Et si tout ça, c'étaient que des conneries ? » toujours utiles. J'avais supplié qu'on me laisse en être et je n'avais qu'une envie, m'en extraire. Mais, en premier lieu, j'allais mettre le nez des profs dans leur popo, leur montrer les dommages qu'ils causaient en nous vidant de nos horizons perso, en nous enseignant à écrire comme leurs poètes préférés – voire pire, comme eux. Trois seulement trouvaient grâce à mes yeux. Le premier parce qu'il avait d'autres centres d'intérêt, le deuxième parce qu'il fumait et jurait comme un charretier et enfin le troisième parce que son ex-femme avait écrit un bouquin sur l'incartade dont il s'était rendu coupable avec une prof de français et qui s'était vendu comme des petits pains. Il vivait désormais avec une autre prof de français et portait un diamant à l'oreille, pas plus ému que ça.

Mes parents aussi s'étaient rebellés contre l'autorité. En CE 1, ma mère avait été virée de l'école pour avoir tenté de pousser ses camarades à enfreindre le règlement en portant un pantalon. Elle trouvait ses profs non seulement ennuyeux à mourir mais également rebutants, surtout ceux qui faisaient mine d'adopter la contre-culture. Elle n'était pas dupe de leurs cheveux longs séparés par une raie au milieu, de leurs colliers d'ambre et des « vibrations » dont ils émaillaient leurs propos. Encore aujourd'hui, maintenant qu'elle est prof à temps partiel, l'idée qu'on lui impose ce qu'elle doit penser ou dire la met hors d'elle. Vous ne la verrez jamais faire copain-copain avec ses étudiants et elle serait révoltée qu'on l'imagine jouant les « profs cool ». « Rien n'est plus dégoûtant qu'être la plus vieille dame de la fête », se plaît-elle à dire.

De son côté, mon père a commencé sa scolarité dans le rôle de l'exemple à suivre pour ses camarades de classe du collège public de Southbury, Connecticut. Chef de classe, président du club de lecture, en cravate et souriant de toutes ses dents sur la photo du meilleur élève du mois apposée sur le panneau d'affichage. Mais, comme tous les mâles de sa famille, il a fini par être expédié en pension. À son retour à Andover, il avait quinze ans, les cheveux hirsutes, et il refusait d'aller à l'église, quand ce n'était pas en cours. Quand j'ai lu *L'Attrape-cœur*, tout m'a semblé familier, j'avais l'impression d'une suite aux histoires que mon père racontait au cours des longs voyages en voiture. Sa trajectoire qui l'avait vu passer de symbole de l'excellence scolaire à bon à rien était un classique du genre, mais d'une grande puissance. J'étais fière comme un pou en imaginant le moment où il avait pigé qu'il se fourvoyait et avait eu le courage de refuser d'être entraîné par le courant. Une fois où il avait séché les cours pour aller se balader dans les bois, il a marché sur une mare gelée, la glace s'est brisée et il est tombé dans l'eau glacée. Il s'est débattu comme un beau diable, la peur au ventre, a réussi à s'agripper au bord et à se hisser à la surface. Trempé, il a couru comme un dératé se mettre au chaud dans son dortoir. Mais toute sa vie avait défilé devant ses yeux. Il aurait pu mourir. Personne ne savait où il était, quand même.

J'ai eu de brèves velléités d'être l'étudiante modèle. Arrivant tôt à mon séminaire, armée d'une tasse de thé, prenant des notes pertinentes avec un porte-mine, serrant mes livres sur mon cœur comme le personnage féminin d'un film sur le Radcliffe College. J'adorais faire mon appliquée – la facilité du truc, la netteté de mes objectifs, qui se résumaient à comprendre et à exprimer cette compréhension.

Mais, comme de juste, je ne m'y suis pas tenue. Un mois après le début du semestre, j'arrivais à nouveau avec vingt minutes de retard en cours, un paquet de chips au fromage dans une main et un bol de semoule de maïs froide dans l'autre, sans mon carnet de notes, oublié dans ma chambre. Les récompenses ne suffisaient pas à me booster et puis la vie venait se mettre en travers. Je rêvassais à l'avenir, à l'après-fac, quand moi seule déciderais de mon emploi du temps, lequel s'organiserait autour de ma nécessité de manger quelque chose de calorique toutes les cinq ou quinze minutes. Quant à la déception que je lisais sur le visage du prof, je m'en contretamponnais.

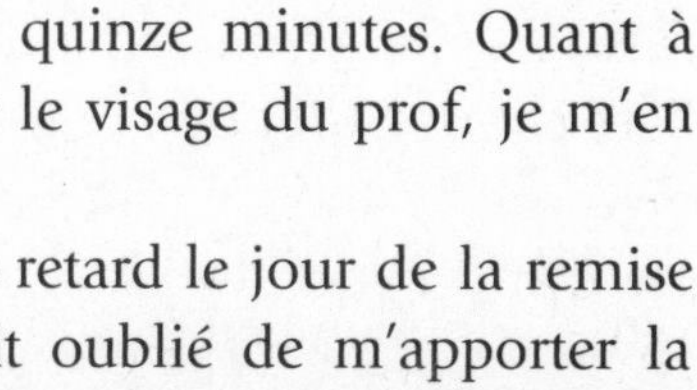

J'avais un quart d'heure de retard le jour de la remise des diplômes. Ma mère avait oublié de m'apporter la robe en soie pêche que j'avais prévu de porter et j'ai donc acheté un sari vintage. Les cheveux en choucroute, je suis sortie du bâtiment avec mes camarades pour rejoindre le centre de Tappan Square où on a attendu que la musique démarre. Mon petit copain, déjà diplômé, était allongé dans l'herbe. Mon père se demandait pourquoi il avait pris la peine de mettre un costume. Deux choix s'offraient à nous : contourner l'arche de Tappan Square afin de protester contre les missionnaires impérialistes qui l'avaient érigé ou passer dessous (ça, c'était pour ceux qui n'étaient pas au courant ou s'en fichaient). Je ne me rappelle pas l'option que j'ai prise. En revanche, je me souviens très bien d'avoir été sidérée en ne m'étant pas aperçue que la joueuse de hautbois dans le rang devant moi était enceinte. En avançant sur la pelouse, j'ai salué les profs d'un signe de tête, tous sur leur trente et un, en costume tout droit sorti de Poudlard, pour la dixième, treizième, quinzième année d'affilée. « Rendez-vous dans dix ans, bande d'enfoirés ! »

Je reviens à Oberlin en plein hiver donner une conférence dans Finney Chapel, le plus grand et le plus ancien des bâtiments du campus. Clin d'œil à ma vie d'étudiante, j'oublie de mettre des collants et des sous-vêtements dans ma valise, ce qui m'oblige à passer le week-end à poil sous ma jupe en laine et mes chaussettes montantes. Une fille qui n'a même pas fait ses études à Oberlin me sert de guide comme si je n'avais jamais mis les pieds ici. On s'arrête dans un nouveau café chic pour boire un thé et manger des scones. Elle me propose de me faire visiter les dortoirs – non merci, vieille, j'ai envie de me balader toute seule et, si ça se trouve, de chouiner un peu.

Je n'en reviens pas que ça fasse déjà six ans que j'ai eu mon diplôme. Les gens plus âgés se gaussent de mon innocence – six ans dans une vie, c'est rien, disent-ils. Sauf que je suis partie d'Oberlin depuis plus longtemps que je n'y suis restée. Dans moins de deux, mes années de fac seront reléguées au fin fond du même trou que mes colos.

Je descends au sous-sol de Burton Hall où une séance de questions-réponses a été organisée avec des étudiants journalistes réunis autour de moi un peu n'importe comment. Je n'oublie pas de croiser les jambes, histoire d'éviter les gros titres : UNE ANCIENNE ÉLÈVE EXHIBE SA FOUFFE ! La plupart posent des questions gentilles et sans enjeu : « À votre avis, quel est le plus bel endroit d'Oberlin ? » « Si vous pouviez à nouveau suivre un cours, lequel choisiriez-vous ? » D'autres sont plus mordants et cherchent le scoop : « Ça vous fait quel effet d'exploiter les histoires d'esclavagisme de tant d'autres gens ? »

Je n'ai pas la bonne réponse. Je regarde mon auditoire en quête d'un visage compatissant avant de marmonner :

— Je ne suis pas la pire.

Une étudiante m'avertit qu'une manifestation est prévue le soir même devant Finney Chapel où se tient ma conférence, mais elle est incapable de m'en donner le motif. Ça me rappelle la fois où j'avais participé à une grève-surprise ; je m'étais levée et j'avais quitté le cours d'histoire en espérant que quelqu'un m'explique où on allait et pour quelle raison.

Sur l'estrade de Finney Chapel, je sens l'adrénaline monter, j'ai l'impression d'être une débutante, comme si j'avais quelque chose à prouver et aucune énergie pour le faire. Je me suis fait des tresses et je les sens se défaire, doucement mais sûrement, en touffes humides dans ma nuque. Un prof adulé me pose des questions sérieuses auxquelles je m'efforce de répondre du mieux que je peux, à l'aide de phrases toutes faites qui m'avaient bien dépannée autrefois.

— Il est de mon devoir de soulever la polémique qui entoure vos films, dit-il.

— Je vous en prie, soulevez !

Je voudrais m'exprimer avec calme, mais c'est un cri strident qui sort de ma bouche.

— Soulevez donc et dites à ces manifestants de nous rejoindre et on discutera en adultes, et non en tarés armés de pancartes ! On parlera et on trouvera une solution ! Parce que, à la fin de la journée, on sera tous en pétard pour la même raison : être obligés d'aller en cours !

Il me regarde d'un air ahuri. Les étudiants se trémoussent sur leurs sièges, mal à l'aise ou perdus, ou les deux. En un clin d'œil, je pige qu'il n'y a pas de manifestants et sans doute qu'il n'y en a jamais eu. Si tant est qu'une manif ait été prévue, elle a été annulée. Restent moi, eux, nous.

Le lendemain matin, je pars à huit heures. Je traverse en voiture la ville enneigée, mes souvenirs me reviennent en pleine poire. Moi en doudoune, arrivant un mardi en cours avec vingt minutes de retard. Moi dans ce qui était le magasin vidéo, les bras chargés de VHS. Moi commandant non pas un mais deux sandwichs aux œufs à la cafète. Moi dans la salle de gym, pédalant sur un vélo datant du siècle dernier, un bouquin qui s'appelle *Le Viol en Bosnie* posé sur le guidon.

Moi torchée un soir de printemps, arrachant mon tampon avant de le balancer dans un buisson devant l'église. Moi tombant amoureuse à côté du râtelier à vélos. Moi me rendant compte qu'on m'a volé mon vélo à ce même râtelier pendant que je dormais. Moi appelant mon père sur les marches du musée d'art. Moi écoutant d'une oreille distraite le prof me conseiller de venir en cours plus régulièrement. Moi encore en train de traîner un canapé défoncé dans la salle réservée au théâtre expérimental avec mon « chef déco ».

Si j'avais su à quel point ces sensations me manqueraient, j'aurais peut-être vécu ces moments différemment, j'aurais reconnu leur prestige râpé, respecté le compte à rebours qui définit cette expérience tout entière. J'aurais mis de côté mes rancœurs, laissé tomber mes défenses. Va savoir si je n'aurais pas été capable de comprendre un peu d'histoire européenne et d'économie. D'une manière plus abstraite, il n'est pas impossible que je me sois vraiment sentie faisant partie du tout, l'esprit ouvert, perméable, avide d'apprendre. Car être étudiante était un statut enviable auquel je ne pourrai plus prétendre, ou alors super-vioque et en suivant des cours de reliure dans un IUT.

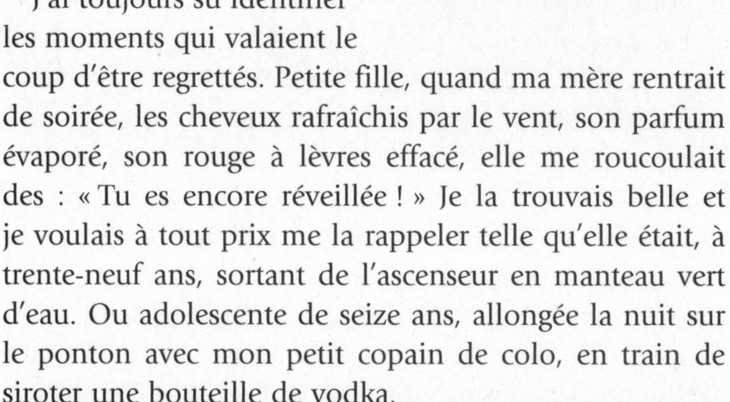

J'ai toujours su identifier les moments qui valaient le coup d'être regrettés. Petite fille, quand ma mère rentrait de soirée, les cheveux rafraîchis par le vent, son parfum évaporé, son rouge à lèvres effacé, elle me roucoulait des : « Tu es encore réveillée ! » Je la trouvais belle et je voulais à tout prix me la rappeler telle qu'elle était, à trente-neuf ans, sortant de l'ascenseur en manteau vert d'eau. Ou adolescente de seize ans, allongée la nuit sur le ponton avec mon petit copain de colo, en train de siroter une bouteille de vodka.

Mais l'école a toujours été un repoussoir qui se caractérisait par le désir d'en finir. Ce qui explique en partie que ce soit si douloureux d'y revenir.

Je ne me suis pas enivrée de salles de classe. Je n'ai pas pris de notes susceptibles d'être relues, ni dansé toute la nuit. Je pensais que j'allais me marier avec mon petit copain, vieillir et me lasser de lui. Je pensais que j'allais garder mes amis et nous construire d'autres souvenirs. Rien de tout ça n'est arrivé. Des choses meilleures se sont produites. Alors pourquoi suis-je si triste ?

Des petits gants en cuir

Le bonheur de perdre son temps

I remember when my schedule was as flexible as she is.

Drake

J'ai travaillé neuf mois dans un magasin pour enfants.

Mon diplôme en poche depuis peu, j'avais claqué la porte de mon boulot au restaurant sur un coup de tête, ce qui m'avait valu une admonestation de mon père.

— Ça ne se fait pas ! Et si tu avais eu des enfants ? a-t-il hurlé.

— Une chance, je n'en ai pas, j'avais rétorqué sur le même ton.

À l'époque, je dormais dans un placard amélioré au

bout du loft de mes parents, une pièce qu'ils m'avaient attribuée, pensant qu'après mes études je prendrais la tangente comme le voulait l'évolution normale d'un individu. Ma « chambre » était aveugle et, pour entrevoir la lumière du jour, je devais faire coulisser ma porte qui donnait sur les appartements vastes et lumineux de ma sœur.

— Va-t'en ! me crachait-elle.

J'étais au chômage. En dépit du gîte (celui de mes parents) et du couvert (en théorie le leur aussi) dont je bénéficiais, mes journées étaient informes et la déception de ceux qui m'aimaient (mes parents) tangible. Je dormais jusqu'à midi, je me hérissais quand on me demandait quels étaient mes projets et je grossissais à vue d'œil, comme si faire du gras était une profession stable. Je devenais le genre d'adulte que les parents regrettent d'avoir conçu.

Jadis, j'avais de l'ambition. En fac, mes occupations se limitaient à trouver des magazines littéraires avec des noms improbables, mettre en scène des pièces avant-gardistes et faire partie d'une équipe (de rugby, même si ce n'était qu'un jour ou deux). J'étais passionnée, j'avais soif de nouvelles formes artistiques, de nouveaux amis, de parties de jambes en l'air. Malgré le sentiment ambivalent que je nourrissais à l'endroit des études, je reconnaissais que la fac était un boulot en or, des milliers d'heures consacrées à se bichonner comme un jardin. Mais j'étais revenue à la case départ. Plus de notes, plus de semestres, plus d'antisèches pour les cas d'urgence. J'étais à la rue.

Je ne manquais pas de projets. J'en débordais. Mais pas de ceux que les esprits chagrins peuvent comprendre. J'ai d'abord envisagé d'être l'assistante d'un détective privé. On m'accusait toujours de fouiner partout, pourquoi ne pas transformer ce défaut en espèces sonnantes et trébuchantes ? Après avoir écumé les sites de petites annonces, je n'ai pas mis longtemps à piger que les détectives travaillaient en solo – ou si d'aventure le besoin d'une assistante se faisait sentir, ils s'orientaient plutôt vers une bombe susceptible d'appâter les maris infidèles. Ensuite, j'ai pensé devenir boulangère. Après tout, j'adorais le pain et tous les trucs à base de pain. Sauf que non, être boulangère exigeait de se réveiller à quatre heures du mat et de savoir faire du pain. Et pourquoi pas prof d'art dans une école maternelle ? Il se trouve que la seule passion pour les colliers de nouilles ne suffisait pas. Aucun boulot de comédie romantique ne m'attendait nulle part.

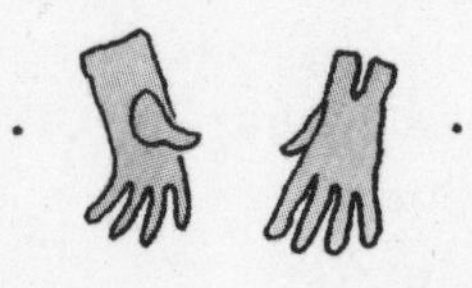

Le seul point positif de ma situation était qu'elle m'a permis de renouer avec mes vieilles copines, Isabel et Joana. On était toutes de retour à Tribeca, le quartier où on s'était rencontrées à la maternelle. Isabel terminait ses études d'architecture et vivait avec un carlin cacochyme, nommé Hamlet, qui s'était fait écrabouiller la tête par un camion mais avait survécu. Joana venait de terminer son école d'art et arborait les joyeux vestiges d'une coupe mulet décolorée. Je venais de larguer mon petit copain hippie qui était censé me servir de guide sur la voie de la salubrité et de la prospérité, et je montais un « long métrage » sur mon ordinateur portable. Isabel occupait l'ancien atelier de son père qu'elle avait décoré avec des objets trouvés, des portants de déguisements pour Halloween et une télé des années quatre-vingt-dix. Quand on s'est retrouvées toutes les trois pour se raconter nos vies, les ongles de Joana décorés de feuilles de marijuana et de tableaux de Monet, je me suis sentie en paix.

Isabel travaillait chez Peach & The Babke, un magasin de fringues pour enfants ultra-chic de notre quartier. Isabel est une excentrique pur jus – non qu'elle soit du genre complexée qui collectionne les plumes et les boules à neige, mais disons qu'au chapitre « Passions et Préférences », elle n'est pas tout à fait raccord avec le reste du monde. Au point de devenir elle-même un objet de curiosité. Un jour, Isabel est entrée dans la boutique suite à un pari : demander du boulot. À ses yeux, vendeuse chez Peach & The Babke constituait le gagne-pain le plus risible de la terre. En chaussettes hautes et chemise d'homme en lieu et place d'une robe, quelle ne fut pas sa consternation de se voir proposer illico un emploi. Quelque temps plus tard, Joana lui a emboîté le pas quand la folie des soldes annuels a nécessité du personnel supplémentaire.

— On se marre comme des folles, a dit Isabel.

— C'est super-facile, a renchéri Joana.

Peach & The Babke vendait des fringues à un tel prix que les clients se tordaient de rire en lisant les étiquettes. Cardigans en cachemire, tutus effilochés, velours à fines rayures, du six mois au huit ans. Si vous aviez envie que votre gamine ait l'air de sortir d'une photo de Dorothea Lange ou que votre gamin ressemble à un conducteur de train jovial du temps jadis, tout en salopette surdimensionnée et casquette de laine narquoise, vous étiez pile-poil au bon endroit. Ce serait un miracle qu'un de ces bambins sorte de l'enfance en étant capable de garder la gaule.

À l'heure du déjeuner, il nous arrivait souvent de rejoindre Isabel au Pecan, un café du quartier où, avec notre babil incessant – et cochon –, on dérangeait les yuppies penchés sur leurs ordinateurs portables.

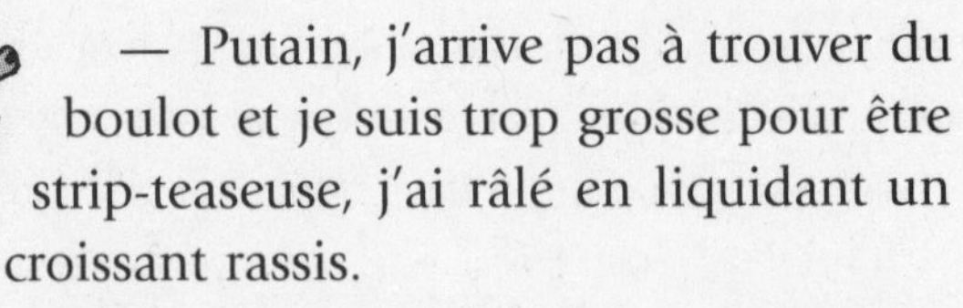

— Putain, j'arrive pas à trouver du boulot et je suis trop grosse pour être strip-teaseuse, j'ai râlé en liquidant un croissant rassis.

Isabel s'est immobilisée comme pour réfléchir à un théorème un peu coton, puis son visage s'est illuminé.

— On a besoin d'une autre vendeuse chez Peach ! Je te jure !

Marrade garantie, selon elle. Le magasin serait notre club-house secret.

— Tu peux embarquer des tonnes de rubans !

Le travail était d'une facilité déconcertante. Il suffisait de plier, d'emballer et de pourvoir aux désirs des people.

— C'était notre boulot quand on était petites, faire les gentilles devant les collectionneurs pour que nos parents puissent payer notre scolarité. Tu vas assurer comme une bête, m'a dit Isabel.

Le lendemain, je me suis pointée au magasin avec mon CV pour rencontrer Phoebe, la responsable aux airs d'écolière déprimée alors qu'elle avait trente-deux ans, ce qui, soit dit en passant, n'avait pas l'air de la réjouir. Elle avait la beauté des femmes du XIXe siècle, un visage rond et pâle, des paupières lourdes et une bouche en bouton de rose. Elle s'est essuyé les mains sur son tablier écossais.

— Pourquoi avez-vous quitté votre travail ? a-t-elle demandé.

— J'étais en train de conclure avec un mec à la cuisine quand la chef pâtissière s'est conduite comme une vraie salope, ai-je expliqué.

— Je vous paye cent dollars par jour en liquide, a-t-elle annoncé.

— Ça me paraît bien, j'ai répondu, ivre de joie intérieure à l'idée de toucher ce salaire et de passer mon temps avec mes plus vieilles et plus délirantes copines.

— J'offre également le déjeuner, a précisé Phoebe.

— Le déjeuner est à se rouler par terre ! est intervenue Isabel en disposant dans la vitrine, à côté d'un appareil photo ancien cassé (prix sur demande), une paire de gants en cuir taille rikiki vendue au prix modique de cent cinquante-cinq dollars.

— J'en suis, ai-je dit.

Pour des raisons que je ne comprendrai jamais mais ne fouillerai pas, Phoebe m'a tendu vingt-cinq dollars en rémunération de notre entretien.

Et c'est ainsi que Peach & The Babke est devenu la boutique au personnel le plus incompétent du monde.

Les journées au magasin se déroulaient toujours selon le même rythme. Avec une seule vitrine, il était difficile de se rendre compte du temps qui passait. La vie s'est transformée en un conglomérat immobile, sinon agréable, de risotto et de salopettes naines. Mais je me fais fort de reconstruire ici notre emploi du temps :

10 h 10 : passer la porte avec un café à la main. De bonne humeur, vous en apportez un à Phoebe. « Excuse-moi, je suis en retard », vous dites en jetant votre manteau par terre.

10 h 40 : direction l'arrière-boutique pour plier sans se presser quelques leggings pour bébés en coton pima (de 55 à 65 $) et pulls torsadés à col roulé (175 $).

10 h 50 : vous vous détournez de votre tâche en racontant à Joana ce SDF que vous avez vu avec une essoreuse à salade sur la tête en guise de chapeau.

11 h 10 : le premier client fait retentir la sonnette. Ou il est gelé et a envie de jeter un coup d'œil avant son prochain rendez-vous ou il est blindé et sur le point d'acheter pour cinq mille dollars de cadeaux à ses nièces. Joana et vous faites de votre mieux pour emballer et calculer la TVA, mais une majoration malencontreuse de cinq cents dollars est à craindre.

11 h 15 : où on commence à parler du déjeuner. De l'envie ou non de passer à table. Du fait que ce sera délicieux quand vos papilles seront enfin en contact avec la nourriture. Ou au contraire que vous n'avez pas la tête aux bonnes choses ces jours-ci.

11 h 25 : coup de fil au bistrot pour commander.

12 h 00 : arrivée d'Isabel. Elle bénéficie de l'emploi du temps dit : « horaires de princesse ». Quand on demande la même faveur à Phoebe, elle répond que celle-ci est justement réservée aux princesses.

12 h 30 : pause déjeuner : entrée, plat, dessert. Vous laissez Phoebe goûter votre couscous, c'est le moins que vous puissiez faire. Vous partagez votre baguette avec Isabel contre la moitié de sa soupe de butternut. Vous vous tapez un pot de ricotta, histoire de vous achever.

13 h 00 : Joana part chez son psy.

13 h 30 : le livreur de chez UPS décharge des cartons de poupées en chiffons fabriquées dans des rideaux anciens (320 $). Vous lui demandez des nouvelles de son fils. UPS junior est en prison.

14 h 00 : Isabel part chez son psy.

14 h 30 : Meg Ryan entre, coiffée d'un immense chapeau. N'achète rien.

15 h 00 : Phoebe vous demande de lui masser le cuir chevelu. Allongée sur le tapis de l'arrière-boutique, elle grogne de plaisir. Un client fait retentir la sonnette.

Phoebe n'en tient pas compte et, une fois le massage terminé, elle vous envoie chercher des cappuccinos et des brownies.

16 h 00 : vous partez chez le psy après avoir perçu vos cent dollars.

18 h 00 : c'est l'heure à laquelle la journée de travail était censée se terminer, mais vous êtes déjà rentrée, à moitié endormie, en attendant que Jeff Ruiz ait fini de tailler des haies et vous retrouve sur le toit de son immeuble pour boire des bières et se tripoter mutuellement. En neuf mois, Phoebe ne vous souffle dans les bronches qu'une fois en raison de votre manque notoire d'assiduité. Après quoi, elle culpabilise à mort et file en face vous acheter une bougie parfumée.

Phoebe tenait le magasin avec sa mère, Linda. Cela dit, Linda passait les trois quarts de son temps en Pennsylvanie ou, si elle était à New York, restait dans son appartement à fumer et à manger des pop-corn dans un grand saladier en métal. Autant Phoebe était prévenante et torturée, autant sa mère était déchaînée au point d'avoir les cheveux dressés sur la tête. Phoebe était responsable du côté pratique de l'affaire, quand Linda était aux manettes de la conception. Elle inventait des modèles fantastiques qu'elle préférait créer en agitant des rubans et des bouts de papier plutôt qu'en les dessinant ; surgissaient alors les contours d'un pull ou d'un tutu. Les engueulades entre Phoebe et Linda tournaient souvent au vinaigre. Les motifs variaient des petits problèmes de boulot aux gros problèmes de fond.

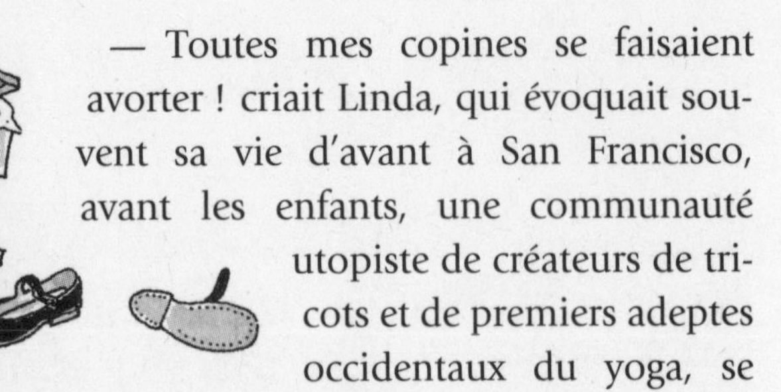

— Toutes mes copines se faisaient avorter ! criait Linda, qui évoquait souvent sa vie d'avant à San Francisco, avant les enfants, une communauté utopiste de créateurs de tricots et de premiers adeptes occidentaux du yoga, se soutenant et s'inspirant mutuellement. L'argent coulait à flots et on s'envoyait en l'air à gogo.

Pendant leurs engueulades, Isabel et moi (ou Joana et moi, on travaillait rarement toutes les trois ensemble) échangions des regards pleins d'inquiétude qu'on chassait d'un haussement d'épaules avant d'essayer toutes les robes en taille huit ans qui nous passaient entre les mains et dont l'ourlet arrivait pile-poil au ras de la touffe (c'est-à-dire : pile-poil la bonne longueur). Une autre de nos distractions préférées consistait à se couvrir la tête de barrettes en lapin (16 $) ou à s'attacher les unes aux autres avec des rubans comme dans une parodie de photo d'Helmut Newton.

Il m'arrivait de trouver Phoebe en larmes à côté de la clim, la tête penchée au-dessus des factures éparpillées sur son bureau où trônait son vieux PC. La crise battait son plein, et en période de dèche les fringues pour gosses dispendieuses étaient le premier poste qui sautait. La tristesse s'abattait sur nous quand la carte de crédit d'un pape du hip-hop était refusée, un signe indéniable de déclin pour Peach & The Babke – et pour le monde.

Chaque jour, on espérait une grosse vente, et chaque jour on voyait le front de Phoebe se creuser davantage quand elle parcourait ses livres de comptes, et chaque jour on rentrait chez nous avec notre billet de cent dollars sans état d'âme.

Le boulot nous laissait tout loisir de faire des rencontres. Ensemble, on découvrait notre New York, qui ressemblait bigrement au New York de nos parents. On squattait les vernissages pour boire à l'œil et les repas de Noël pour la bouffe gratis, après quoi on se tirait pour aller fumer de l'herbe sur le canapé d'Isabel et regarder des redifs de *Seinfeld*. On se pointait à des fêtes où on n'était pas invitées, on mettait des jupes comme des hauts et des collants comme des pantalons. On partageait un plat de spaghettis à la bolognaise dans un resto chic plutôt qu'un repas complet dans un endroit pas folichon. Il ne se passait pas une soirée de bamboche sans que, à un moment donné, je prenne un peu de recul pour me dire : « Yes ! Être jeune, ça doit être ça. »

La dernière année de fac, j'étais affreusement pessimiste, j'avais l'impression que plus rien ne serait jamais simple. Mais regardez, regardez ce qu'on avait déniché ! Ça roulait pour nous et ce, grâce à nos sous, nos paquets-cadeaux mal emballés, nos cheveux cramés par la teinture et nos plats trop cuisinés. Tout était auréolé d'un brouillard romantique : avoir un bouton, manger un doughnut, avoir froid. Rien n'était grave et tout était prétexte à se gondoler. J'avais attendu un long moment pour être une femme, pour m'aventurer hors du nid familial, et maintenant j'étais une bête de sexe, je me suis même tapé deux mecs en une semaine et je l'ai crié sur les toits comme une divorcée revenant aux affaires. Un jour, je suis rentrée d'une soirée avec de la boue jusqu'aux genoux et Isabel, qui me regardait me rincer dans la douche, m'a dit :

— Tu as intérêt à nettoyer, espèce de dégoûtante !

Je ne savais pas comment l'exprimer, mais j'étais heureuse, heureuse de faire des paquets-cadeaux, de satisfaire une tripotée de femmes de banquiers et de fermer le magasin avec une clé rouillée quelques minutes avant l'heure officielle. Heureuse de me montrer un brin condescendante avec les détenteurs de cartes platinum, me délectant de mon statut de vendeuse plus finaude qu'elle voulait le montrer. On restait dans notre grotte à regarder Tribeca par la vitrine et, le week-end, on se baladait sur la Douzième Avenue en robe rouge, descendant bière sur bière, prêtes à s'envoyer en l'air, à en découdre et à s'endormir en tas les unes sur les autres.

Sauf que l'ambition est un drôle d'oiseau, qui se faufile au moment où on s'y attend le moins et continue de vous faire avancer, même quand on croit vouloir rester immobile. Faire des choses me manquait, le sens qu'elles donnent à cette longue marche qu'on nomme la vie me manquait. Un soir qu'on se préparait à aller à une fête où personne ne nous attendait, j'ai eu une illumination (une autre) : voilà de la matière ! Pourquoi ne pas raconter ça au lieu de se contenter de le vivre ? L'histoire de gamines issues du monde de l'art qui essaient (en vain) d'égaler la réussite de leurs parents, sans idée précise sur leurs propres passions, mais certaines de vouloir la gloire. Pourquoi ne pas réaliser une web série (à l'époque, les web séries étaient en passe de remplacer le cinéma, la télévision, la radio et la littérature) avec des personnages plus pitoyables qu'on ne l'était ?

On n'est jamais allées à cette fameuse fête. On a commandé des pizzas et, lovées dans nos fauteuils, on a pitché des noms, des décors, des intrigues toute la nuit. On a fait une descente dans l'armoire d'Isabel pour dégoter des costumes plausibles (une robe de danseuse de charleston en perles, un chapeau de la police montée), et Joana a inventé la coiffure qui allait devenir la marque de fabrique de son personnage (une choucroute enroulée autour d'une bouteille de shampoing pour le volume). C'est ainsi que, grâce aux subsides de Peach & The Babke, on a créé quelque chose qui reflétait l'énergie démente du moment.

La série s'appelait *Delusional Downtown Divas*, un titre qu'on détestait toutes mais impossible à surpasser. Isabel interprétait AgNess, une apprentie femme d'affaires qui craquait sur les gros bonnets. Joana était l'énigmatique Swann, une artiste confidentielle, experte en installations. Mon personnage, Oona Winegrod, était une romancière en herbe qui n'avait jamais écrit une ligne. Les trois flashaient sur le même jeune peintre, Jake Pheasant. On a tourné dix épisodes, dans la plupart desquels des amis de nos parents faisaient une apparition, pour aider les gamines qu'on était toujours à leurs yeux à faire leur adorable devoir de classe.

En regardant les vidéos aujourd'hui, je me rends compte qu'elles laissent à désirer. Son numérique qui beugle, mouvements de caméra chaotiques, nous traversant l'écran dans des costumes approximatifs, mortes de rire à nos propres blagues, scotchées par l'inventivité de nos dialogues tels que : « Je sais qu'on peut intégrer le collectif artistique féministe, il suffit qu'on s'y colle et on sera enfin à la colle ! » – des dialogues un peu trop vrais pour être parodiques.

La première fois que j'ai montré la série à mon père

sur la table de la salle à manger, il a pris son temps pour boire une gorgée de thé, puis il m'a demandé :

— Pourquoi fallait-il que tu fasses un truc pareil ?

Certes, c'était réalisé à la truelle, ça puait l'amateurisme et c'était un brin vulgaire. Ça manquait de dramaturgie et d'élégance cinématographique. Mais à revoir la série aujourd'hui, le vertige est palpable, la joie de créer dont on faisait toutes l'expérience, celle cathartique de reconnaître notre situation. Tout ça déborde de l'écran. C'est loufoque, évident et auto-défoncé, mais ça existe. C'est un pas en avant.

Les gens qui n'étaient pas mon père ont bien aimé et on a été invitées à présenter la série dans une petite galerie de Greene Street dans Soho. Histoire de rester résolument ancrées dans le concept, on a décidé de reconstituer le décor de l'appartement d'Isabel dans la galerie. On a trimballé toutes nos affaires de l'autre côté de Canal Street, y compris un tapis de course, le canapé d'Isabel et autres objets du patrimoine familial. On a passé des nuits à décorer l'espace avec amour et j'ai tenu à mettre une salopette de peintre, afin de parfaire ma nouvelle identité d'artiste véritable.

La soirée de notre « vernissage » figure parmi les plus hallucinantes que j'aie vécues : au moment où je suis arrivée (en retard parce que ma mère voulait absolument que je prenne une douche), la galerie était bondée, la foule débordait dans la rue, verre à la main, pieds chaussés de bottes de pirate et de talons fluo. Des gens dont on ignorait même qu'ils viendraient : une preuve que l'énergie attire l'énergie, car, je vous en fiche mon billet, nos parents ne nous avaient pas fait de pub. Quelqu'un nous a prises en photo, Isabel, Joana et moi, cramponnées les unes aux autres, incrédules devant notre chance. Après le vernissage, on est allées dans un bar où le DJ m'a filé sa carte sans doute pas sans arrière-pensée. On avait réussi.

Après ça, la vie à Peach & The Babke a perdu un peu de son éclat. Bosser me plongeait dans le coma, j'avais peur d'une rechute de mononucléose. Joana a obtenu des commandes d'illustrations et réduit ses heures. Isabel trouvait toujours un prétexte pour ne pas venir. Traverser Hudson Street pour ouvrir le magasin est devenu un peu pathétique.

Et puis, un jour, j'ai merdé avec la liste de diffusion. J'étais censée envoyer mille cartes postales pour annoncer nos soldes d'été. Mais, un peu à l'ouest, je ne me suis pas rendu compte que j'avais imprimé cinq cents étiquettes avec la même adresse et que je les avais presque toutes collées. Linda était scandalisée par ma bourde, ses narines palpitaient et elle me postillonnait au visage en hurlant.

— Excuse-moi, mais j'ai un car à prendre, je lui ai dit.

Je suis montée dans un Greyhound pour Ithaca où je retrouverais un ancien copain de fac – le genre de voyage vain qu'on n'entreprend plus jamais après vingt-cinq ans. On a passé le week-end à se promener dans les champs, à prendre des photos de vieux néons à l'aide d'un appareil jetable, à regarder des carpes frayer dans une rivière. On s'est nourris de houmous et de bière. On a assisté aux obsèques de son voisin, assis au dernier rang ; on a piqué un fou rire et on a filé. On a fait le tour du jardin de sa mère en écrasant des trucs vivants sous nos pieds.

— Ça va ton boulot ? m'a-t-il demandé.

— Ma patronne est une vraie garce.

J'ai projeté sur sa vie une douceur, une absence de complication, le genre d'atmosphère que les affreux traitent de « surannée ». J'ai adoré son appartement au sous-sol d'une maison délabrée, le fait que la ville n'ait qu'un restaurant chinois à proposer, et qu'en soirée il n'ait jamais à croiser quelqu'un de plus reconnu que lui. J'étais jalouse. Je voulais en être. Je voulais mettre la pagaille là-dedans.

Alors, la veille de mon départ, j'ai bu une demi-bouteille de whisky et je me suis jetée sur lui, nue comme un ver, le couvrant de baisers hasardeux mais débordant d'enthousiasme. Il a réagi avec un sourire triste et on a ziqué à la lumière bleutée d'un documentaire sur les violences policières. On ne s'est pas parlé pendant un an, mais je n'ai pas cessé de penser à sa maison.

En septembre 2009, les *Delusional Downtown Divas* ont obtenu leur premier engagement sérieux : animer les Guggenheim's First Annual Awards. Nos parents en étaient comme deux ronds de flan que notre farce ait poussé quiconque, même peu crédible, à nous contacter. Mais j'ai toujours été persuadée que les gens adorent qu'on se paye leur tête et le monde de l'art n'y échappe pas. On a eu carte blanche pour faire ce qu'on voulait et reçu un chèque de cinq mille dollars à se partager. Ce jour-là, on a toutes démissionné de chez Peach & The Babke avec la négligence joyeuse de celles qui viennent de gagner le gros lot.

Dans un immeuble du quartier, j'ai loué un bureau de dix mètres carrés, qui est devenu notre siège officiel et je me suis mise au travail. L'immeuble grouillait de jeunes réalisateurs à croquer, coiffés d'un petit chapeau, et de pros incapables d'expliquer quelle était leur activité. Les gens montaient des rampes de skate dans leurs bureaux et s'invitaient les uns les autres à passer la nuit dans leurs locaux. Tout le monde achetait son déjeuner chez New Fancy Food, un traiteur du quartier. La propriétaire chinoise de l'immeuble, qui s'appelait Summer Weinberg, m'a demandé gentiment si j'étais une pute. Notre mini-frigo ne contenait que du gâteau *tres leches*.

On a passé des mois à préparer, créer de nouveaux épisodes et écrire des textes délirants pour des figures de l'art conceptuel comme Joan Jonas (« C'est la mère des Jonas Brothers ou bien ? »). On a même tourné un épisode dans le musée et failli se faire virer après que j'ai demandé à Isabel de laisser pendre ses jambes dans le vide depuis la mezzanine et de pousser ce cri : « Je vais me fourrer une sculpture de Carl Andre dans le machin ! »

La cérémonie de remise des awards en elle-même est assez floue. On s'est réveillées tôt afin d'aller se faire coiffer par un pro pour la première fois de notre vie. On a pris nos places en entendant l'écho de nos voix rebondir au plafond de la rotonde. On a aperçu James Franco, ce qui, aujourd'hui, semble difficile à éviter. À l'entracte, on a eu une engueulade, Isabel et moi, parce que j'avais dit à une maquilleuse qu'Isabel « ferait mieux de tenir une boutique ».

— Tu ne crois pas en moi, s'est-elle plainte. Tu penses que je suis incapable de faire quelque chose de vrai. C'est la seule raison au monde pour laquelle tu dirais à quelqu'un d'ouvrir un magasin.

— Mais si, je crois en toi. Regarde autour de nous ! j'ai chouiné.

— Mais on ne va pas quand même faire ça toute notre vie, est intervenue Joana.

Dans les mois qui ont suivi, on s'est dispersées : je suis partie à Los Angeles, Joana est allée passer son diplôme et Isabel a déménagé dans le nord de l'État, où elle a rencontré Jason, un mec avec un sourire doux et pas la moindre relation avec le monde l'art. On a retiré nos vidéos du web, un peu honteuses de choses qui, à l'époque, nous avaient paru si profondes.

— Quel est le pire boulot que vous ayez fait ? est une question qu'on me pose souvent dans des dîners ou les interviews.

— Une fois, ma boss m'a passé un savon parce que j'avais donné la mauvaise taille de leggings pour bébé à Gwyneth Paltrow, je réponds et le souvenir m'arrache une grimace.

Ce que je ne dis pas, c'est que je m'y sentais chez moi, que Peach & The Babke nous a mis le pied à l'étrier, qu'on n'a jamais aussi bien mangé et que ça me manque.

17 enseignements prodigués par mon père

1. Personne n'échappe à la mort.
2. Il n'y a pas de mauvaises pensées, uniquement des mauvaises actions.
3. « Messieurs, faites gaffe : ces dames en ont après vos bijoux. »
4. Avec du culot, tu peux tout te permettre, même les tongs avec des chaussettes.
5. Tous les enfants sont des artistes fabuleux. Ce sont des adultes que tu dois te méfier.
6. La soirée ne te plaît pas ? Prétends que tu dois vérifier un truc dans ta voiture, et file sans croiser le regard de personne.
7. Les émotions d'ivrogne ne sont pas de vraies émotions.
8. Une patate douce cuite au micro-onde et arrosée d'huile de lin est un mets de choix.
9. Il n'est jamais trop tard pour apprendre.
10. « C'est déjà bien assez que je sois obligé de conduire une Volvo. Il n'est pas question que je mette un manteau à ce clebs. »
11. Quand la mer monte, elle soulève tous les bateaux.
12. Cela étant dit, il est horrible de voir les gens qu'on déteste obtenir ce qu'on convoite.

13. Tu te heurtes à une crise d'inspiration ? Fais une pause et regarde une série policière. Les flics résolvent toujours l'énigme, tu y arriveras aussi.
14. On n'a pas besoin d'être extravagant dans la vie pour être extravagant dans le travail.
15. Mets-toi sur ton trente et un pour faire renouveler ton permis, ça accélère le mouvement.
16. Ne dis jamais que tu dissimules de la drogue, des armes ou des grosses coupures devant un fonctionnaire de police ou un agent de sécurité, même pour rire. La garde à vue n'a rien de rigolo.
17. Tout est une question de coupe.

Emails que j'enverrais si j'étais un tant soit peu plus secouée/plus en colère/plus courageuse

Cher Duchmol Duchmolstein,

Vous vous rappelez qu'on s'est croisés l'été dernier dans le café à côté de chez vous ? J'étais en compagnie de collègues de travail et vous des vôtres. À ce propos, certains portaient des marcels blancs, et d'ailleurs ils ressemblaient tous à Marlon Brando dans *Un tramway*. Votre buisson de barbe à la Rip Van Winkle m'a laissée sans voix. Je n'étais pas assez près pour humer son fumet, mais je ne doute pas qu'au chapitre hygiène ça ait craint. Il est évident que vous avez déployé des efforts considérables pour développer cette pilosité et cela constitue un indice probant du déséquilibre émotionnel qui vous afflige. Je tremblais tel l'ivrogne au gosier sec tant je redoutais que vous m'agonisiez en raison de ce que j'ai écrit sur vous. Je me souviens de ne pas avoir molli sur les excuses. Et puis, je tenais à me conduire en adulte devant mes camarades de travail, un concept qui vous échappe sûrement, espèce de collectionneur de zobs cocaïné.

Or il se trouve que je ne regrette pas une seconde. Vous n'avez pas été mignon avec moi. Par conséquent, je ne vous dois aucune excuse. J'en ai ras la casquette de sortir des trucs que je ne pense pas.

Mettons que je n'aie rien dit,

Lena

P.-S. toutes mes copines de boulot ont trouvé que vous ressembliez à une marionnette de hipster. La taille de votre fute est si haute que j'en chouinerais. Je me fiche de ce que pensent vos copains de boulot. Je ne me suis pas douchée depuis quatre jours, et la dernière fois que j'ai vérifié j'avais toujours un petit copain.

—

Cher Dr Duchmol,

J'avais le tympan crevé, espèce de blouse blanche de mes deux ! Et vous m'avez traitée comme une psychopathe avec une égratignure de rien du tout, comme un barrage routier exténuant entre vous et votre déjeuner. J'ai pleuré quand vous avez versé le liquide dans mon oreille et vous n'avez rien trouvé de mieux que m'empêcher de bouger. J'ai été obligée de vous supplier comme une toxico pour obtenir un antidouleur. Où avez-vous dégoté votre plaque ? Depuis, cette expérience est numéro un dans le classement de mes souvenirs traumatisants, supplantant la mort prématurée d'un ami et la fois où j'ai vu une femme avec un trou rose à la place du nez.

Je vous en veux.

Lena

—

Chère Mme Duchmol,
Vous êtes schizo, aussi est-il vain de répondre à votre email. Nonobstant, je me dois de crier haut et fort que vous êtes givrée. Certes, vous êtes d'une génération de femmes qui ont dû se battre pour être entendues, mais mettre mon féminisme en doute et raconter à qui veut l'entendre que je suis la honte des femmes, parce que je refuse de diffuser votre actu ? C'est immonde et contraire à vos combats d'antan. À ce train-là, vous allez devenir pire qu'eux (eux = les mecs). On essaie toutes de s'en sortir et la place ne manque pas. Par ailleurs, je vous ferai dire que le mot « gourdiné » n'existe pas et que je vivrai au moins cinquante ans après vous.
Sincères salutations,
Lena

—

Chère Duchmolette,
As-tu souvenance de m'avoir déclaré que tu m'avais « pardonné » pour mon film ? Figure-toi que je ne te pardonne pas de m'avoir dit ça. Je regrette d'avoir douté du fait que tu sois lesbienne. C'était nul de ma part, puisqu'on ne fait pas plus lesbienne que toi. J'adore les lesbiennes. Mais devine ce qui est nul aussi ? Ta salopette fluo. Et au fait, DJ Tanner de *La Fête à la maison* a appelé : elle veut récupérer ses fringues.
Beurk, balaie devant ta porte, vieille !
LD

—

Cher Duduchmol,
On était copains depuis le CM1. Tu me déposais des fleurs devant ma porte, tu me baladais sur le lac dans ton canot pneumatique, tu m'apprenais à attraper des grenouilles. On a partagé notre enfance. Alors quand je te fais une turlute (ma première)

le jour de la mort de mon chat, tu pourrais au moins appeler. Ta disparition intégrale a sali tant de souvenirs délicieux. J'ai découvert sur Facebook que tu avais une fiancée. Elle fait combien de centimètres de plus que toi ? Vingt-cinq ? Que le gouvernement t'autorise à piloter un avion dépasse l'entendement.
Ta vieille copine,
Lena
P.-S. Je ne suis jamais allée chercher les cendres de mon chat parce que j'associais la démarche aux turlutes et à l'abandon. Quand j'ai fini par me décider deux ans plus tard, elles avaient été jetées dans une fosse commune. C'est ta faute.

Je n'ai pas couché avec eux mais ils m'ont quand même gueulé dessus

Tel est le titre du mémoire que je compte écrire à quatre-vingts ans. En clair, une fois que tous ceux que j'ai rencontrés à Hollywood auront passé l'arme à gauche.

Ce sera un bilan de l'époque où, à Hollywood, les femmes étaient considérées comme le petit plastique qui protège les gobelets dans les salles de bains d'hôtel – nécessaires mais ô combien jetables.

Vanity Fair en publiera quelques extraits, illustrés par des photos de moi en train de m'ebaudir à une avant-première du temps jadis, moi avec un pompon sur la tête, moi en train de siroter un cocktail sans alcool, subtilement enceinte de ma première paire de jumeaux.

J'aurai l'aval de la Présidente des États-Unis et je me délecterai du mouvement d'enthousiasme suscité par mon mémoire auprès d'étudiantes en train de passer leur partiel sur l'histoire des disparités hommes-femmes.

Je trépigne d'impatience d'avoir quatre-vingts ans.

Pour être à la tête d'une œuvre – ou du moins d'une filmographie.

Pour sidérer mes petits-enfants avec ma collection de broches.

Pour renvoyer des plats dans les restaurants sans mourir de honte et me déplacer en chaise roulante dans les aéroports.

Pour choquer les gens en lâchant des « lécher le fion » au cours de discussions à bâtons rompus.

Pour teindre ma coupe au bol en orange.

Et pour balancer des noms. Des noms délicieusement vengeurs. Et je me contretamponnerai de rivaliser avec la fortune de quelqu'un d'autre parce que j'aurai quatre-vingts ans et serai, très probablement, à la tête d'un cheptel de dix-sept cygnes.

Je raconterai à la terre entière ce que les hommes que j'ai rencontrés à Hollywood au cours de cette folle première année m'ont dit :

— Je veux juste te protéger.

— Je sais qu'on se connaît à peine, mais je te considère comme une amie proche.

— Tu es une drôle de fille.

— Tu es une gamine intelligente.

— Je parie que tu ne dis jamais non.

— Tu pourrais te montrer un peu plus reconnaissante.

— J'espère que ton petit copain te fait du bien. Tu as un petit copain ?

— Tu sais, pas mal d'hommes ne savent pas y faire avec les femmes à poigne.

— Tu es devenue drôlement mignonne depuis la dernière fois qu'on s'est croisés.

Je ferai le récit de toutes ces rencontres qui commençaient toujours par une conversation intéressante sur le métier pour bifurquer vers les déboires sexuels de l'homme, sa femme autrefois chaude comme la braise étant refroidie par un traitement contre la stérilité. En moins de deux, j'apprenais que sa copine de fac gardait ses pompes pendant leurs ébats et que le mariage requérait « du boulot ».

Ce qui se traduit par : « Ma femme ne m'excite plus du tout et certes, tu n'es pas terrible, mais tu as le mérite d'être jeune et je parie que de nouvelles positions ont été inventées depuis la dernière fois que j'étais célibataire, en 1992, alors on n'a qu'à les essayer et après tu pourras retourner te maquer à ton boulot et moi rester maqué à ma décoratrice d'intérieur eco-friendly et je ne me taperai plus jamais un de tes films. »

Je témoignerai que je n'ai fait de galipettes avec aucun de ces hommes. Les mecs avec lesquels je m'envoie en l'air vivent dans un camping-car, squattent un loft avec leur copine partie au festival de Coachella, sont passionnés de flore locale, regardent les chaînes publiques.

Mais je n'ai jamais consommé avec les autres.

Je raconterai comment ces relations se sont désintégrées dès que les hommes ont compris que je ne serai la protégée, le toutou, le fan-club privé, l'accompagnatrice zélée de personne.

L'accusation à peine voilée : « Tu ne te laisses pas facilement attraper. »

L'enquête délicate : « Qu'est-ce qui se passe au juste, mon poussin ? »

L'accusation fulminante : « T'es qu'une fieffée menteuse. Les nanas de ton âge n'ont donc pas de manières ? »

Ma copine Jenni les appelle les Vampires. Ces hommes qui sont à la besogne depuis un peu trop longtemps, qui commencent à fatiguer mais n'arrivent pas à décrocher. Ils sont en quête d'autres formes d'énergie, d'assentiment. C'est lié au sexe, mais c'est différent. Ce qu'ils veulent vous arracher est bien pire que votre string à l'arrière de leur bagnole. Ce sont vos idées, votre curiosité, votre enthousiasme à vous lever le matin pour faire des choses.

— Oh ! laisse échapper Jenni quand je lui parle du seul homme avec lequel j'ai discuté à un dîner rasoir. Encore un Vampire.

— Celui-ci, me dit-elle une autre fois à propos d'un visionnaire apparemment charmant, c'est le king des Vampires.

Quand j'aurai quatre-vingts ans, je décrirai cette scène dans la suite d'un hôtel où je rencontrai un réalisateur qui m'a expliqué que les filles adoraient qu'on les « dirige » quand elles vous turlutaient.

— Oh, waouh, ai-je dit.

Comment répondre autrement ?

— C'est dingue, elles en sont folles.

Et cette autre fois, où j'ai un pseudo-rencard avec un homme dont j'admirais le travail. J'ai mis une robe blanche avec une seule tache et, dans le taxi qui nous emmenait en ville à fond de train, je me suis renversée sur mon siège en skaï déchiré et je me suis dit : J'y suis arrivée, je suis une femme qui compte. Et, à quatre heures du mat, quand j'ai voulu l'embrasser, il est resté de marbre. Je suis tombée sur le coin de sa bouche, j'ai tourné les talons et je me suis carapatée à une vitesse jamais atteinte auparavant ni depuis. J'étais morte de honte. Mon premier et seul faux-pas du genre, et cet homme allait pouvoir crier sur tous les toits : « Elle est faible, elle est comme toutes les autres. Elle en veut. »

Je parlerai de ce réalisateur plus vieux encore que j'avais suivi dans la rue après qu'on avait pris un verre et de sa claudication qui m'était soudain apparue, inexpliquée. Je rapporterai l'email qu'il m'a envoyé suite à mon refus de travailler sur son film pour cause de projet perso. « Comment peux-tu refuser la chance de participer modestement à un film qui sera étudié dans les universités pendant des années pour un projet ô combien éphémère de "pilote de série." » Entre guillemets ! Il l'a écrit entre guillemets !

J'ai lu et relu l'email, scandalisée, les mâchoires serrées de rage pour éviter de hurler. J'ai imaginé ma propre douleur, ma propre colère multipliées par cinquante chez l'homme qui avait envoyé cet email, cette personne qui ne doutait pas que la vie était un jeu avec un perdant et un gagnant, que le talent artistique d'un autre n'était qu'une broutille dans le plan d'ensemble du Seigneur pour promouvoir son propre projet. Que ce devait être douloureux, étouffant ! Je me suis juré alors de ne jamais être jalouse ni revancharde. Je ne me laisserai menacer ni par les vieux ni par les jeunes. Tous les matins, je m'ouvrirai grand comme une marguerite. Je ferai mon boulot.

J'ai imaginé les Vampires réunis autour d'une grande table, comme les membres du gouvernement, en vue de discuter de mon cas. « Elle est sournoise et manipulatrice », dit l'un. « Elle est prête à tout pour obtenir ce qu'elle veut », ajoute un autre. « Il faut être méchamment plus jolie que ça pour espérer progresser avec son cul », avance un troisième quand un vieux croûton s'en mêle : « On s'en est bien donné tous les deux. Sympa comme fille, je me demande ce qu'elle va devenir. »

Mais la pensée la plus terrifiante de toutes est celle qui m'a poussée à garder le contact bien après que j'ai été mal à l'aise, à essayer de me justifier encore et encore. La raison pour laquelle je n'ai pas cessé de répondre à leurs appels, de me précipiter à un rendez-vous pour boire un verre bien après l'heure du dodo, de me taper des conversations inintéressantes et de m'obliger à rester alors que je me sentais déjà mortifiée. La pensée que j'ai nourrie avec application de sorte qu'ils ne se racontent pas : « Elle est dingue. Ce n'est pas une menace. »

Mon amie, une femme que j'admire pour son esprit indépendant, m'a raconté qu'elle avait vécu une expérience similaire.

— Quand j'ai fait mon premier film, ils sont tous sortis de nulle part, en quête de… quelque chose.

Autrefois, elle était punk, pas une punk de pacotille qui achète ses fringues au centre commercial.

— Mais ils n'ont pas pigé, a-t-elle poursuivi. Je ne suis pas là pour faire ami-ami avec vous, mais pour vous détruire.

J'étais désormais hors de la zone de danger mais, là-bas, pendant une période, le téléphone qui sonnait à deux heures du mat s'est transformé en instrument de torture. Quel était l'individu en possession de mon numéro qui ignorait comment en faire bon usage ? Un message laissé d'une voix grave : « Si tu as un moment, j'aimerais te parler. Tu as une oreille attentive. »

Vous savez pourquoi je les écoutais ? Parce que j'étais avide. Je voulais apprendre, grandir et durer.

Écoute, se disent-ils à eux-mêmes, c'est un petit truc charmant en forme de réalisatrice.

Attendez un peu que j'aie quatre-vingts ans.

CINQUIÈME PARTIE

Le grand tout

La thérapie et moi

J'ai huit ans et j'ai peur de tout.

Voici une liste non exhaustive de ce qui me file les chocottes et me tient éveillée la nuit : l'appendicite, la typhoïde, la lèpre, la viande malpropre, les aliments que je n'ai pas vu sortir de leur emballage, la bouffe que ma mère n'a pas goûtée avant moi pour que, si elle meurt, on meurt ensemble, les SDF, les maux de tête, le viol, le kidnapping, le lait, le métro, le sommeil.

Un stagiaire instit arrive à l'école avec les yeux injectés de sang et je suis illico persuadée qu'il a été infecté par le virus Ebola. Je m'attends à ce que du sang dégouline de ses oreilles ou qu'il tombe raide mort. Je ne touche plus à mes lacets (trop sales) et je n'embrasse plus les adultes qui ne sont pas de ma famille. Comme on étudie Hiroshima à l'école, je lis *Les Mille Oiseaux de Sadako* et chope la leucémie dans la foulée. Un des symptômes est d'avoir la tête qui tourne, or j'ai le tournis quand je me lève trop vite ou que je tourbillonne sur moi-même. Je me prépare donc à mourir en silence l'année suivante ou avant, tout dépend de la vitesse à laquelle la maladie progresse.

Mes parents commencent à se ronger les sangs. Ce n'est déjà pas facile d'avoir un enfant, si en plus il exige de vérifier que la fermeture hermétique de tous leurs médicaments et provisions n'a pas été trafiquée, c'est encore pire. Je n'ai qu'un très vague souvenir de la vie avant la peur. Tous les matins, quand je me réveille, je vis une seconde merveilleuse avant que, d'un regard autour de ma chambre, mes terreurs journalières me reviennent en pleine tronche. Je me demande s'il en sera toujours ainsi, jusqu'à l'éternité, et j'essaie de me remémorer les moments où je me suis sentie en sécurité : à côté de ma mère dans son lit un dimanche matin ; en train de jouer avec le toutou d'Isabel ; quand on vient me chercher après que j'ai dormi chez une copine juste avant l'heure d'aller au lit.

Un soir, mon père est tellement énervé par mon comportement qu'il sort marcher et ne rentre que trois heures plus tard. En son absence, je me mets à organiser notre vie sans lui.

À l'école, Kathy, mon instit de CM 1, est ma meilleure amie. Elle est jolie et replète, les cheveux comme des cure-pipes en chenille jaune. On dirait qu'elle s'habille dans les draps de ma grand-mère, chemisiers à fleurs usés jusqu'à la trame et boutons dépareillés. Je peux lui poser toutes les questions de mon choix : sur les raz-de-marée, mes sinus, la guerre nucléaire. Ses réponses sont vagues et rassurantes. Avec le recul, je me rends compte qu'elle y instillait un zeste de religion, sa foi en un dieu clairement chrétien. Elle a l'œil pour repérer les moments où je pars en vrille et me décoche un regard qui peut se traduire par : « Tout va bien, Lena, calme-toi. »

Quand je ne suis pas avec Kathy, je suis chez Terri Mangano, l'infirmière de l'établissement, coupe en brosse et pull de ski été comme hiver. Son approche sérieuse de la santé me réconforte. Elle me fait cadeau de statistiques (seuls deux pour cent des enfants développent un syndrome de Rey après avoir pris de l'aspirine) et me confirme que la polio a été éradiquée. Elle me prend au sérieux quand je lui explique que j'ai sans doute attrapé la scarlatine à cause du gosse rougeaud que j'ai croisé dans le métro. Elle me laisse parfois m'allonger sur le lit du haut dans la pièce sombre et fraîche derrière l'infirmerie. Je pose ma joue sur le protège-matelas en plastique et je l'écoute prescrire des médicaments et des tests de grossesse à des filles du lycée. Si j'ai de la chance, elle ne me renvoie pas en cours.

Personne n'aime la tournure que prennent les événements, arrive donc le moment où on évoque une thérapie. J'ai l'habitude des rendez-vous : allergologue, chiropracteur, prof particulier. Mon seul désir est d'aller mieux et dépasse la peur de quelque chose de nouveau, de quelque chose de réservé aux dingues. Et puis, mon père comme ma mère voient un thérapeute. Or je me sens plus proche de mes parents que de n'importe qui. Celle de mon père s'appelle Ruth. Je ne l'ai jamais rencontrée mais j'ai demandé à mon père de me la décrire. Elle est vieille mais pas aussi vieille que mamie, avec d'immenses cheveux gris. Dans ma tête, j'imagine son bureau sans fenêtre, comme une boîte avec deux chaises. Je me demande ce que Ruth pense de moi. Mon père lui a forcément parlé de moi.

— Je peux la voir ? je lui demande.

— Ce n'est pas comme ça que ça marche, me dit-il. Il te faut un endroit à toi où dévoiler tes propres pensées. C'est ainsi que je prends le train avec lui en direction du nord de Manhattan, afin de rencontrer quelqu'un à moi. Pour une raison inconnue, c'est toujours mon père qui m'accompagne aux rendez-vous consacrés à ma petite tête et ma mère à ceux consacrés au corps.

La première thérapeute, une dame de l'âge de ma grand-mère, aux cheveux violets, me pose quelques questions simples, puis me propose de jouer avec les jouets éparpillés sur le sol. Elle s'assoit dans un fauteuil au-dessus de moi, son carnet à la main. Je sens qu'elle va rassembler un max d'infos à partir de cette expérience, alors je lui en donne pour son argent, histoire de lui montrer toute l'étendue de ma solitude et de mon introspection : la Barbie contrebandière fait un carton avec son cabriolet décapotable, un Ken de pacotille à ses côtés. Petits bonshommes Lego tués dans une guerre qui les oppose à leurs compatriotes. Après une longue période d'observation, Cheveux Violets me demande de lui confier mes trois vœux les plus chers.

— Une rivière où je puisse être seule, je lui réponds, impressionnée par ma fibre poétique.

Grâce à cette réponse, elle comprendra que je n'ai rien à voir avec les autres enfants de neuf ans.

— Quoi d'autre ? insiste-t-elle.

— C'est tout.

Je me sens plus mal en partant qu'en arrivant. Mon père me rassure, on rencontrera autant de docteurs que nécessaire jusqu'à ce que j'aille mieux. La fois d'après, la dame est plus vieille encore mais elle s'appelle Annie, ce qui n'est pas un prénom de vieille personne. On grimpe quatre ou cinq étages à pied pour atteindre son cabinet, qui se trouve être aussi sa salle à manger. Cette fois, mon père reste avec moi et m'aide à exprimer les choses qui me turlupinent. Annie compatit et elle a un drôle de rire haut perché. Il fait nuit quand on ressort dans Bank Street, et je dis à mon père que c'est la bonne.

Sauf qu'on est venus pour qu'elle nous oriente vers une consœur, me répond-il. Annie prend sa retraite.

Ma troisième séance se déroule donc dans le cabinet de Robyn, à deux pas de chez nous. Sentant que la tension monte, ma mère me prend à part pour me conseiller de considérer l'affaire comme s'il s'agissait d'un goûter chez une copine. S'il se trouve que j'aime jouer avec Robyn, je reviendrai la voir et sinon, on me trouvera une autre camarade de jeu. J'acquiesce, mais il ne m'échappe pas qu'aller jouer chez une copine n'a rien à voir avec tâcher de savoir si vous êtes cintrée ou pas.

Lors de notre première séance, Robyn s'assoit par terre avec moi, les jambes repliées sous sa jupe en copine qui vient passer un moment en ma compagnie. Elle ressemble aux mamans des séries télé, grosse masse de cheveux bouclés et chemisier en soie. Elle me demande mon âge et, en guise de réponse, je lui demande le sien – après tout, on est toutes les deux assises par terre.

— Trente-quatre ans, me dit-elle.

Ma mère avait trente-huit ans quand je suis née ! Robyn est différente de ma mère à bien des égards, à commencer par ses fringues : tailleur, collant très fin, hauts talons noirs impeccables. Différente de ma mère, qui n'est jamais plus elle-même qu'en robe de sorcière d'Halloween.

Robyn m'autorise à lui poser toutes les questions que je veux. Elle a deux filles. Elle habite au nord de Manhattan. Elle est juive. Son deuxième prénom est Laura et elle adore les céréales. En la quittant, je me dis qu'elle peut me réparer.

La germophobie se transforme en hypocondrie qui se transforme en appréhension sexuelle qui se transforme en souffrance et angoisse accompagnant l'entrée au collège. Avec le temps, Robyn et moi avons développé un langage codé qui me permet de nommer les choses qui me font rougir : masturbation devient « M », sexualité « alité » et béguins « lui ». Je n'aime pas l'expression « zone grise » quand elle est employée dans : la « zone grise qui sépare la peur de l'excitation sexuelle », par exemple ; Robyn invente alors la « zone rose ». On finit pas migrer vers son cabinet d'adulte mais on s'assoit toujours par terre. Il nous arrive souvent de partager une boîte de corn-flakes ou un croissant.

Elle m'apprend à broder des motifs géométriques abstraits dans des tons automnaux. Quand j'ai treize ans, elle m'organise une bat-mitsva athée privée – rien que nous deux –, qu'on fête en mangeant deux cent cinquante grammes de prosciutto. Bientôt, elle fera sa vraie bat-mitsva, même si elle approche des quarante ans.

Un soir, je la croise dans le métro, notre rencontre est chaleureuse mais déroutante et m'inspire un poème dont le dernier vers est : « Je suppose que vous n'êtes pas ma mère et ne le serez jamais. » Je lui fais un dessin qui représente une gamine avec des gros yeux à la Keane d'où s'échappent des larmes violettes, qu'elle affiche dans ses toilettes à côté de mon nu approximatif à la gouache. J'apporte mon appareil photo jetable et je nous prends en photo toutes les deux en train de dessiner comme le feraient deux copines.

Le travail qu'on fait ensemble m'aide mais, même

à raison de trois séances par semaine, les pensées qui tournent en boucle dans ma tête, la peur de dormir et de la vie en général, continuent de taper l'incruste. Parfois, pour juguler les images qui se pointent sans invitation, je m'oblige à imaginer mes parents en train de copuler dans des positions abracadabrantes. Je convoque la représentation dans ma tête à raison de huit fois d'affilée, je finis par être barbouillée à force de les regarder.

— Maman, retourne-toi, sinon je vais penser à des trucs cochons.

Chez l'esthéticienne, avec ma mère, je tombe sur un article à propos des TOC dans un magazine. Une femme raconte l'enfer de sa vie à cause de ses obsessions qui vont de lécher les tableaux dans les musées à ramper sur les trottoirs. Ses symptômes ne sont guère plus graves que les miens, et la description de ses journées me fait dangereusement penser aux miennes. J'arrache la page et l'apporte à Robyn, qui est défaite mais compatissante, comme si le moment redouté depuis toujours arrivait enfin. J'ai envie de lui balancer mon nécessaire à broderie à la figure. Faut-il que je fasse tout moi-même ?

Un jour, j'ai quatorze ans à l'époque, Robyn me prévient qu'un appel important est susceptible d'interrompre notre séance. Elle est navrée, mais elle est obligée de décrocher, c'est un cas d'urgence. Elle s'absente dix minutes et à son retour, elle est tourneboulée.

— Alors..., me dit-elle après une profonde inspiration.

— Où est votre alliance ? je lui demande.

— À mercredi, Lena, dit Robyn.

J'enfile ma parka orange pour prendre l'ascenseur. Dans la salle d'attente, je découvre deux ados – un blond, le genre de petit racho de treize ans à croquer qui rend dingues les gamines de cinquième même s'il leur arrive au niveau du dessous de bras et, à ses côtés, une fille pâle avec des mèches vertes. Mon regard s'attarde un peu trop sur elle parce que je la reconnais : c'est la fille en photo dans le Filofax de Robyn qu'elle laisse parfois ouvert sur son bureau. C'est sa fille, Audrey.

Je quitte le cabinet un battement de cils avant eux et ils me rattrapent dans l'ascenseur. Je retiens ma respiration pendant la descente en essayant de ne rien oublier de son visage sans la fixer. Dommage qu'elle ne soit pas une photo de magazine pour que je puisse m'en repaître, tourner un peu la page et y revenir.

Sait-elle qui je suis ? Si ça se trouve, elle est jalouse. Je le serais. Arrivée au rez-de-chaussée, elle se tourne vers moi.

— Il te trouve canon, dit-elle en indiquant son copain, puis elle file.

Je sors dans Broadway avec la banane.

Ce qui se passe dans les mois qui suivent ressemble à un scénario de films pour enfants. Le genre de film où, contre toute attente et malgré des obstacles insurmontables, un clébard retrouve ses maîtres. Grâce à une enquête de fourmi, Audrey découvre que sa copine de colo Sarah n'est autre que ma copine de classe Sarah et commence à me faire passer des mots, qui arrivent dans des enveloppes joufflues décorées de dessins en relief et de stickers d'étoiles. Elle écrit sa première lettre d'une écriture d'ado rigolote, comme celle de la série *Sauvés par le gong* : « Salut ! Tu as l'air géniale ! Je suis sûre qu'on s'entendrait bien. Ma mère est du même avis, mais faudrait qu'on ait le droit de se rencontrer. J'adore faire les boutiques, j'adore la musique de *Felicity* et, oh ! je t'ai dit, j'adore faire les boutiques. Je t'envoie une photo de moi devant le Mur des lamentations après ma bat-mitsva ! Contacte-moi par message instantané. »

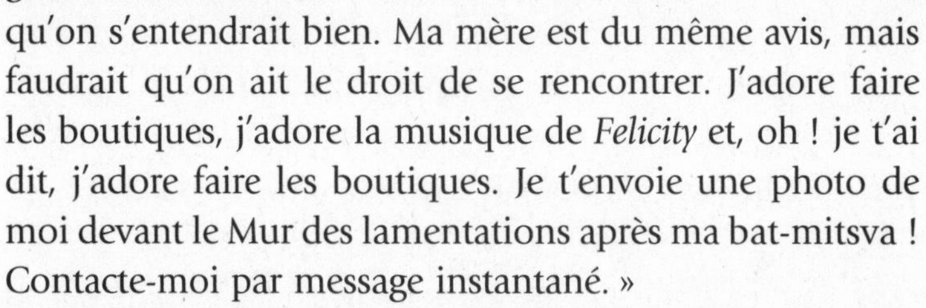

Je lui réponds avec la même ferveur, mais le choix de la photo se révèle un rien laborieux. Je me décide finalement pour celle où je me prélasse sur le lit de ma sœur en petit haut vintage marqué SUPER DEBBIE. « J'adore, dore, dore, la musique de la série *Felicity*, les animaux, jouer dans une pièce de théâtre et faire les boutiques, ça t'étonne ? Mon pseudo est : lafemmelena. »

Je sais qu'on ne devrait pas s'écrire et j'en parle à Robyn, qui me le confirme.

— C'est dommage parce que vous vous ressemblez beaucoup, dit-elle. Vous seriez sans doute amies.

À quinze ans, j'arrête ma thérapie. Je suis prête à ne plus parler de mes problèmes à tout bout de champ, je l'annonce à Robyn qui ne s'y oppose pas. Je me sens bien. Mes TOC n'ont pas complètement disparu mais peut-être ne disparaîtront-ils jamais. Va savoir s'ils ne font pas partie de ce que je suis, de ce avec quoi je dois composer, le challenge de ma vie. Et pour l'instant, c'est jouable.

Notre dernière séance est pleine de rires, de bons petits trucs à manger et de discussions sur l'avenir. Je lui avoue avoir été blessée par sa réaction dégoûtée quand elle a découvert mon piercing au nombril, et elle s'excuse d'avoir laissé ses goûts perso la trahir. Je la remercie de m'avoir permis de venir à une séance avec mon chat, de m'avoir retiré ce fameux piercing avec une pince quand mon nombril a fini par s'infecter, et surtout je la remercie de m'avoir guidée vers le mieux-être. Pour la première fois depuis des lustres, j'ai des secrets, des pensées qui ne regardent que moi.

Elle me manque comme notre loft m'a manqué en cinquième quand on a déménagé : d'abord de façon aiguë et puis plus du tout. Trop de paquets à déballer.

En l'espace de six mois, je ne fais plus mes devoirs et je sèche les cours pour rester avec mon lapin Chester Hadley. Mes parents sont persuadés que je suis en dépression. Les cons ! À cause des médocs, j'ai tout le temps sommeil et, à l'école, je commence à avoir la réputation de piquer des roupillons sous ma capuche. Je reviens à moi en sursautant quand le prof appelle mon nom.

— Je ne dormais pas.

Mon intérêt pour la fille de Robyn n'a pas faibli et nos vies se croisent suffisamment pour que je sois au courant de son actu. Quelqu'un me raconte qu'elle s'est fait piercer le nez quand elle était en colo et qu'elle sort avec un grapheur qui s'appelle SEX. Une fois, notre copine en commun nous met en contact au téléphone. Je peux à peine parler.

— Salut ! grogne-t-elle.

— C'est toi.

Je ne m'en sors pas. Mon père m'annonce alors qu'il a pris rendez-vous avec Margaret, une spécialiste « de l'apprentissage et de l'organisation » que j'ai rencontrée quelques années plus tôt lorsque mes parents avaient découvert six mois de devoirs pas faits cachés sous mon lit. Je me rappelle Margaret avec attendrissement, surtout à cause des biscuits et du jus d'orange qu'elle m'avait offerts avant qu'on commence à bûcher sur mon devoir de maths. Cette fois, quand j'arrive chez elle, je n'ai pas droit aux biscuits, mais elle est telle que dans mon souvenir : cheveux roux et souples coupés au carré, robe noire au drapé élaboré et chaussures pointues. Plus dans le style de ma mère que Robyn, mais avec l'accent australien.

Son bureau est un cabinet de curiosités délicieux : coquillages sous verre, branches de saule séchées qui penchent hors d'un vase asymétrique, table basse décorée de plumes et de carreaux de faïence qui font office de sous-verres. Pendant plusieurs semaines, installées à son bureau, on travaille à l'organisation de mon sac à dos dont la poche de devant semble squattée par un hamster accro au crack et ses cinq rejetons. Elle me montre comment tenir un emploi du temps, étiqueter un classeur et cocher les tâches une fois qu'elles sont exécutées.

Margaret est également psychiatre et il m'arrive souvent de croiser des enfants tristes ou des couples mal assortis qui l'attendent après notre séance, mais ce n'est pas l'endroit où parler de moi. Il n'est question que d'efficacité, de rangement et de priorités à définir.

Sauf qu'un jour, j'arrive en vrac à cause du come-back de pensées obsessionnelles et de la nausée poisseuse que me donnent les médocs. Je n'ai pas envie de ranger mon classeur. Les méthodes auxquelles elle m'a initiée, les crayons bien taillés et les chemises en kraft me procurent bien des satisfactions. Mais en une métaphore grandiose de l'aggravation de mon état, j'ai salopé toutes mes pages jadis nickel. Je pose ma tête sur le bureau.

— Voulez-vous vous asseoir sur le divan ? demande Margaret.

Je ne peux pas arracher à Margaret une info sur sa vie. Elle établit dès le départ qu'on est là pour parler de moi. Quand je lui pose une question perso, elle n'en tient pas compte. Pas par méchanceté ; au contraire, elle me regarde avec un sourire indéchiffrable suggérant que je lui ai parlé dans une langue qu'elle ne comprend pas.

— Juste par curiosité, vous avez des enfants ?

— En quoi la réponse à cette question peut-elle vous être utile ? me répond-elle comme les psys dans les films.

Résultat de son obstruction, je construis mes propres théories sur Margaret. La première veut qu'elle ait un rapport mesuré à la bouffe et soit incapable de comprendre mon combat personnel contre la gloutonnerie. J'ai aperçu un pot de yaourt au lait de chèvre dans sa corbeille, le couvercle remis dessus bien comme il faut. La deuxième est qu'elle adore les bains chauds. Je suis sûre et certaine qu'elle raffole des fleurs sauvages, du train et des discussions sans fard avec des vieilles biques d'une grande sagesse. Un jour, elle laisse échapper qu'elle était obligée de porter un canotier quand elle partait en sortie scolaire avec son école. Je m'accroche à cette image, imaginant une toute petite Margaret dans une longue colonne de gamines en chapeau en train de défiler.

Et puis arrive ce jour d'automne où, en entrant dans son cabinet, je la découvre avec un cocard de toute beauté. Je n'ai pas le temps d'encaisser qu'elle éclate de rire.

— Un accident de jardinage, me dit-elle en indiquant son œil au beurre noir.

Mais je la crois. Margaret ne laisserait personne lui mettre un ramponeau, personne garder ses chaussures à l'intérieur. Elle se protégerait, elle protégerait son parquet, ses fleurs.

Burt, un copain de mon père, a connu Margaret dans les années quatre-vingt-dix. Elle aurait « traîné dans le milieu quelque temps » et aurait fricoté avec un vidéaste. Je les visualise : il s'assoit sur la banquette en face d'elle et lui demande comment s'est passée sa journée. Elle se contente de sourire et de hocher la tête, sourire et hocher la tête.

Le fait qu'on se soit retrouvées en fac, Audrey et moi, figure parmi les choses les plus étranges qui soient arrivées – peut-être – au monde, en tout cas à moi. À première vue, ça tombait sous le sens : deux petites New-Yorkaises avec les mêmes notes à leur concours d'admission, aussi rebelles l'une que l'autre à l'autorité, orientées vers le même type d'études non contraignantes et accessibles à des gestionnaires dénués de tout sens artistique. Mais intellectuellement, je n'arrive pas à croire qu'après toutes ces années de séparation, on soit réunies.

Ça colle illico entre nous, davantage sur ce qu'on déteste que sur ce qu'on aime. On déteste le saumon fumé et les mecs qui portent des pantalons cargo. On en a ras le bol des ringards qui prétendent être new-yorkais alors qu'ils vivent à Long Island. On passe nos premières semaines à Oberlin à parcourir la ville, juchées sur nos nouvelles bicyclettes rouges, chaussées de pompes inadéquates et tartinées de rouge à lèvres, peu disposées à nous départir de l'idée que les citadines font les choses autrement. On a un mal fou à réprimer nos hennissements de rire quand un certain Zenith se pointe à une soirée avec un T-shirt marqué « T COMME TENNIS ». On a des vues sur deux mecs de troisième année qui publient un magazine littéraire satirique et évitent d'aller aux chiottes s'ils ne sont pas côte à côte.

Audrey est une intellectuelle, elle aime parler de Fellini et lit des gros pavés sur des régimes présidentiels corrompus rédigés par des barbus chenus. D'un autre côté, elle parle argot avec plus d'assurance que je n'en aurai jamais et raccommode sa mini-jupe en jean avec des bouts de tissu récupérés dans une salle de spectacle porno. Elle se coupe elle-même les cheveux, se met de l'eyeliner fait maison et a le rare privilège de pouvoir manger autant de cookies qu'elle veut sans dépasser quarante-cinq kilos. On s'invente des surnoms idiots : Poulpiton, Blindée, Nichonnée.

On s'engueule pour la première fois trois semaines après la rentrée, quand je décrète que sa misanthropie me tient éloignée des autres.

— Je suis venue ici pour grandir. Toi, non ! je lui dis.

Audrey se carapate en sanglotant dans l'arboretum, se casse la binette et s'écorche le genou. Je me précipite pour la relever.

— Pourquoi tu voudrais m'aider ? chouine-t-elle.

J'appelle ma mère qui est défoncée au Zolpidem et me conseille toute guillerette de « prendre un billet pour rentrer à la maison ! » Je suis certaine que, de son côté, Audrey appelle sa mère et je suis tétanisée. Robyn va m'en vouloir à mort.

On se rabiboche quelques jours après quand, à un brunch improvisé, il m'apparaît que, c'est exact, je ne peux saquer personne. Même pas ma nouvelle copine, Allison, qui dirige la station de radio, ni même Hannah, qui fait des muffins vegan et a un dessus-de-lit taillé dans des T-shirts des Clash. À la fac, la teneur des conversations me rend maboule : des gens sans véritable conscience politique qui jouent les politiquement corrects. Audrey avait raison : on est ce qu'il y a de mieux l'une pour l'autre.

Il nous arrive de manger ensemble des céréales ou de nous sécher après la douche et j'entrevois alors sa mère. Robyn est à Oberlin : jeune, nue, mon amie.

Margaret est en vacances et c'est un cas d'urgence. Je me fritte avec ma mère comme jamais, le genre d'engueulade qui met à l'épreuve le concept d'amour inconditionnel, sans parler de celui de décence élémentaire. Le problème, c'est qu'aucune de nous deux n'a tout à fait raison. Chacune campe sur ses positions et n'a d'autre choix que faire très mal à l'autre.

J'essaie de joindre Margaret mais, comme il ne s'agit pas d'une question de vie ou de mort, je ne laisse pas de message. Après quoi, j'appelle ma tante dans l'espoir qu'elle me dise au moins que je ne suis pas un sac d'ordures puant en forme de fille.

— Ta mère n'est pas facile et toi non plus, explique-t-elle. J'ignore comment tu vas arranger les choses, mais c'est un impératif.

Elle me propose d'appeler son amie, le Dr Linda Jordan, « spécialiste du relationnel ».

— Linda aura bien une idée, me jure-t-elle. Elle sera de bon et efficace conseil.

Conseil ? Ma thérapeute ne m'a jamais prodigué de conseil. Avec elle, il est surtout question de faire en sorte que les conseils viennent de moi.

C'est ainsi que, sur le point de me livrer à la deuxième trahison d'ampleur (après celle dont ma mère peut tout vous dire), j'appelle la psy de quelqu'un d'autre.

Le Dr Linda Jordan, spécialiste du relationnel, est en déplacement à Washington, D.C., avec des copines de fac ; elle me rappelle donc d'un banc devant la Smithsonian Institution. Il se trouve qu'on s'est croisées – quelques années auparavant, à une bat-mitsva – et je me rappelle vaguement sa calotte de cheveux dorés et ses doigts couverts de bagues en diamant.

— Que se passe-t-il ? me demande-t-elle d'un ton chaleureux mais déterminé à trouver une solution, telle une avocate de renom, spécialiste du divorce.

Je lui déballe toute l'affaire. Ce que j'ai fait. Ce que ma mère a fait en réponse. Ce qu'on s'est fait à cause de ces choses qu'on s'est faites d'abord.

— Hum, hum, dit Linda, sous-entendant qu'elle est de mon côté.

— Alors, je suis un monstre ? je finis par demander dans un souffle.

Pendant les vingt minutes qui suivent, Linda parle. Elle commence par m'exposer quelques « données de base » concernant la relation mère-fille. (« Vous lui appartenez, mais vous êtes aussi une personne. ») Ensuite, elle m'explique qu'on s'est comportées l'une et l'autre de façon compréhensible sinon désagréable. (« Je vois » est une formule qui a la cote.) « Par conséquent, conclut-elle, vous avez l'opportunité de passer à la phase supérieure de votre relation à condition de laisser faire les choses. Je suis persuadée que vous sortirez plus forte de cette épreuve si vous parvenez à lui dire : "Tu es ma mère et j'ai besoin de toi, mais pas comme avant. S'il te plaît, changeons ensemble." »

Je raccroche et, pour la première fois depuis plusieurs jours, je sens la panique refluer, le Dr Linda Jordan, spécialiste du relationnel, m'a aidée, et vite. Quelle différence avec une séance chez Margaret où je tourne autour du pot ; elle hoche la tête, on discute d'un roman d'Henry James que j'ai à peine entamé, on revient par des chemins détournés à ma grand-mère et à mon besoin de dormir qui pourrait me pousser au meurtre, et ensuite, je lui fais des compliments sur ses chaussures qui sont, comme toujours, sublimes. J'ai posé une question et le Dr Linda Jordan m'a donné une réponse. Et maintenant, j'ai l'outil qui va me permettre de réparer les dégâts.

Je décroche le téléphone et j'appelle ma mère.

— Je t'aime. Tu es ma mère et j'ai besoin de toi, mais pas comme avant. S'il te plaît, changeons ensemble.

— Qu'est-ce que c'est que ces conneries ?

Je devine qu'elle est dans un magasin.

Rien que cet hiver-là, Audrey a quinze sinusites infectieuses d'affilée. Par conséquent, le médecin lui prescrit de se faire casser le nez, redresser la cloison nasale, retirer les amygdales et les végétations. On se pointe à cinq chez Robyn, où Audrey est en convalescence. Avant de sonner, on enfile des lunettes de Groucho avec faux nez et on brandit notre soupière.

Robyn nous ouvre en pantalon de yoga.

— La malade est au bout du couloir, dit-elle.

Audrey est couchée dans le lit à baldaquin de Robyn, le nez bandé, elle a l'air encore plus minus que d'habitude. Robyn grimpe dans le lit à côté d'elle.

— Comment ça va, mon cœur ?

Les autres copines vont déposer à la cuisine les magazines et les biscuits achetés à un kiosque dans le métro. Et, comme si c'était une vieille habitude, comme si on était une famille, je me glisse dans le lit avec Audrey et Robyn. On a tous à un moment donné besoin qu'on s'occupe de nous.

J'ai appelé Margaret de tous les endroits du monde, d'une plage, d'une voiture fonçant vers les États de l'Ouest, accroupie derrière une benne à ordures, du parking de la résidence universitaire et de ma chambre à deux cents mètres de son cabinet quand je n'avais pas le courage de ramper jusqu'à son divan. D'Europe, du Japon et d'Israël. Je lui ai chuchoté des trucs sur des mecs qui dormaient à côté de moi. Le son de sa voix, son « Allô ? » calme et chargé d'attente n'ont jamais manqué de m'apaiser. Elle répond à la deuxième sonnerie et tous mes muscles, toutes mes veines se détendent.

Au cours de vacances récentes, je l'appelle du désert de l'Arizona, en culotte et soutif, en train de cuire à côté d'un bassin. Je passe la plus grande partie de notre séance à lui parler des meubles qu'on a achetés le matin même avec mon boy-friend. C'est la première fois qu'on fait de vrais choix esthétiques de couple. On a réussi un joli coup en choisissant une table basse, deux chevreuils en bronze et deux tabourets de bar en skaï déchiré. Incapable de résister, je craque sur un chat cubiste en céramique pour parfaire le tout.

— On a vraiment les mêmes goûts ! je continue de me répandre, sans tenir compte des doutes de Margaret sur le bien-fondé qu'il y a à décorer son salon avec des animaux kitsch en métal.

— C'est merveilleux, dit-elle. Mon mari et moi avons toujours eu les mêmes goûts. Ainsi, c'est un réel plaisir de créer un intérieur.

Je suis sur le cul et laisse passer une seconde.

— Bien sûr ! j'approuve.

Elle me l'a dit. Elle me l'a dit. Elle me l'a dit.

Plus loin dans la conversation, elle évoque un voyage à Paris.

— Nous y allons souvent pour le travail de mon mari.

C'est Noël ! Un cadeau après un autre. Non seulement je sais qu'elle a un mari, mais aussi qu'il est sans doute français ou, au bas mot, employé par une entreprise française. C'est une information que je peux gérer. Dans cinq minutes, elle va me parler du mec des Black Panthers avec lequel elle sortait à la fac, de sa fausse couche et de sa meilleure copine, Joan.

— J'ai un scoop ! je crie à qui veut m'entendre. Ma psy a un mari et il est peut-être français.

Pourquoi Margaret me juge-t-elle prête maintenant ? Quelle épreuve ai-je passée, de quelle maturité ai-je fait preuve ? Les thérapeutes ont-ils un système de mesure pour évaluer notre aptitude à gérer une information de façon rationnelle ? Je me demande si Margaret l'a regretté en raccrochant, si elle s'est rembrunie et a joint ses mains ravissantes, avec une bague en or à chaque doigt pour entretenir le mystère.

Peut-être ai-je réussi à lui transmettre l'aspect véridique et sécurisant de ma relation amoureuse et est-elle prête à m'accepter dans le club des femmes solides et équilibrées auxquelles elle se confie. Peut-être ne peut-elle pas tenir sa langue quand il s'agit de mobilier vintage. À moins que ce soit un accident, qu'elle ait oublié nos rôles l'espace d'une seconde et qu'on soit devenues deux femmes, deux amies qui s'appelaient de loin, se donnaient des nouvelles de leurs maisons, de leur maris, de leurs vies.

Est-ce même réel ?

Réflexions sur la mort et sur le fait de mourir

Je cogite beaucoup sur le fait qu'on va tous mourir. Ça m'arrive à des moments bigrement inopportuns – dans un bar en compagnie d'un mec craquant que j'ai réussi à faire rire et je ris aussi ; je danse même peut-être quand, l'espace d'une seconde, tout passe en mode ralenti et je me dis : « Est-ce que ces gens sont au courant qu'au bout du compte, on finit tous au même endroit ? » Je peux revenir à la conversation en pensant que cette brève prise de conscience de notre mortalité a nourri ce que je vis, m'a rappelé de ne pas m'économiser au rayon gloussements, secousses de cheveux et franc-parler parce que… et pourquoi pas, merde ! Mais il arrive que le flash perdure et me ramène à mon enfance – submergée de peurs que je suis encore incapable de nommer. D'ailleurs, quand le sujet « mort » arrive sur le tapis, aucun d'entre nous ne trouve les mots.

J'aimerais tant être une de ces jeunes beautés qui ignorent que leur corps nubile iridescent va les trahir. (Encore faudrait-il avoir un corps nubile iridescent pour jouir de cette inconscience.) Merveilleux aveuglement : n'est-ce pas toute l'essence de la jeunesse ? On se croit immortel jusqu'au jour où, aux environs de la soixantaine, on se prend le truc en pleine poire : un spectre bergmanien nous apparaît et on procède à un bref examen de conscience qui nous conduirait presque à adopter un gosse dans le besoin. En tout cas, on prend la résolution d'être fier du reste de notre vie.

Mais je ne suis pas l'une de ces jeunes beautés. Je fais une fixette sur la mort depuis ma naissance.

Toute petite, une peur sans nom me submergeait. Elle n'était pas associée à quelque chose de tangible – tigres, voleurs, SDF – et on ne pouvait pas la faire disparaître par l'entremise des moyens habituels, tels qu'un câlin avec ma mère ou un épisode de *Bob l'Éponge*. C'était une émotion glaçante qui se nichait juste sous mon ventre. Elle rendait tout ce qui m'entourait irréel et dangereux. En termes d'intensité, elle équivalait à ce que j'ai ressenti à trois ans quand j'ai été transportée à l'hôpital en pleine nuit, couverte de plaques d'urticaire. Mes parents étaient en voyage et c'est Flavia, ma baby-sitter brésilienne, qui m'a emmenée à toute blinde aux urgences. Un médecin m'a couchée sur une table à examens très haute et m'a posé son stéthoscope glacé entre les omoplates. Quand on est entrées dans l'hôpital, je suis certaine d'avoir vu un homme dormir dans un sac postal. Avec le recul, je suppose qu'il était allongé sur un brancard avec une couverture foncée posée sur lui. Peut-être était-il dans le coma ou même mort. Le médecin a retiré mon haut, palpé mes dessous de bras et pendant toute l'auscultation, je nous observais de très loin, en état de déréalisation.

Cette réaction en chaîne d'observations et de répercutions se répétera durant toute mon enfance, sous la forme de la peur sans nom que je finirai pas appeler la « sensation hôpital ». À l'époque, je pensais la soigner à l'aide d'un verre de jus de raisin.

La mort de ma grand-mère m'a donné l'occasion de l'affiner encore. J'avais quatorze ans à l'époque. Je venais de me teindre les cheveux et de faire l'acquisition d'un haut brassière en satin, une transition que je considérais comme la preuve évidente d'une maturité irréversible. Je me suis pointée chez ma grand-mère pour la dernière fois avec du rouge à lèvres marron foncé et un manteau cintré sans col, acheté en solde chez Banana Republic. J'ai verni les ongles de ma grand-mère mourante en rose nacré et je lui ai promis de revenir le lendemain pour déjeuner avec elle. Mais elle est morte cette nuit-là, veillée par mon père. En rentrant à la maison, il nous a raconté ses derniers instants et c'est la première et dernière fois que je l'ai vu pleurer.

Jusqu'à ce que j'aie douze ans, ma grand-mère était ma meilleure copine. Carol Marguerite Reynolds – Gram, comme je l'appelais – avait un casque de cheveux fous blancs comme la neige et un unique sourcil, conséquence d'une méconnaissance des méfaits des UV et du cancer qui en a découlé. Elle avait l'habitude de dessiner l'absent au crayon gris-bleu Maybelline, trait qui n'évoquait des poils ni de près ni de loin. Elle portait des pantalons de grossesse, histoire de caser son gros bidon et ces chaussures d'infirmière qui sont devenues incontournables à Brooklyn depuis peu. Sa maison dégageait une odeur de boules antimites, de talc et d'humidité terreuse, qui montait de sa cave pleine comme un œuf. Je l'appelais tous les jours à seize heures.

Elle avait un vernis traditionnel, voire provincial. Agent immobilier à la retraite d'Old Lyme, Connecticut, elle nourrissait une passion pour Dan Rather, avait un congélo rempli de rôtis de bœuf taillés dans les bas morceaux et s'intéressait peu à notre vie de citadins. (En fait, elle n'est venue nous voir qu'une fois. À la perspective de sa visite, j'étais comme une pile et j'ai sorti le lait pour le thé à dix heures. Résultat, quand elle est arrivée à seize heures, il avait tourné.) Mais sous des dehors de femme gâtée par sa vie domestique, elle cachait ce que je vois à présent comme un esprit radical. Après avoir étudié dans la classe unique de l'école de son patelin de bouseux – ses parents ont été les premiers à posséder une voiture avec laquelle ils traversaient le lac gelé en hiver –, elle a fui le cocon familial pour l'université de Mount Holyoke, l'école d'infirmières de Yale, puis l'armée, avec laquelle elle a été stationnée en Allemagne et au Japon, pansant les plaies et retirant des éclats d'obus sur des soldats allemands malgré l'ordre formel de les laisser mourir. Elle a eu plusieurs tocades pour des médecins (dont des Juifs !) et a adopté un teckel, Meatloaf, trouvé en train de fouiner dans les ordures derrière sa tente.

Gram racontait ses aventures en affichant un visage de marbre, mais je n'étais pas dupe, même à neuf ans, je savais qu'elle en avait vu bien plus qu'elle n'en disait.

Gram ne s'est mariée qu'à trente-quatre ans. Ce qui, en 1947, équivalait au cinquième remariage de Liza Minnelli avec un homo. Mon grand-père, qui s'appelait aussi Carroll, était monstrueusement obèse et venait d'une famille fortunée dont il a dilapidé le patrimoine par le truchement de placements hasardeux, parmi lesquels un élevage de poulets et une entreprise de « cages de hockey tout en un ». Mais Gram a vu quelque chose en lui, et quinze jours plus tard ils étaient fiancés. De cette union est né mon père, puis son frère Edward, dit Jack.

Le lendemain de la mort de Gram, avec mon père, on est allés en voiture chez elle pour la dernière fois. J'écoutais Aimee Mann sur mon Disc-man en regardant le paysage industriel défiler par la vitre. Ce trajet fait partie intégrante de mon enfance : hôpitaux et voies ferrées désaffectés, panneaux de villes qui pètent plus haut que leur nom, arrêt à New Haven pour manger une pizza et prendre de l'essence. Je me rappelle avoir pensé : ça, c'est la fin. Rien ne s'était jamais terminé auparavant.

Pendant que mon père et oncle Jack rangeaient la maison en prévision de sa vente, je parcourais les couloirs en chouinant, le peignoir de ma grand-mère sur le dos, les poches toujours pleines de vieux Kleenex. Les deux frères continuaient de vaquer à leurs affaires, imperméables au cataclysme qui venait de se produire.

— Je n'arrive pas à croire qu'elle ait gardé toutes ces recettes à la con ! s'est énervé mon père. La cave est pleine de soupes en boîte qui datent de 1965.

— Elle était là et maintenant elle n'est plus là ! j'ai hurlé aux adultes insensibles. Il y a encore ses provisions dans le frigo !

Quand je suis sortie de la salle de bains en reniflant son peigne, mon oncle a pris mon père à part et lui a demandé de faire en sorte que j'arrête.

Ulcérée par sa requête, j'ai battu en retraite dans le placard de Gram où je me suis mise à renifler ses pyjamas. J'avais la tête bourdonnante de questions. Où était Gram ? Était-elle consciente ? Se sentait-elle seule ? Et que signifiait pour moi sa disparition ?

La fin de l'été s'est caractérisée par une sorte de terreur chauffée à blanc, une menace sournoise qui projetait une ombre blanche sur tout ce que je faisais. Chaque glace à l'eau que je suçais, chaque film que je regardais, chaque poème que j'écrivais était empreint de la notion de perte imminente. Pas celle d'un autre être cher, mais de ma propre vie. La chose se passerait peut-être demain ou dans quatre-vingts ans à partir de demain, mais c'était inéluctable pour tout le monde et je ne faisais pas exception.

Alors à quoi jouait-on ?

Finalement, un jour, n'y tenant plus, je suis allée à la cuisine, j'ai posé ma tête sur la table et j'ai demandé à mon père :

— Comment on peut vivre chaque jour en sachant qu'on va mourir ?

Il m'a regardée avec une tristesse indéniable, voyant poindre en moi la morbidité qu'il m'avait génétiquement refilée. Enfant, il était pareil. Pas un jour ne passait sans qu'il pense à sa disparition. Il a soupiré, s'est renversé sur le dossier de sa chaise, incapable de sortir de son chapeau une réponse réconfortante.

— On le fait, c'est tout.

Mon père est un adepte des considérations existentielles. « On naît seul et on meurt seul » est une de ses préférées, que je déteste cordialement. Idem pour « La réalité est peut-être une puce implantée dans notre cerveau. » Au chapitre de ses antécédents, il avait l'habitude de se planter devant un paysage et de demander : « Comment sait-on que c'est vraiment là ? » Et je suppose que j'en ai hérité. J'ai pensé à Gram, à sa longue vie pleine d'aléas, réduite à une benne à ordures remplie de vieilles boîtes de conserve et d'un vieux pull Pucci que j'avais déjà aspergé de sauce tomate. J'ai pensé à toutes les choses que j'espérais faire dans ma vie et j'ai eu une illumination (encore une) : je ferais bien de m'y mettre. Si c'est ce qui m'attend, je ne peux pas me permettre de perdre encore un après-midi entier scotchée devant *Tournez manège*.

Il se trouve que de manière inconsciente je tournais autour du sujet de la mort depuis un bon moment. Grandi a Soho à la fin des années quatre-vingt et au tout début des années quatre-vingt-dix, le sida et les ravages qu'il a causés dans le milieu artistique n'avaient pas de secrets pour moi. Maladie, mort, inquiétude quant à celui ou celle qui s'occuperait des toiles, de l'appart et paierait les médicaments étaient des questions qui planaient au-dessus de tous les dîners. De nombreux amis de mes parents ayant été contaminés, j'ai appris à reconnaître les signes de la maladie – joues creuses, taches bizarres sur la figure, pull trop grand. Je savais ce que ça impliquait aussi : bientôt cette personne deviendrait un mémorial, le nom d'un prix remis à des étudiants étrangers, un souvenir lointain.

Fig. I.

Gran's bathrobe (a.) with requisite crumpled tissue (b.)

Jimmy, le meilleur ami de ma mère, un homo à la peau mate, photographe du fétichisme, était en train de mourir quand je suis née. Un de mes plus anciens souvenirs est celui d'un homme diaphane, allongé sur le canapé devant la baie vitrée de notre loft, plaisantant d'une voix faible avec ma mère à propos des mères, des potins et de la mode. Il était charismatique et talentueux, avec un humour désespéré. Ma mère l'a aidé à mettre ses affaires en ordre, à retrouver des amis perdus de vue afin de leur dire au revoir, a guidé sa mère dans

New York quand elle est venue passer les derniers jours de Jimmy avec lui. Je me sens toujours atrocement coupable d'avoir enguirlandé Jimmy pour avoir mangé la banane que j'avais « mise de côté », d'autant qu'il est mort quelques semaines plus tard.

L'été qui a suivi ma deuxième année de fac, j'ai moi aussi été persuadée que j'allais mourir du sida. J'avais fait le choix peu judicieux de ziquer avec un mathématicien – poète microscopique qui, après nos ébats, avait retiré son préservatif, l'avait glissé sous son oreiller et s'était essuyé le zob dans ses rideaux.

— Je peux te confier un secret ? m'a-t-il demandé en se remettant au lit.

— Je t'écoute.

— La semaine dernière, je me baladais la nuit quand je suis entré par inadvertance dans un bar gay où j'ai rencontré un Philippin que j'ai ramené chez moi et j'étais en train de l'enculer quand le préservatif s'est déchiré et ensuite, il m'a volé mon portefeuille.

J'ai laissé passer un temps.

— Désolée pour toi, j'ai dit.

Il devait faire quarante degrés, le genre de chaleur new-yorkaise qui vous colle les cuisses et fait grimper le taux d'homicides. J'ai passé le reste de l'été à vivre un enfer fabriqué de mes petites mains, à imaginer le virus s'implanter, à penser aux choses que je ne ferai jamais, aux enfants que je n'aurai pas, aux larmes que ma mère versera en perdant encore un être cher emporté par le sida. J'avais mené une enquête assez approfondie pour savoir que, à supposer que je sois contaminée, aucune analyse ne le révélerait avant des mois, alors j'ai patienté en me posant un certain nombre de questions : étais-je assez costaud pour être militante ? Quel effet ça ferait d'être le « visage » du sida dans les pays industrialisés ? Ou bien fallait-il me cacher en attendant de mourir ? J'ai exigé de me faire retirer mes dents de sagesse, histoire d'être inconsciente quelques heures. Je me suis efforcée de savourer chaque cuillérée de glace et chaque fou rire avec ma sœur, sachant que les choses allaient bientôt changer. Je me suis tapé un programmeur informatique que j'ai eu peur d'avoir exposé à la maladie. À la fin de l'été, je vivais officiellement « avec le sida ».

Attention, spoiler : je me portais comme un charme.

En dépit de ma conviction profonde que le monde vous punit quand vous vous envoyez en l'air avec un bisexuel microscopique, je n'avais pas été contaminée par le virus. Mais le spectre effrayant de ma propre mort m'avait consumée au point d'en passer par une intervention dentaire.

— Je m'en fiche de mourir, me dit ma copine Elizabeth, mais c'est la logistique de tout le machin qui me stresse.

En admettant qu'on se réincarne, comme ma mère le prétend, combien de temps faut-il poireauter avant d'entrer à l'intérieur de ce nouveau bébé ? Y a-t-il une longue file d'attente, comme devant un Topshop qui vient d'ouvrir assailli par des Japonaises ? Et si ce nouveau bébé avait des parents odieux ? Selon la logique bouddhiste, on devient partie de la gloire de l'univers, d'une gigantesque conscience. Le problème, c'est que ça fait beaucoup trop de monde pour moi. J'étais incapable de participer à un projet de groupe en CP, comment pourrais-je partager une compréhension avec le reste de la Création ? Supposons encore que ça arrive vraiment, alors je suis trop solitaire pour la mort. D'un autre côté, la solitude me fait peur. Qu'est-ce qui me reste ?

Après avoir lu une première version de ce texte, mon copain Matt m'a demandé :

— Pourquoi es-tu si pressée de mourir ?

La question m'a coupé la chique, pour ne pas dire un peu énervée. Je ne parlais pas de moi ! Mais d'une détresse universelle, sur laquelle il se trouve que j'ai un point de vue exceptionnellement éclairé pour la bonne raison que je suis incapable de l'ignorer, à la différence de certains crétins que je ne nommerai pas !

Je ne l'avais jamais envisagé sous cet angle mais Matt avait raison. L'hypocondrie. L'intensité de mes réactions face à la mort et mon incapacité à lâcher le sujet une fois qu'il est sur le tapis. Mon besoin frénétique de prévenir les gens que ça leur pend au nez aussi. La nécessité de devoir y réfléchir. Toutes ces manifestations de peur ne sont-elles pas en fait une sorte de réflexe de résistance à la jeunesse ? La jeunesse et tous ses risques afférents, ses humiliations, ses incertitudes, l'urgence de faire les choses avant qu'il ne soit trop tard. Le sentiment de sa mort imminente n'est-il pas lié au désir de laisser un héritage derrière soi ? J'ai écrit – mais pas tourné – un court métrage relatant mes funérailles grandioses, au cours desquelles j'entendais les gens que j'aimais parler de moi, après quoi je bondissais hors de mon cercueil en criant : « Surprise ! »

Je n'ai pas encore trente ans, par conséquent avoir peur de la mort – ce qui est acceptable de façon générale – est irrationnel. La plupart des gens vivent au-delà de vingt, trente et quarante ans. Beaucoup vivent après le moment où c'est amusant, même pour eux. Résultat, chaque fois que dans mon lit je pense à la mort et que j'imagine mon corps se désagréger, ma peau se momifier, mes cheveux se pétrifier et un arbre pousser dans mon ventre, c'est une façon d'éviter ce qui est juste devant moi. Une façon de ne pas être là, d'esquiver l'incertitude du moment présent.

Fig. 3.
The curtain my date wiped his dick on.

Si je vis assez longtemps pour avoir l'occasion de relire ce texte une fois vioque, je serai sans doute atterrée par la prétention dont j'ai fait preuve en pensant détenir la signification de la mort, en croyant savoir ce qu'elle mettait en lumière, ce qu'on ressentait quand elle était proche. Comment une pimprenelle dont la plus grosse frayeur en matière de santé a été une infection du côlon due à un abus de café pouvait-elle avoir une idée de la nature de la fin de vie ? Comment la même pimprenelle n'ayant perdu ni ses parents, ni un amour, ni son meilleur ami aurait-elle la moindre idée de ce que tout ça implique ?

Mon père, qui porte beau pour ses soixante-quatre ans, adore me rabâcher : « Bon sang, Lena, je te dis que ça ne se conçoit pas ! » Il voit le gros machin arriver au loin (malgré sa foi dans la robotique) et sort des trucs du style : « Allez-y ! À ce stade, je suis dévoré de curiosité. » J'ai pigé : Je sais que dalle. Cela dit, j'espère que mon moi futur sera fier de mon moi présent pour avoir essayé de creuser les grandes questions et voulu transmettre l'idée qu'on est tous dans le même bain.

La sœur de Gram est toujours en vie*. Doad a cent ans et l'énergie de ses quatre-vingts ans. Même si son corps refuse la plupart des activités, elle continue de tricoter, de s'amenuiser et de jouer de l'orgue. Elle a cette disposition typiquement américaine à prendre les choses comme elles viennent. Le cancer et l'ouverture d'un centre commercial à côté de chez elle, c'est pareil : malvenu et inattendu, mais on ne peut pas y faire grand-chose. Elle n'a jamais assisté aux conférences de Deepak Chopra, n'est jamais passée au lait d'amande ni à la méditation. Et pourtant, elle est là dans son fauteuil près de la fenêtre de la maison où elle est née, après que son mari, ses frères et sœurs, ses neveux et ses amis ont disparu.

Avec mon père, on lui rend visite une fois par an. Je l'interroge sur ce que lui inspirent les événement actuels (« Obama a l'air d'un bon petit gars et beau avec ça ! »)

---

* Doris Reynolds Jewett est morte en paix le 10 décembre 2013, non sans avoir bu un dernier martini.

et sur l'histoire de sa maison (« un seul W-C et cinq enfants, quelle plaisanterie ! »). Elle emploie l'expression « vieux comme Hérode » de la même façon que la génération Y abuse de « genre ». En présence d'une vieille dame avec le même débit impassible et la même coiffe de cheveux blancs que sa mère, mon père se renferme, redevient un enfant. Il frotte ses pieds par terre comme devant la tombe de Gram ou à l'intérieur d'un commissariat, toute radicalité disparue.

Doad a écrit ses mémoires, il y a dix-sept ans, à une époque où elle était déjà sacrément vieille. Elle y raconte la vie dans son patelin au début du XXe siècle – la première voiture, la première télé, le premier divorce. Elle parle de la classe unique de son école, de son copain noir dans son coin, de la fois où son frère est monté à une échelle avec un masque de diable sur la figure pour lui faire peur par la fenêtre de sa chambre, et elle a mouillé sa culotte. Elle ne l'a pas fait pour la gloire mais pour la postérité – une prose simple, efficace, destinée à rapporter des faits, à prouver qu'elle était et qu'elle est toujours là. Elle est fière à son âge de n'avoir besoin de personne pour s'habiller – chemise écossaise, chaussures d'infirmière, « salopettes » délavées.

La dernière fois qu'on lui rend visite, elle nous offre une pile d'écharpes tricotées main, trop courtes, aux points irréguliers et maladroits. Au moment de partir, elle se plaint de ne pas nous avoir vus assez longtemps et on promet de revenir, cette fois avec ma sœur. En la serrant dans mes bras pour lui dire au revoir, je sens la courbe de sa colonne vertébrale, chaque bosse formée par ses vertèbres.

Sur le chemin du retour, on est coincés dans l'embouteillage « le plus monstrueux » que mon père ait jamais connu. On se traîne sur l'autoroute et je le vois détendre ses mains sur le volant, devenir songeur.

— On devrait venir voir Doad plus souvent, dit-il. Elle a compris qu'on ne restait que quarante-cinq minutes. Elle n'est pas sénile.

J'essaie un nouveau truc sur lui, un truc que je pense ou que je me demande si je pense.

— Je n'ai plus peur de mourir. Quelque chose a changé.

— Je suis certain que tes sentiments à ce sujet continueront d'évoluer avec l'âge, à mesure que tu verras les gens mourir autour de toi et ton corps vieillir. Mais j'espère que tu garderas toujours cette impression.

Je sais qu'il adore le sujet « mort ». Il lui faut une seconde pour se mettre en jambes.

— Tu sais quoi ? dit-il. Ça ne peut pas être une mauvaise chose, puisque c'est tout.

On parle des êtres qui ont reçu la lumière, de l'implication qu'aurait la transcendance de l'humain.

— Je veux bien être illuminée, mais ça me paraît assez gonflant, je lui confie. Tous les trucs que j'aime – les potins, les meubles, la bouffe et Internet – sont ici, sur terre.

Bouddha se retournerait dans sa tombe s'il entendait la phrase que je prononce ensuite.

— Je crois que je pourrais, mais je ne suis pas encore d'humeur. Je veux faire le tour de la question « mort » avant.

Arrivés en haut d'une côte dans la nuit humide, on voit une colonne de voitures, les feux arrière allumés, immobile, s'étirer à perte de vue. On est à plusieurs heures de la maison.

— Merde ! s'exclame mon père. C'est de la folie. Est-ce même réel ?

Mes dix inquiétudes majeures au chapitre santé

1. On a tous peur du cancer. D'après ce que j'ai compris, ce serait une menace implantée dans le corps, mais qui ne poserait pas de problème jusqu'à ce qu'elle en pose. Le machin peut se nicher partout, aussi bien dans le foie que dans cet adorable grain de beauté si caractéristique qui orne votre hanche et peut soit vous trucider soit vous inciter à écrire vos mémoires. Je n'ai pas assez peur pour participer à une marche pour la vie, mais je fouette quand même.

2. Le syndrome de la fatigue chronique squatte beaucoup mes pensées. Les symptômes sont épouvantables, ceux d'une grippe interminable qui vous épuise, pèse de façon exténuante sur votre famille et vos amis et finit par vous transformer en l'ombre de vous-même. (Je doute que le corps médical et les patients qui en souffrent apprécient ma description.) Ça se gâte : certains médecins sont convaincus qu'il s'agit d'un trouble du citron et que les malades ne sont que de grands délirants dépressifs. D'autres encore pensent que ce fameux syndrome aurait un rapport avec la mononucléose infectieuse, que j'ai

eue puissance mille, au point d'être incapable de crisper le visage quand je pleurais, en raison justement d'une fatigue insurmontable. Souvent, au cours de la journée, je me pose la question suivante : Est-ce que je pourrais m'endormir là tout de suite maintenant ? Et la réponse est toujours un oui enthousiaste.

3. Je me demande si en changeant d'alimentation – plus de légumes et moins de tartines au beurre salé –, je connaîtrais cette pêche que je peux seulement imaginer. Si en faisant ce qu'il faut pour changer ma vie, une Lena plus performante, plus forte, plus productive existerait. Même face aux preuves concrètes de ma productivité je continue de penser que ceux qui me reprochent d'être prolifique ne se doutent pas de la difficulté que j'ai parfois à plier le coude. Une de mes craintes connexes est qu'en perdant dix kilos je me rende compte que j'ai vécu toute ma vie bardée de gras comme un rôti et que je peux faire la roue et autres acrobaties. Cela dit, un homéopathe m'a révélé une fois qu'on avait besoin de beurre pour « lubrifier ses synapses ». Ce qui explique le taux élevé de divorces à Hollywood, car tout le monde est sous-lubrifié.

4. Proche : j'ai peur des dégâts que mon portable pourrait causer sur mon cerveau. Et pourtant, je n'ai jamais utilisé d'oreillette plus d'une demi-journée. L'aspect le plus terrifiant au rayon santé est le refus des hommes d'effectuer les démarches nécessaires à leur mieux-être et la responsabilité qu'ils ont dans leur propre perte en ne faisant pas ce qu'il faut. Tout ça me donne envie de faire un gros dodo.

5. Caséum des amygdales. Vous connaissez ? Permettez que je vous pose une question : Vous est-il arrivé

de recracher de tout petits cailloux blancs qui après examen minutieux se révèlent dégager une puanteur similaire à celle des égouts de New York dans le pire des coins ? Si la réponse est positive, je suis certaine que vous avez eu le choc de votre vie en constatant que votre corps avait expulsé ce truc et vous vous êtes empressé de l'évacuer en espérant ne plus revivre cette expérience. Ce fameux truc était du caséum des amygdales. Des petites boulettes se forment dans les cryptes amygdaliennes, à l'intérieur desquelles s'entassent des débris alimentaires, des peaux mortes qui fermentent, donnant naissance à la substance la plus dégoûtante que votre corps soit capable de produire (et ce n'est pas peu dire). Non content d'être incongru, le caséum est aussi source d'infection et d'inconfort. Lorsqu'il m'arrive d'en avoir, je vais chez le médecin me faire contrôler les amygdales, qu'il qualifie d'« incubateurs à maladies ». N'empêche, si je m'enquiers d'une opération, il élude. La convalescence durerait deux semaines et je perdrais au moins sept kilos, ce qui n'est pas un moyen de me décourager. Je pose la question : Comment peut-on vivre un tant soit peu normalement avec cette usine à boulettes dans la gorge ? Supposons que ce soit l'apocalypse et que les autres aient deviné mon affaire de boulettes, m'abandonneraient-ils en train d'étouffer à mort avec mon caséum ?

6. J'ai une peur bleue des acouphènes. Un sifflement dans l'oreille qui me rendrait maboule, m'empêcherait de dormir, interromprait mes conversations et, même une fois guérie, continuerait de faire résonner sa petite musique infernale. Si je reste parfaitement immobile la nuit dans mon lit, je l'entends très bien, on dirait un insecte qui se fait ébouillanter.

7. Je suis terrorisée par la poussière de lampe. Cette histoire de poussière qui sort des lampes me tracasse beaucoup. Quel que soit l'objet posé sous une lampe, en moins de deux, il est recouvert d'une épaisse couche de poussière. Dans le même ordre d'idée, je n'ai jamais la narine gauche débouchée et, après que l'ORL a aspiré les mucosités dans mes sinus à l'aide d'un aspirateur microscopique, je sens, l'espace de trois heures, que ma qualité de vie a fait un bond de quarante-cinq pour cent, avant que mes sinus se bouchent à nouveau.

8. Je crains la fatigue surrénale. Elle n'est pas sans rappeler la fatigue chronique, mais elle est différente. En Occident, les médecins ne croient pas à la fatigue surrénale, mais admettons que vous soyez un humain avec des responsabilités, alors n'importe quel praticien adepte de médecine holistique vous dirait que vous souffrez de fatigue surrénale. Elle se traduit par un épuisement qui est dû à l'ambition et à la vie moderne. Je suis la championne de la fatigue surrénale. Je vous en supplie, renseignez-vous sur Internet – vous en souffrez aussi.

9. Mon dessus de langue est sidérant. On dirait la lune en dessin animé. Ce n'est sûrement pas normal.

10. J'ai peur d'être stérile. Mon utérus penche franchement à droite, ce qui constitue un environnement inhospitalier pour un enfant en droit de réclamer un utérus rectiligne. Par conséquent, j'adopterai, mais ce ne sera pas une de ces merveilleuses histoires d'amour défiant la génétique dont les magazines people font leurs choux gras. Non, le gosse aura une cirrhose non diagnostiquée à la grossesse, il me détestera et clouera notre toutou sur une planche en bois.

Chère maman, cher papa

Un petit bonjour de la colo de filles de Fernwood Cove

Ma mère et ma grand-mère allaient à la colo « vert et blanc ». C'est le surnom qu'elles avaient donné au home d'enfants pour fillettes juives de bonne famille, délaissées par leurs parents partis en croisière, et dont l'uniforme était un petit short vert et un chemisier blanc.

Elles parlaient de cette colo, où elles passaient huit semaines d'été de six à dix-sept ans, comme d'une sorte de communauté pour petites filles. Perdues au fond des bois au sud du Maine, elles faisaient griller des marshmallows sur le feu, échangeaient des secrets et apprenaient à tirer à l'arc. Même ma mère, une ado grognon et butée, au point de refuser de dîner avec le reste de sa famille, reprenait vie en colo. À la maison, l'humour grivois de son père et l'attachement aux bonnes mœurs de sa mère la mettaient en rogne, la dégoûtaient. Elle détestait que ses sœurs blondes fassent tant d'efforts pour se glisser dans le moule et que la bonne de la maison ait dû délaisser sa propre famille par manque cruel de pépettes. Mais, à la colo, elle avait tout un dortoir de sœurs à elle, des filles qui la comprenaient et dont elle se languissait tout au long de l'hiver glacé et solitaire. À la colo, elle exprimait un enthousiasme et une passion qu'elle n'affichait jamais en présence de sa famille. Et, à la fin de l'été, elle était à ramasser à la petite cuillère.

Quand j'étais petite, je m'endormais bercée par les histoires que ma mère me racontait : les batailles de couleurs, les balades en canoë et les blagues à gogo. La directrice qui leur lavait sommairement les cheveux une fois par semaine et leur faisait des frisettes. Les amitiés indéfectibles, un monde où la jeunesse faisait la loi et où les garçons ne pouvaient perturber cet Éden. Dans mon esprit, les histoires de colo de ma mère se sont mélangées de façon inextricable à l'intrigue d'*À nous quatre*, peignant en Technicolor l'image que je m'étais faite de ses lointains étés.

J'avais dix ans quand, à l'occasion d'une visite à des amis de mes parents dans le Maine, on s'est arrêtés à la colo Wenonah, abandonnée depuis. Derrière la vitre, à l'arrière de la voiture, j'ai aperçu des baraques vides, un court de tennis au filet distendu. Ma mère a bondi hors de son siège avec sûrement la même excitation qu'au moment où ses parents la déposaient chaque été. À treize ans, elle mesurait déjà plus d'un mètre soixante-dix et j'imaginais cette grande asperge bondir de son lit à temps pour le salut matinal et la levée des couleurs.

À presque cinquante ans désormais et coiffée d'un chapeau de paille qui me donnait envie de me tirer une balle dans la tête, elle nous a fait grimper au sommet d'une colline parmi les hautes herbes pour nous montrer la vue sur un lac gris, des bateaux en bois abandonnés, cognant contre la rive. C'était pile l'endroit où étaient organisées les rencontres mixtes en plein air avec les garçons de la colo voisine de Skylamar. De ce côté, pensait-elle, devait se trouver la baraque des travaux manuels, dont il ne restait qu'une coquille vide. Quand, soudain, elle a éclaté en sanglots. Je ne l'avais jamais vue pleurer auparavant et je l'ai regardée avec des yeux comme des soucoupes, ne sachant que faire.

— Ne me regarde pas comme ça, m'a-t-elle dit sèchement. Je ne suis pas une bête curieuse.

Je lui ai demandé si elle était restée en relation avec ses copines de Wenonah. Non, m'a-t-elle répondu, mais ça ne voulait pas dire pour autant qu'elle ne les aimait plus – elles étaient sœurs.

Alors forcément, j'ai voulu aller en colo. Je n'avais aucune envie de quitter la maison. J'adorais mon lit en mezzanine, mon chat sans poil et le petit bureau que mon père m'avait installé dans l'ancien placard où il rangeait ses romans de science-fiction. J'adorais notre ascenseur vert menthe, notre traiteur malaisien et le mois d'août à New York, quand la seule brise était le souffle du métro qui passait. Mais je voulais aussi me faire des amis, prendre un nouveau départ avec des filles qui ne m'avaient pas vue faire pipi dans ma culotte à l'entraînement de base-ball ou taper mon père devant l'épicerie fine. Je voulais me forger des souvenirs si forts qu'ils font pleurer. Et par-dessus tout, je voulais un short vert.

J'ai passé trois étés à la colo de filles de Fernwood Cove.

Fernwood Cove est la colo jumelle de Fernwood, une vieille institution qui jouait souvent contre Wenonah. À Fernwood Cove, la colo durait quatre semaines, l'idéal pour des filles que la perspective de passer huit semaines loin de chez elles terrorisait. Ou qui étaient trop gâtées pour vivre sans électricité. Ou trop cochonnes pour se passer de garçons. J'avais décidé que huit semaines de colo c'était trop long après que ma cousine, une fervente de Fernwood, m'a raconté la décapitation rituelle d'un malheureux animal empaillé.

— Je te ferai dire qu'on n'apporte pas de jouets à la colo, a-t-elle déclaré, comme si c'était une évidence.

J'ai commencé à fréquenter Fernwood Cove à l'âge de treize ans. Je venais de terminer brillamment ma cinquième, au cours de laquelle je n'ai eu pas un mais deux petits copains que tout le monde s'arrachait, et je m'étais fait faire un balayage par une esthéticienne agréée qui s'appelait Beata. Ces coups de chance en série dont je n'étais pas coutumière ont été à peine ternis par la frange que je me suis coupée moi-même très court en vue de mon audition pour le rôle de la petite sœur de Drew Barrymore dans le film de Penny Marshall, *Écarts de conduite*. (Le rôle a été attribué à une autre fille quand j'ai décrété à Mme Marshall que je ne pouvais pas sourire sur commande. « C'est ce qui s'appelle jouer », a-t-elle grogné.)

Par conséquent, c'est avec un espoir et une attente rares en ce qui me concernait que je suis montée dans le car qui m'emmenait de Boston à Fernwood Cove. Pendant les trois heures de trajet, j'ai fait la connaissance de la fille assise à côté de moi, une certaine Lydia Green Hamburger, qui n'a pas mis trois minutes pour m'annoncer qu'elle connaissait Lindsay Lohan. Lydia était différente de moi – elle parlait avec animation de fêtes de fin d'année, de hockey et de centres commerciaux –

et pourtant on s'est entendues comme larrons en foire. Voilà à quoi ça sert, la colo ! je me suis dit. À rencontrer d'autres filles un peu différentes de soi.

Si mon comportement au cours de cette première colo constituait l'unique preuve que je devais consulter un psychiatre, on m'aurait diagnostiqué un trouble bipolaire fulgurant. Mes émotions jouaient au yo-yo, j'oscillais entre joie et désespoir, désespoir et mépris pour mes camarades de colo. Tantôt je discutais à bâtons rompus avec ma nouvelle copine Katie, tantôt je lui trouvais un Q.I. d'huître. Tantôt je jouissais du moment sans penser une seconde à ma famille, tantôt, en marchant du mur de pierre à la tente de l'atelier théâtre, j'étais submergée par une vague de mélancolie en pensant à la maison, vague d'une violence telle que je redoutais de trépasser sur-le-champ. J'avais l'impression que mes parents étaient à des milliards de kilomètres – morts, pour ce que j'en savais. J'avais de plus en plus de mal à me débarrasser de cette impression et, à mesure que le temps passait, le manque se faisait sentir de plus en plus fort, à l'exact opposé de ce que mon père m'avait raconté à propos de la colo.

La seule chose qui m'en a détournée, c'est de pouvoir monter la pièce dont j'étais l'auteur et qui racontait l'histoire d'une femme en quête du compagnon susceptible d'accepter ses treize chats. Sur la foi de mon travail, Rita-Lynn, la mono de l'atelier théâtre, m'a donné le premier rôle dans la pièce qu'elle avait écrite pour sa thèse de l'école d'arts dramatiques de Yale et dont le sujet était : « Les femelles coyotes primitives ». J'étais ravie et puis j'ai appris que je devais laisser tomber une pomme de terre coincée entre mes cuisses en grognant : « Quel bon popo ! » Comment peut-on demander à un acteur professionnel de dire une phrase aussi absurde ?

Sauf que, en entendant le public se marrer à la générale

au moment de ma tirade, j'ai changé d'avis du tout au tout.

J'étais en enfer. J'étais au paradis. J'étais en colo.

On était dix dans dix mètres carrés, nous qui traversions la puberté à la vitesse de la lumière. Il n'existait pas de pièce assez grande pour accueillir toute cette effervescence hormonale, et dans notre dortoir elle créait un environnement électrique, explosif sur le plan émotionnel, aux effluves de Bath and Body Works.

Ce n'est pas parce que les garçons étaient absents de la colo que des histoires d'amour ne se tricotaient pas. On avait nos soirées – deux par été, comme ma mère à Wenonah –, auxquelles on se préparait en sortant nos tenues une semaine à l'avance et en s'échangeant des tubes de gloss incrustés de grains de sable et des barrettes phosphorescentes.

Ma nouvelle copine, Ashley, une blonde sportive qui sortait avec l'héritier des chips Utz, m'a prêté une brassière de style Pucci et m'a fait des mini-dreadlocks à la mode. Je lui ai rendu la pareille en lui appliquant du blush sur un visage déjà bien rose quand j'ai avisé un truc.

— Je crois que tu as un cil, je l'ai avertie en tentant de le retirer avant de me rendre compte que le long poil noir sortait de sa joue.

On était toutes à des stades divers de la puberté. Charlotte avait des nibards grandeur nature, si volumineux qu'ils pendaient, projetant une ombre en demi-lune sur son torse. Marianna n'avait pas l'air de s'apercevoir qu'elle avait du poil aux dessous de bras, à moins qu'en Colombie, d'où elle était originaire, on s'en soit foutu. J'étais plate comme une limande, dépourvue de la moindre pilosité, et très satisfaite de cet état, mais je ne pouvais m'empêcher de mater les autres, ébahie par les rondeurs de leur postérieur quand elles s'habillaient ou par le poil sombre qui s'échappait de leur maillot de bain.

— Mais dis, tu t'intéresses aux filles ! a crié Liz quand elle m'a surprise en train de zieuter ses nénés qui s'agitaient pendant qu'elle se changeait.

Mon obsession majeure était l'odeur corporelle. Je la sentais partout : dans la salle de bains, dans le vent quand on jouait au foot, sur la brosse à cheveux que j'avais empruntée à Emily parce que la mienne était moisie. Je n'arrivais pas à imaginer une vie où cette odeur, dont la ressemblance avec celle des oignons était franchement perturbante, aurait été le fruit de son propre corps. Et, un après-midi où je me reposais sur mon lit, je jure que je l'ai sentie sur mon T-shirt, pas prégnante, mais présente. « Je l'ai chopée en embrassant Charlotte », je me suis dit. Je n'en doutais pas un seul instant. J'ai écrit aussi sec à mes parents pour leur exposer l'épouvantable situation. « Comment le dire à Charlotte sans être méchante ? » j'ai demandé.

Dans sa réponse, mon père m'a gentiment expliqué qu'une odeur corporelle pouvait difficilement se transmettre et que, histoire de mettre toutes les chances de mon côté, j'aurais intérêt à demander aux monos de m'acheter un déodorant naturel la prochaine fois qu'ils iraient faire des courses.

La première soirée de l'été s'est déroulée à la colo de Skylamar, à quarante minutes de route de Fernwood Cove, dans une grange bourrée de garçons boutonneux en chemises à manches courtes et chaussures bateau. Une pauvre sono braillait des morceaux de *NSYNC et de Brandy. Les filles dansaient nerveusement en grappes, pendant que les garçons traînaient en périphérie de la grange, éclusant des cocktails de fruits. À un moment donné, j'ai ouvert la porte des toilettes et trouvé un garçon penché au-dessus de la cuvette en train de s'astiquer le manche comme un fou.

À la nuit tombée, je me suis retrouvée à tailler une bavette à un type de quatorze ans qui habitait le New Jersey et s'appelait Brent. Il était beau, portait une casquette de base-ball et avait un visage plat de boxeur. Quand je lui ai appris que mon collège était à Brooklyn, il m'a avoué ne pas savoir où était Brooklyn parce qu'il était « nul en géométrie ». Après les vingt minutes les plus longues de toute l'histoire du monde, il m'a demandé si j'acceptais de l'accompagner à l'arrière du bâtiment, ce que j'ai interprété comme un code pour me signifier son envie qu'on se mélange les becs comme deux oisillons.

— Désolée mais on ne se connaît pas assez, j'ai répondu. Mais si tu veux mon adresse, je te la donne, et on voit ce qui se passe.

Emily m'a rapporté que, dès que j'ai eu le dos tourné, il m'a fait un doigt d'honneur.

Pendant toute la soirée à Skylamar, j'ai eu l'impression mystérieuse de quelque chose de familier, une impression de déjà-vu mais qui perdurait. J'étais venue dans cet endroit, j'en connaissais les confins, la disposition des baraques éparpillées sur la colline ne m'était pas inconnue. La cafèt m'a tendu les bras. Une fois couchée dans mon lit, j'ai eu une illumination (une autre) : c'était Wenonah. Skylamar avait été édifié à l'endroit où la colo de ma mère se trouvait autrefois.

C'était le lieu que ma mère avait considéré comme son foyer dix étés de suite, où elle avait rencontré les femmes qui étaient toujours ses sœurs malgré la distance et les opinions divergentes. Le lieu où elle avait interprété Rhett Butler dans la pièce de l'été, où elle avait été initiée aux joies des macaronis au fromage à réchauffer et avait attrapé des poux qui l'avaient obligée à se faire couper les cheveux n'importe comment. Le lieu où ses parents la laissaient quand ils avaient décidé de faire le tour de l'Europe en bateau pendant sept semaines, munis de leurs plus beaux chapeaux.

Après mon premier été à Fernwood Cove, il était évident pour mes parents que je ne voudrais plus y retourner. En dépit de quelques moments de plaisir, j'avais sangloté comme une vache à chaque coup de fil en geignant :

— Je vous en supplie, venez me chercher.

J'avais l'impression que mes camarades de dortoir se liguaient contre moi et que les monos ne me comprenaient pas. J'avais développé une « allergie au bois ».

J'étais du genre à abandonner facilement : les goûters, les cours de danse et d'hébreu. Rien dans ma vie n'indiquait que je m'accrochais. Mais, quand la date butoir pour les inscriptions s'est profilée courant décembre, j'ai sidéré mes parents (et moi-même) :

— J'ai envie de donner une deuxième chance à la colo.

— Tu es sûre ? a demandé mon père. Tu n'avais pas l'air enchantée.

— Effectivement, a renchéri ma mère. Tu peux aller au centre aéré si tu veux, ou nulle part.

— J'en suis sûre, j'ai dit. C'est important.

Certains de mes souvenirs de colo appartiennent, en fait, à ma mère. Certaines images, pourtant vivaces, proviennent des histoires qu'elle me racontait pour m'endormir. Exemple : je n'ai jamais cuit de pâte sur un bâton, puis rempli de beurre et de confiture le trou laissé par le bâton. C'était elle. Je n'ai jamais surpris deux monos filles en train de se rouler des pelles sur l'aire de tir à l'arc, le dos appuyé contre une cible, la main dans le short l'une de l'autre. Quand les garçons venaient à Wenonah pour une soirée, ils traversaient le lac en canoë, débarquaient à la nuit tombée telle une tribu ennemie, prenant d'assaut les berges en blazer miniature. Et, bien que les garçons soient arrivés à notre colo avec le minibus de l'église, je continue de les voir attacher leurs bateaux et dévaler la colline, prêts à nous piller.

Il m'arrive parfois de me surprendre en train de raconter une de ces histoires à des gens : la fois où j'ai vu deux lesbiennes se tripoter. Leur expliquer ce qui est délicieux grillé sur le feu. Je mets une seconde à m'apercevoir que je mens. Mes meilleurs souvenirs, ceux de Fernwood Cove que je chéris, ne sont pas les miens. Ils appartiennent à quelqu'un d'autre. Mes histoires perso sont à pleurer. Personne ne sauterait au plafond en entendant que je me suis cachée dans les toilettes pour prendre mes médocs anti-TOC. Que j'ai séché une excursion en prétextant une migraine ne ravira aucun auditoire nostalgique. Ou que j'ai chopé une turista maison pendant une rando interminable n'est pas non plus une anecdote tout public. Je ne me rappelle aucune chanson.

Comme à New York, mes « vrais copains » de colo étaient les adultes de l'équipe.

Les monos formaient un groupe hétéroclite, un casting idéal pour un des premiers épisodes de *The Real World*. Des nanas avec un piercing au nombril et un tatouage sur la cheville. Des mormons en débardeurs, dingues de gangsta rap. Même les gros avaient les jambes musclées et bronzées. Ils semblaient envoûtés les uns par les autres, séduits par leur propre jeunesse, leur beauté. Ce qui m'est apparu un soir avec une clarté aveuglante quand, de la fenêtre de ma couchette du haut, j'ai vu leurs larges postérieurs blancs gambader sur le ponton bien après minuit, à une heure où les monos sont censés veiller sur nos vies.

La première année, mes faveurs sont allées à Buddhu Bengay, un étudiant de l'ouest du Massachussetts, qui portait des sandales en corde comme celles de Jésus lui-même. Il avait le visage marqué par l'acné et des orteils énormes, mais il avait une façon de parler qui me rappelait Matthew Perry, un humour pince-sans-rire qui rendait désopilants même les mots ordinaires. On ne s'est parlés qu'une ou deux fois. N'empêche, la nuit où j'ai fait une descente à la cuisine, il m'a prise dans ses bras et ramenée au dortoir. J'ai tambouriné sur sa poitrine, médusée qu'il ose me toucher. Il sentait le déodorant, le vrai, pas le truc bio qu'utilisait mon père.

— Pas question, jeune fille, m'a-t-il dit en me déposant devant l'entrée de notre dortoir : Martin-pêcheur.

J'avais les jambes qui tremblaient, comme si je reprenais pied sur terre après plusieurs semaines.

J'ai eu aussi un petit béguin pour Rocco, le « parrain » de notre dortoir, un Australien qui prétendait se taper la fille de Diana Ross, la curieusement prénommée Chudney. Bien que les monos mâles n'aient pas eu le droit d'entrer dans nos dortoirs sans être accompagnés de deux monos filles, Rocco s'asseyait souvent devant la moustiquaire de notre baraque et parlait avec nous après dîner tandis que le soleil se couchait.

Mais je n'ai rencontré le véritable amour qu'au cours du deuxième été. Il s'appelait Johnny McDuff, un blond de Caroline du Sud qui n'avait pas encore vingt-deux ans. Il portait des T-shirts Morrissey sur des pantalons de travail et ne quittait pas ses Wayfarers. Il jouait de la guitare, des chansons de sa composition avec des titres comme : « Oogie Boogie Girl » et « Angel Watchin' over Me », et se pointait en retard au réfectoire avec l'assurance des aînés. On racontait qu'il en pinçait pour Kelsey, la mono des travaux manuels, mais je n'y croyais pas. Elle avait un bracelet de cheville en chanvre et prenait des bains de soleil, banale en somme.

Johnny était souvent notre accompagnateur lors des excursions. C'est sous son œil vigilant qu'on a conduit des autos tamponneuses, regardé *Souviens-toi... l'été dernier*, campé sur un terrain de caravaning où j'ai entendu un homme hurler à sa femme : « C'est marre ! Je te plaque ! » avant de filer dans la nuit à moto. On a fait du rafting dans des rapides, guidées par un certain Bear qui m'a appris la signification d'OVNI. Et on a fait quatre heures de route avec l'intention de sauter d'une falaise de treize mètres de haut.

Dans le car, j'ai décidé que je sauterais en premier, une décision silencieuse. Mes aptitudes en matière de colo étaient pour le moins limitées. Je continuais d'avoir peur dans le noir. J'ai gagné le prix du lit le plus mal fait. Je n'ai parcouru qu'une fois le circuit d'accrobranche et encore, avec de l'aide. Il arrivait que Karen et Jojo s'amusent à me faire tomber par terre pour chronométrer le temps que je mettais à me relever avant de me pousser à nouveau. Sauter en premier, avant mes camarades de dortoir, me rapprocherait de la victoire, inverserait ma position de faiblarde et de chouineuse du Martin-pêcheur. Tandis que mes camarades tergiverseraient et feraient semblant d'avoir peur, je m'avancerais au bord de la falaise et je plongerais avec aisance dans l'eau, fendant la surface de mes mains en coupe – comme le mono de plongée nous l'avait appris.

Presque à destination, je n'ai pas pu me retenir.

— Je saute dès qu'on est arrivés, j'ai annoncé.

— C'est ça, a lâché Jojo.

Pendant que les autres filles préparaient leurs serviettes et remettaient leurs deux-pièces Speedo en place, je me suis avancée vers le bord de la falaise. Nom de nom, que c'était haut ! Le genre de hauteur qui vous liquéfie les tripes.

— Ça fait une belle chute, non ?

Johnny était juste derrière moi, rose de coups de soleil, en petit short bleu. Il ressemblait à un soldat de la Seconde Guerre mondiale en permission.

— J'ai froid. Je crois que je vais attendre une seconde, j'ai dit.

— Ça ne rendra pas les choses plus faciles.

— Je sais. Si ça se trouve, je ne vais pas sauter du tout, j'ai répondu en me retournant pour regarder les autres.

J'étais prête à subir les moqueries. Je m'en fichais, du moment que je m'éloignais de cette falaise. C'est contre nature de se précipiter du haut d'un immense rocher dans une retenue d'eau boueuse.

— Tu sais quoi ? Je vais sauter avec toi.

Près de quinze ans plus tard, je frissonne comme une folle en écrivant ces lignes. J'ai regardé Johnny.

— C'est vrai ?

Il a opiné du chef.

— Tout ce qu'il y a de vrai.

— Compte, j'ai dit.

— D'accord, a-t-il acquiescé en passant devant moi, un peu plus près du bord. Je commence. Prête ? Un… deux…

Et on a sauté. Ce ne fut pas le plongeon du siècle dont j'avais rêvé. J'ai paniqué et je me suis tortillée en l'air comme un chaton essayant de remonter avec les griffes. Avant de pouvoir analyser la sensation de chute, j'avais touché l'eau, un plat brutal. Le froid a apaisé la douleur, apaisé la peur. Johnny a crevé la surface une seconde plus tard et on est remontés, moi crachant et toussant, tirant sur mon maillot pour me le sortir de la raie des fesses, lui me faisant un signe de tête détendu pour me féliciter, secouant ses cheveux blonds pour se dégager les yeux.

Plus tard dans l'après-midi, quand on s'est arrêtés pour manger une glace au bord de la route, il m'a demandé de goûter mon parfum, Malabar. Il a enroulé sa langue autour de mon cornet - dans mon souvenir, c'est une langue remarquablement rouge et épaisse - et il s'est passé quelque chose dans mes tripes d'encore plus bizarre qu'en plongeant. J'ai compris qu'il m'envoyait un signal secret. Certes, on jouait le jeu, on s'amusait avec le reste du groupe, mais on était bien au-dessus de tout ça.

Ce soir-là, dans mon lit, je me suis imaginée cacher mes vêtements, approcher de Johnny et le laisser me caresser tout le corps. On se serait retrouvés à l'extérieur, sous une tente au bout du chemin qui allait dans les bois. J'avais un sens pratique assez développé pour imaginer qu'il emporterait un préservatif.

Le dernier été, le dortoir des anciennes de la colo a eu le privilège de partir dans le New Hampshire faire de la rando, camper et voir un film. L'excursion était encadrée par Rita-Lynn, Cheryl et Rocco, et il était impossible de savoir qui des trois avait flashé sur l'autre. À quinze ans, on aurait presque pu nous prendre pour des adultes et l'atmosphère du voyage était indéniablement estudiantine. Les monos nous parlaient en égaux complices et n'avaient pas vraiment besoin d'affirmer leur autorité. À l'arrière du minibus, on s'est distraites en se racontant des potins, en tenant notre journal et en chantant à tue-tête des chansons de Britney Spears.

Le dernier soir, comme il pleuvait, les monos ont pris des chambres dans un motel avec la carte de la colo. On s'est retrouvés dans la chambre de Rita-Lynn pour jouer aux cartes et manger des tartines de beurre de cacahuètes et de confiture quand j'ai remarqué du coin de l'œil que Rocco ouvrait une bière, puis une deuxième, puis une troisième. Il en a donné une à Rita, une à Cheryl et a bu une gorgée de la sienne.

Je me suis levée et j'ai fait signe à Rita de m'accompagner à la salle de bains.

— Je peux te parler une seconde ? j'ai demandé.

— Qu'est-ce qui se passe ? Tu veux un tampon ?

— Non, c'est juste que ça me met mal à l'aise que les seuls adultes avec nous boivent de l'alcool.

Elle m'a regardée d'un œil vide.

— Dans ma famille, certains ont de gros problèmes d'alcool, alors ça me parle, j'ai tenté d'expliquer.

— Mince, a-t-elle dit en fixant ses sandales.

Je ne savais pas si elle était énervée ou si elle se sentait coupable.

— Je te croyais plus sympa, a-t-elle lâché.

Le dernier soir de colo, tout le monde était habillé en blanc et les anciennes ont lancé sur le lac des bougies fichées dans de petites embarcations en chantant « I Will Remember You », de Sarah McLachlan. Toutes les filles sanglotaient, agglutinées les unes aux autres, et se juraient de s'écrire, de ne jamais s'oublier. Moi aussi, j'ai chouiné en regrettant que toute l'affaire n'ait pas été différente, que je n'aie pas été différente. J'ai regardé ma bougie disparaître dans la nuit jusqu'à ce que je louche.

Récemment, je me suis réveillée d'un rêve de colo si frappant qu'il m'a poursuivie toute la journée. J'étais de retour à Fernwood Cove et il me restait un été pour en faire un souvenir impérissable. Notre dortoir était intact, tout comme mon hymen. Je n'avais pas de vues sur un mec en particulier, ni envie d'écrire à mes parents. On était toutes là, nous les filles, et on s'aimait de tout notre cœur.

Dans mon rêve, j'avais de très longs cheveux semés de plumes et de perles, et j'étais nue sur le ponton. J'étais plus grande, plus souple, plutôt comme ma mère. J'ai plongé en arrière dans l'eau en un geste parfait qui n'a même pas troublé la surface.

Mes regrets

Un jour, en colo, l'équipe de foot est partie disputer un match à l'extérieur et j'ai eu le dortoir pour moi toute seule.

Être seule – sans le bourdonnement des accents du Middle-West, le crissement des cheveux qu'on tresse ou le claquement des tongs – était le summum du délice. J'ai décidé de sécher le cours de ski nautique, d'écrire des lettres et de faire la sieste. De toute façon, à quoi ça servait ? Ce n'était jamais mon tour. On était trop nombreuses et le cours se résumait le plus souvent à grelotter sur le ponton dans nos gilets de sauvetage en écoutant Claire B. geindre parce que son père allait avoir quatre-vingt-dix ans.

Mais les rares occasions où j'ai pu monter sur des skis, j'ai trouvé l'expérience surnaturelle : je volais. Quelques fois à peine quelques secondes, mais d'autres plusieurs minutes, au moins trois. Le monde accélérait sur mon passage : les bateaux, les maisons et ce qui ressemblait à des esquisses de pins. Jusqu'à ce que, vu ma modeste expérience, je sois balayée sans ménagement par une grosse vague. Les skis partaient, je faisais un grand écart qui ne m'était pas naturel, avant de heurter la surface de l'eau d'abord avec le derrière puis avec le nez.

Je me suis réveillée au coucher du soleil, moite et en ayant envie de me gratter, aux cris de joie de mes camarades rentrées victorieuses.

— On leur a mis la pâtée ! a hurlé Madeleine en jetant ses chaussettes sales sur la banquette en dessous de mon lit.

— Des vrais mous ! s'est écriée Emily en retirant son soutif de sport.

— Trop coooooooool, a jouté Philippine dans un anglais boiteux, sa figure niaise de Française irradiant une fierté sans bornes.

Le soir, au feu de camp, le mono de ski nautique m'a demandé où j'étais passée.

— Tout le monde était au match. Tu aurais eu l'heure pour toi toute seule.

Vous imaginez ce que serait ma vie aujourd'hui si c'était arrivé ?

L'art de la fugue

GUIDE POUR FUIR
À L'INTENTION DES PETITES FILLES DE NEUF ANS

Tu veux fuir. Tu veux fuir pour tout un tas de raisons, mais commençons par la plus immédiate : tu es en rogne. Contre ton père qui ne te prend pas au sérieux quand tu préviens que tu es à deux doigts de péter un câble si tu dois passer encore une nuit seule dans ta chambre à regarder la lune. À en croire ton père, ce sont des problèmes de gosse par lesquels les gosses doivent « passer ». Il dit : « Essaie de comprendre que ça ne peut pas être pire. Le pire qui puisse arriver, c'est que ça reste pareil. » Ce qui n'est d'aucun secours. Car il ignore que quelque chose en toi – quelque chose de balèze, d'explosif – est capable d'affoler les populations si d'aventure on ne s'occupe pas de toi correctement ou, au contraire, de déclencher un feu d'artifice de toute beauté pour peu qu'on te prête une oreille attentive.

Tu es en rogne contre ta mère qui ne fait pas attention à toi et répond oui à une question qui appelle une autre réponse. Elle est distraite. Quand elle te tient la main, elle ne la serre pas comme il faut et tu dois lui montrer comment faire, comment préparer un petit hamac pour recevoir tes doigts. Tu es en rogne contre ta mère qui téléphone de la véranda en pantalon corsaire et raconte à quelqu'un que tu passes un été aux petits oignons.

Tu es en rogne de passer ton été à la campagne où les journées sont trop tranquilles et le temps ne manque pas pour phosphorer. À New York, tu habites sur Broadway où le bruit est tel que les pensées qui te font peur n'arrivent pas à en placer une. Mais ici, à la campagne, l'espace est partout : sur le pont de pierre à côté du torrent, sur le rocher moussu au bout de la cour, derrière le mobile home abandonné où vivait Art, le vieux bonhomme avec son œil de verre. De l'espace, de l'espace, de l'espace où tu peux te mettre le trouillomètre à zéro en te disant que tes pensées ressemblent davantage à des voix.

Ton parrain et ta marraine, des citadins eux aussi, ont une maison à quelques centaines de mètres plus loin sur la route. Ta marraine a les cheveux roux et des lunettes papillon. Ton parrain est chauve et imite les quatre Beatles d'une seule voix. Un jour, ton parrain et toi sortez chacun de votre maison pour voir jusqu'où vous pouvez vous parler au téléphone sans fil sans que ça grésille. Tu le vois apparaître au sommet de la colline et agiter la main juste au moment où sa voix se craquelle et disparaît.

La semaine dernière, tes parents ont organisé une fête.

Tout le monde est venu de New York : artistes, écrivains, petits copains, petites copines et femme aux sourcils violets ; ils se sont tous garés sur ta pelouse. Tu as bu trois gorgées du vin de lilas concocté par le frère de Gregory et mimé la fille pompette, tu n'as pas ménagé tes efforts pour incarner celle qui n'arrivait pas à marcher droit, comme l'ivrogne de la série *I Love Lucy*. Vers vingt-deux heures, tes parents t'ont envoyée te coucher et tu as écouté la fête se consumer comme une cigarette. À côté de toi, ta petite sœur respirait telle une turbine réglée au petit poil.

Le jour de la fête a été le pire jour de tout l'été. Tes parents t'ont infligé des corvées injustes qui ne te concernaient pas, alors tu es montée au grenier et tu as balancé des œufs dans l'allée. Ton père ne s'est même pas mis en colère, il t'a seulement obligée à nettoyer les pierres avec l'éponge de la cuisine.

Le lendemain de la fête, il n'a été question que de ménage et le surlendemain que de travail, et le jour d'après était un jour comme les autres et tout le monde s'est ingénié à vouloir te faire dormir dans ton lit.

Par conséquent, il est temps de fuir.

Primo, tu dois faire ton sac. Il est préférable d'en prendre un rikiki pour ne pas trop te charger. Il ne faut pas que tu sois gênée dans tes mouvements. Tu n'as qu'à prendre le petit bleu que tu as acheté pour te sentir plus proche de Cher Horowitz dans *Clueless*. Dommage que tu aies absolument tenu à le porter pour jouer à la balle au prisonnier le jour de la rentrée, te transformant ainsi en cible idéale pour la classe de CM 1. Bien vu, la débile !

Tu n'as besoin que de culottes propres et de pain.

Si tu fuyais ton appart de New York, ce serait plus facile. Tu n'aurais qu'à descendre dans le hall et te cacher sous la rangée de boîtes aux lettres. Tu te rappelles quand ton chat sans poil a pris l'ascenseur tout seul et s'est faufilé dans la fente où Victor Carnuccio glisse les paquets ? C'était à se tordre.

Dans le hall, même si la circulation sur Broadway t'effraie, tu n'auras pas à t'inquiéter trop longtemps. Ta mère ne va pas tarder à rappliquer et elle accédera à toutes tes exigences.

Le problème, c'est que tu te trouves à la maison de campagne, donc c'est un peu plus difficile.

L'endroit idéal pour te cacher serait : à l'arrière de la maison, derrière le mobile home de Art ou sur le côté de l'église mais ça empeste l'humidité et c'est à au moins quatre cents mètres, or tu détestes marcher.

Le garçon sympa avec lequel tu pourrais fuir, à condition de vouloir de la compagnie, serait ton voisin, Joseph Cranbrook. C'est un bon petit gars, même s'il lui arrive de faire des trucs dingues. (Comme la fois où il a dégondé ta moustiquaire parce que tu ne voulais pas aller jouer dehors avec lui. Ton père lui a parlé comme à un adulte pris en flagrant délit de bêtise – c'est d'ailleurs toujours de cette façon qu'il s'adresse aux enfants et, par conséquent, une des raisons pour lesquelles tu fuis.) Aujourd'hui, Joseph est rondouillard et débraillé, la figure barbouillée de sauce barbecue, avec pour seuls atouts d'être en possession d'un canot pneumatique et de s'être confectionné un costume de gorille à bretelles pour Halloween. Mais sachons que, dans dix ans, il s'engagera dans l'armée de l'air, histoire de canaliser sa colère, et tu le croiseras dans Crosby Street au cours de ta première année de fac et il sera le premier mec à qui tu feras une turlute. Tu n'iras pas jusqu'au bout, tu lui passeras juste un coup de langue horrifié sur le machin et il ne te parlera plus jamais. Il se trouve qu'il est « fiancé » à une certaine Ellie qui le dépasse d'au moins trente centimètres et habite en Caroline du Sud.

Tu apprendras tout ça grâce à Facebook, une invention qui verra le jour.

Quand on fuit, l'essentiel est de ne pas s'échapper. Tu ne veux pas disparaître mais attirer l'attention de ta mère. Le fantasme absolu est qu'elle te surveille de quelque part, comme la mère dans *The Runaway Bunny* qui se change en arbre, puis en lac, puis en lune. Ta mère se transforme en mini-sac à dos qui se transforme en pain qui se transforme en lit au-dessus duquel est accroché le poster de Devon Sawa et où tu t'allongeras pour bouder après que tout est fini. Elle sait. Mais oui, elle sait.

Et, finalement, elle arrive et tu obtiens l'attention que tu réclamais quand tu rôdais autour d'elle pendant qu'elle poursuivait sa conversation téléphonique en entourant des articles au stylo-bille dans le catalogue J. Crew. Elle dit qu'elle comprend et qu'à ton âge elle s'est cachée dans une poubelle pendant une heure, mais que personne n'est venu la chercher, si ce n'est l'assistante dentaire de son père.

Plus tard dans l'été, ton grand-père meurt et tu t'en réjouis secrètement. Maintenant, tu as une excuse pour déverser toute ta peine, une peine que les gens comprendront. Tu parcours la véranda de long en large sur le tricycle de ta petite sœur, tu adores le bruit qu'il fait en raclant la peinture au plomb du sol. Tes parents ne te croient pas quand tu affirmes que la peinture contient du plomb, alors tu demandes à acheter chez le quincailler un kit pour tester la peinture. Le kit contient un tube, semblable à un tube de rouge à lèvres, avec un bout spongieux blanc qu'on passe sur la zone suspecte. Puis on attend, si le bout blanc devient rouge, le plomb est présent. Le test se révèle négatif, le bout devient gris en raison de la poussière sur le sol de la véranda et tu es déçue.

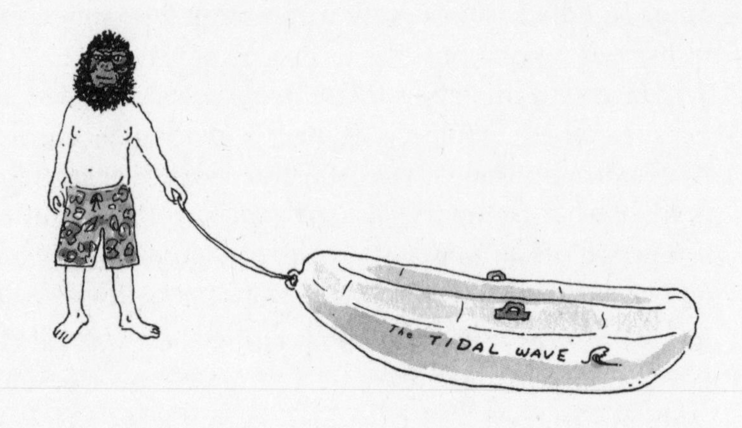

GUIDE POUR FUIR
À L'INTENTION DES JEUNES FEMMES
DE VINGT-SEPT ANS

Aucun de vos voisins ne vous connaît, par conséquent aucun ne bougerait un cil. Ils ont tous plus de quatre-vingt-quinze ans et ne sont pas abonnés à HBO. Vous pourriez vous précipiter tête la première dans le vide-ordures, on retrouverait votre corps sanguinolent six jours plus tard au milieu des couches pour incontinents et le seul commentaire que cette découverte susciterait serait un malheureux « Hein ? » suivi d'une réunion de copropriété pour savoir comment se débarrasser du macchabée.

Si vous n'appelez pas vos parents pendant une journée, ils supposent que vous avez beaucoup de travail, que vous aidez une copine qui vient de subir une intervention bénigne ou que vous êtes en train de franchir le cap des dix-sept heures de galipettes avec votre mec. Passer une heure accroupie derrière un édifice religieux ne suffit plus à attirer leur attention.

Vous vous rappelez ce livre que vous avez trouvé dans l'atelier de votre père : *How to Disappear Completely and*

Never be Found ? Vous ne doutez pas qu'il alimente ses recherches sur de nouvelles formes de pensées créatrices, de concepts susceptibles d'être appliqués à son travail, mais le bouquin soulève une autre hypothèse : ceux que vous aimez pourraient faire quelque chose de bien plus perturbant que mourir. Vous saviez que votre père avait des tendances morbides mais qu'il était aussi heureux que sa constitution le lui permettait, et vous étiez rassurée. S'il s'avérait que le bouquin impliquait autre chose, vous préférez ne pas vous attarder sur cette éventualité.

Ces temps-ci, le vent a tourné. C'est vous qui êtes distraite quand votre mère essaie de vous parler. Vous qui pensez que les pères ont des problèmes de père par lesquels ils doivent passer. À présent, c'est vous qui vous endormez avant votre petite sœur – vous la déposez à la station de métro et la regardez disparaître sous terre. Des amis qui l'ont croisée en soirée vous confient qu'elle danse comme une déesse.

Vous avez toujours souffert de dépersonnalisation. Que son origine soit médicale, comme le suggèrent deux thérapeutes, ou délibérée (« Tu m'écoutes ? me demande sans arrêt mon père. Je vois bien que tu es encore partie ailleurs »), vous n'en savez rien, mais la terreur poisseuse qui caractérisait à neuf ans vos nuits d'été s'incruste parfois ces derniers temps pendant plusieurs jours.

— Tu vois ce que je veux dire, quand tu ziques avec un mec et qu'au lieu d'être à fond dans le truc, tu te vois de très loin, comme si tu regardais un film ? je demande à ma copine Jemima qui est en train de me peindre nue allongée sur un canapé.

— Non, répond-elle. En tout cas, c'est nul. Tu en as déjà parlé à quelqu'un ?

Tout le monde prétend que vous ressemblez à votre tante, le même nez, le même postérieur et la même façon d'embrasser les gens, comme un koala en surcompensation.

Un jour, elle vous raconte les débuts de sa relation avec son mari. Elle est au courant qu'il a d'autres minettes en réserve, mais elle l'aime quand même. Un soir, il sort chercher des bières et lorsqu'elle l'entend rentrer, elle fait semblant de dormir pour voir son comportement. Lui posera-t-il une couverture sur les jambes ? La contournera-t-il sans la regarder pour passer un coup de fil important ? La contemplera-t-il en train de dormir ?

Vous pensez que c'est un truc de famille. Vous venez de faire le test la semaine dernière sur la personne avec qui vous sortez et quelle ne fut pas votre déception…

Le fait est que, depuis cette fameuse turlute inaugurale, vous n'êtes pas plus à l'aise avec les parties de jambes en l'air. Chaque cabriole vous fait le même effet qu'une première visite chez un généraliste. Bizarre, pénible et un rien glacial. Vous avez fini par apprendre quelques mots en vogue et des positions qui rendent la chose plus fluide ; vous vous lancez toujours dans l'aventure avec l'intention de ne pas vous regarder du pas de la porte comme un policier indiscret.

Mais vous continuez à fuir.

Cette fuite peut prendre la forme d'une douche interminable pendant que la personne qui soi-disant vous plaît regarde dans le lit des bandes-annonces sur son ordinateur.

Une autre forme est de choper une cystite et, après avoir passé des heures à essayer de produire trois gouttes de pipi cuisant dans une salle de bains de la taille d'un verre à dent, de rentrer en douce chez vos parents où votre mère a préparé les antibiotiques et le jus de cranberries – mais s'est recouchée.

Une autre forme est d'appeler un taxi en étant raide aux médocs et de rentrer chez vous à six heures du mat pour vous apercevoir que vous avez laissé tous vos objets précieux chez le mec qui ne se réveille pas avant deux heures de l'après-midi et ne sort pas de son coma, même quand vous appuyez sur sa sonnette comme une sourde.

Une autre forme encore est de sortir subrepticement le matin pour aller méditer, puis de revenir vous coucher comme si de rien n'était. Une autre est de méditer, tout simplement.

D'autres stratagèmes à essayer : prétendre que vous êtes malade. Prétendre que vous êtes tombée dans la rue à cause de chaussures impossibles. Prétendre que le boulot a duré plus longtemps que prévu. Écrire jusqu'à plus soif. Prétendre que vous êtes de nouveau malade. Prétendre que vous tombez souvent malade. Faire le silence radio puis prétendre que vous avez perdu votre téléphone portable dans votre lit. Aller au boulot et y rester tout la journée. Écouter la chanson de Taylor Swift qui parle de danser sous la pluie avec un garçon de son patelin d'origine. Ne pas courir. Ne jamais courir.

Bientôt, vous allez vous apercevoir que les situations que vous avez envie de fuir se raréfient. Au boulot, vous passerez toute la journée dans votre corps pour de bon, sans imaginer à quoi vous ressemblez dans le regard de ceux qui vous entourent. Vous êtes un outil destiné à son propre usage. Ça change beaucoup de choses.

Et puis, un jour, vous sortirez du lit pour aller faire pipi et quelqu'un vous dira : « Je n'aime pas quand tu t'en vas » et vous aurez envie de retourner vite fait sous la couette. Vous penserez : Je me trompe ou c'est le genre de trucs qui n'arrivent qu'aux personnages interprétés par Jennifer Garner ?, sauf que ça vous arrive et continue de vous arriver même quand vous pleurez ou que vous faites votre peste ou que vous lui montrez que vous êtes nulle pour organiser des sorties en groupe. Il est là sans réserves. Il fait attention. Il écoute. Il a envie de rester.

Il arrive que vos vieux démons pointent à nouveau leur nez. Que vous vous sentiez envahie et incomprise.

Que vous sortiez de votre corps mais en étant toujours dans la pièce, ce que l'esprit fait après la mort selon vous. Jadis la nuit était à vous et vous en faisiez bon usage à la période délicieuse qui séparait le moment où votre père ne pouvait plus vous dire d'aller vous coucher et celui où vous avez pris un appartement avec quelqu'un. Partager votre intimité tue-t-il votre productivité ? De quand date la dernière fois où vous êtes restée debout jusqu'à quatre heures du mat pour tester votre résistance au sommeil en lisant le pedigree de tueurs en série sur Google ?

Mais vous vous rappelez la souffrance de cet instant qui sépare la conscience du sommeil. La douleur du lâcher-prise, le moment où votre esprit s'échappe de votre corps comme un ballon aspiré par l'atmosphère. Il arrange tout ça. Il vous dit que votre journée a été chargée et qu'il est temps de décompresser. Il vous aide à dormir. Les gens ont besoin de dormir.

Vous avez appris une nouvelle règle, elle est simple : Ne vous mettez pas dans des situations que vous auriez envie de fuir.

Mais si vous fuyez, revenez vite vers vous-même, comme le lapin de *The Runaway Bunny* qui court vers sa mère, sauf que la mère, c'est vous, et quand plus tard, ça vous apparaîtra évident, vous serez très, très, fière.

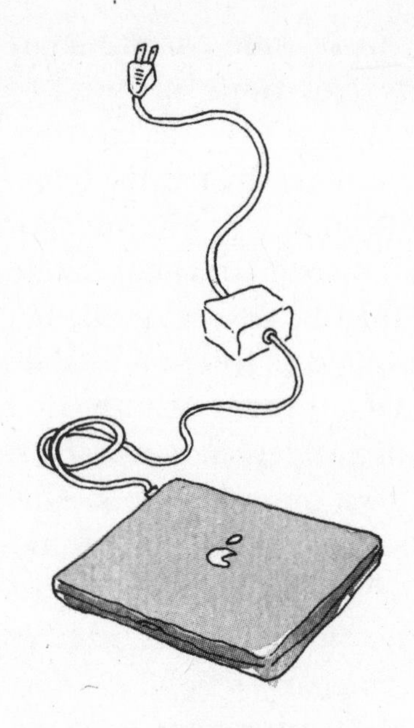

Remerciements

Que grâce et remerciements soient rendus à toutes les personnes qui ont été essentielles à l'écriture et à la publication de ce livre :

Peter Benedek, le meilleur ami qui soit, et un vrai champion. Je te dois tant, raison pour laquelle d'ailleurs je te reverse dix pour cent de mes émoluments. Jenny Maryasis, une femme de lettres, une femme qui ne mâche pas ses mot, dans un monde où tout un chacun passe son temps à mentir. Je vous remercie tous les deux.

Kimberly Witherspoon, merci de m'avoir encouragée à m'étaler confortablement, que ce soit dans mon fauteuil ou sur ces pages.

Jodi Gottlieb, la gardienne du bon goût.

Susan Kamil, Gina Centrello, et toute l'escouade féminine de chez Random House. Une bien belle brochette.

Andy Ward, tu es le meilleur éditeur dont une fille puisse rêver, surtout quand la susdite utilise le mot « fouffe » toutes les deux lignes. Ton travail, attentif, précis et brillant, se ressent bien au-delà de ces quelques pages. Et un petit coucou en passant à Abby and Phoebe.

David, Esther, et tout le gang Remnick/Fein : votre amitié et votre sagesse sont tel un baume sur mon âme. Merci pour votre humour, vos encouragements, et pour les Matzos au brie.

Joana Avillez, tu dessines un monde dans lequel j'aimerais vivre. Ce livre, c'est nos vingt-cinq années d'amitié.

Ilene Landress, qui me fait avancer, me permet de garder le cap et me rend vraiment heureuse.

Jenni Konner : ma meilleure amie, ma camarade de boulot et ma camarade de jeu. Ce n'est pas une coïncidence si, quelque temps après t'avoir rencontrée, j'ai retrouvé ma voix. Chaque jour qui passe, je te remercie. Je vous aime, Mack et Coco !

Ma famille : sans votre sens artistique, votre humour et votre amour, je ne serais rien. Je vous demande pardon de continuer à vous infliger ça. Laurie et Tip, j'en ai maintenant terminé avec vous, du moins jusqu'à ce que vous ayez cassé votre pipe. Quant à toi Grace, je crains hélas que tu ne sois pas encore tout à fait tirée d'affaire.

Tata SuSu et tata Bonmom, Grandma Dot, Oncle Jack, les cousins (les présents et les absents), Rick et Shira et Rachum.

Jack Michael Antonoff. Sans ton amour et ton soutien, ces mots n'auraient jamais vu le jour. Pour cette vie et ce foyer que nous créons ensemble, je te remercie.

Isabel Halley, Audrey Gelman, Jemima Kirke – muses et amies. Les plus belles et les plus drôles qui soient.

Du fond du cœur, merci à tous ceux que je croise chaque jour sur internet, et qui m'ont encouragée à m'exprimer, qui m'ont sacrément poussée à aller plus loin, me confortant ainsi dans l'idée, et l'espoir, que le monde est plein de vrais gentils.

Nombreuses sont les personnes qui m'ont aidée, encouragée et inspirée. En voici la liste (laquelle est non exhaustive) : Ericka Naegle, Mike Birbiglia, Leon Neyfakh, Alice Gregory, Miranda July, Delia Ephron, Ashley C. Ford, Paul Simms, Charlie McDowell and the Roon, Murray Miller, Sarah Heyward, Bruce Eric Kaplan, Judd Apatow, B. J. Novak, *The New Yorker* magazine, *Glamour* magazine, *Rookie* magazine, Tavi Gevinson, Anaheed Alani, HBO, Mindy Kaling, Alicia Van Couvering, Matt Wolf et Carl Williamson, Teddy Blanks, Roberta Smith et Jerry Saltz, Taylor et toutes ses chansons, Bill Simmons, Polly Stenham, Larry Salz, Kassie Evashevski, Richard Shepard, David Sedaris, Zadie Smith, Tom Levine, Maria Santos, Ariel Levy, Kaela Myers, Maria Braeckel, Tom Perry, Theresa Zoro, Leigh Merchant, Erika Seyfried, et Lamby

À propos de l'auteur

Lena Dunham est la créatrice de la série *Girls*, produite par HBO et largement saluée par la critique. Elle en est également la productrice exécutive, l'auteur et la réalisatrice. Elle a été nominée huit fois aux Emmy Awards et a remporté deux Golden Globes, dont celui de la Meilleure Actrice pour son travail dans *Girls*. Par ailleurs, elle est la première femme à s'être vu décerner le Directors Guild of America Award dans la catégorie Comédie. Lena Dunham a également écrit et réalisé deux longs métrages (parmi lesquels, *Tiny Furniture* en 2010) et collabore régulièrement avec *The New Yorker*. Elle vit et travaille à Brooklyn, New York.

Table

Deuxième partie

Le corps

Troisième partie

L'amitié

Quatrième partie

Le travail

Cinquième partie
Le grand tout

Composition et mise en pages
Nord Compo à Villeneuve-d'Ascq

Achevé d'imprimer en octobre 2014
par Marquis Imprimeur

Dépôt légal : octobre 2014

Imprimé au Canada